OPTION B

Sheryl Sandberg et Adam Grant

OPTION B

*Surmonter l'adversité,
être résilient,
retrouver l'aptitude au bonheur*

Traduit de l'anglais (États-Unis)
par Anna Souillac

Michel LAFON

Ce livre est dédié à la mémoire de David Bruce Goldberg
2 octobre 1967 – 1ᵉʳ mai 2015

Dave, je t'aimerai toujours.

Introduction

« J e m'endors. » Voilà la dernière chose que je lui ai dite.

J'ai rencontré Dave Goldberg au cours de l'été 1996, quand j'ai emménagé à Los Angeles. Un ami commun nous avait à tous deux proposé d'aller dîner, puis au cinéma. Le film a commencé et je me suis aussitôt endormie, la tête posée sur l'épaule de Dave. Dave aimait à raconter aux gens qu'il avait pris ça comme le signe qu'il me plaisait, jusqu'à ce qu'il se rende compte par la suite que, comme il le disait, « Sheryl pourrait s'endormir n'importe où et sur l'épaule de n'importe qui ».

Dave est devenu mon meilleur ami et j'ai commencé à me sentir chez moi à L.A. Il m'a présentée à des gens passionnants, m'a indiqué quelles rues emprunter pour éviter les embouteillages, et s'est assuré que j'aie toujours quelque chose de prévu les week-ends et les jours fériés. Il a fait de moi une fille un peu plus cool en me faisant découvrir Internet et écouter des chansons que je n'avais jamais entendues auparavant. Quand j'ai rompu avec mon petit ami, c'est Dave qui m'a consolée, et ce en dépit du fait que mon ex ait fait partie des forces spéciales de la marine et dorme avec un pistolet chargé sous son lit.

Dave avait l'habitude de dire qu'il avait eu le coup de foudre dès le jour où nous nous étions rencontrés, mais qu'il avait dû attendre longtemps que je sois « enfin suffisamment intelligente pour larguer tous ces losers » et sortir avec lui. Dave avait sans cesse quelques longueurs d'avance sur moi. Mais j'ai toujours fini par le rattraper. Six ans et demi après ce film, nous avons décidé de passer une semaine de vacances tous les deux. Nous étions nerveux, car nous savions que si notre relation ne prenait pas un nouveau tournant, nous allions gâcher notre belle amitié. Nous nous sommes mariés un an plus tard.

Dave était mon roc. Il restait calme quand je m'énervais. Il disait que tout allait bien se passer quand je m'inquiétais. Il m'aidait à trouver des solutions quand je n'étais pas sûre de savoir que faire. Comme tous les couples mariés, nous avons connu des hauts et des bas. Mais avec lui, je me sentais profondément comprise, sincèrement soutenue, et toujours inconditionnellement aimée. Je pensais passer le reste de ma vie la tête posée sur son épaule.

Onze ans après notre mariage, Dave et moi sommes partis au Mexique pour fêter les cinquante ans de notre ami Phil Deutch. Ravis de passer un week-end entre adultes, nous avions laissé nos enfants avec mes parents en Californie. Le vendredi après-midi, nous étions autour de la piscine et jouions à Catane avec nos iPads. Une fois n'est pas coutume, j'étais en train de gagner, mais je ne pouvais pas m'empêcher de piquer du nez. Quand j'ai compris que le sommeil allait avoir raison de ma victoire Catane, j'ai rendu les armes et dit : « Je m'endors. » Je me suis confortablement installée et j'ai fermé les yeux. À 15 h 41, quelqu'un a pris une photo de Dave, son iPad à la main, assis entre son frère Rob et Phil. On me voit endormie sur un matelas par terre devant eux. Dave sourit.

Quand je me suis réveillée une heure plus tard, Dave n'était plus sur sa chaise longue. J'ai rejoint quelques-uns de nos amis qui se baignaient, me disant qu'il était allé à la salle de sport comme prévu. Quand je suis retournée dans notre chambre pour me doucher et qu'il n'y était pas non plus, j'ai été un peu surprise mais je ne me suis pas inquiétée outre mesure. Je me suis préparée pour le dîner, j'ai lu mes e-mails et j'ai appelé les enfants. Notre fils de neuf ans était dans tous ses états, car lui et son copain avaient, en dépit de l'interdiction, escaladé la barrière du terrain de jeu et déchiré leurs baskets. Il pleurait en me racontant ça. Je lui ai dit que j'appréciais son honnêteté et que papa et moi allions discuter pour savoir combien de son argent de poche serait retenu pour acheter une nouvelle paire de baskets. Parce qu'il voulait être fixé tout de suite, il a insisté pour que je prenne une décision. Je lui ai dit que c'était le genre de chose que papa et moi faisions ensemble, et que j'allais donc devoir le rappeler le lendemain.

J'ai quitté la chambre et suis descendue dans le hall. Dave n'y était pas. J'ai rejoint les autres sur la plage. Il n'y était pas non plus. Une vague de panique m'a alors envahie. Quelque chose n'allait pas. « Dave n'est pas là ! », ai-je crié à Rob et Leslye, son épouse. Leslye s'est figée. « Où est la salle de sport ? », a-t-elle crié à son tour. J'ai pointé un escalier du doigt et nous nous sommes mises à courir. Je peux encore sentir mon souffle et mon corps se contracter en repensant à ces mots. Personne ne pourra plus jamais prononcer la phrase « Où est la salle de sport ? » devant moi sans que mon cœur ne s'emballe.

Nous avons trouvé Dave par terre, allongé à côté du vélo elliptique, le visage légèrement bleu et tourné vers la gauche, la tête dans une mare de sang. Nous avons tous hurlé. J'ai commencé à lui faire un massage cardiaque. Puis Rob m'a remplacée. Puis un médecin est arrivé pour prendre le relais.

Le trajet en ambulance a duré une demi-heure, la plus longue de ma vie, Dave à l'arrière sur un brancard, le médecin penché sur lui. Moi sur le siège avant où on m'avait dit de m'asseoir, en pleurs, suppliant le docteur de me dire si Dave était toujours en vie. Et cet hôpital qui était si loin, et ces voitures qui ne s'écartaient pas sur notre passage. Nous avons fini par arriver. Ils l'ont emmené derrière une lourde porte en bois, refusant de me laisser entrer. Je me suis assise par terre devant la porte. Marne Levine, l'épouse de Phil et l'une de mes amies les plus proches, m'a prise dans ses bras.

Après ce qui m'a semblé une éternité, on m'a conduite dans une petite pièce. Le médecin est arrivé et s'est assis derrière son bureau. Je savais ce que cela voulait dire. Quand le docteur est parti, un ami de Phil s'est approché, m'a embrassée sur la joue et m'a dit : « Toutes mes condoléances. » Ces mots et ce baiser de circonstance avaient un goût prémonitoire. J'ai tout de suite su qu'ils étaient les premiers d'une longue liste.

Quelqu'un m'a demandé si je voulais voir Dave pour lui dire au revoir. Je le voulais – et je ne voulais plus jamais partir. Je me disais que si je restais dans cette pièce à le tenir dans mes bras, si je refusais de le lâcher, je me réveillerais et mettrais fin à ce cauchemar. Quand Rob, en état de choc lui aussi, m'a dit qu'il fallait y aller, j'ai quitté la pièce, fait quelques pas dans le couloir, et suis revenue en courant pour serrer Dave dans mes bras de toutes mes forces. Rob a fini par me tirer délicatement en arrière pour que je lâche le corps de Dave. Marnie a marché à côté de moi le long de ce grand couloir blanc, le bras autour de ma taille, pour me soutenir et m'empêcher de retourner en courant dans cette chambre.

Et c'est ainsi qu'a commencé le reste de ma vie. Ce n'était en aucun cas une vie que j'aurais choisie moi-même. Ça ne l'est toujours pas. C'était une vie pour laquelle je n'étais absolument pas préparée. L'inimaginable. M'asseoir avec mon fils et ma fille pour leur annoncer que leur père était mort. Entendre leurs hurlements, auxquels se mêlaient les miens. L'enterrement. Les gens qui, dans leurs discours, parlaient de Dave au passé. Ma maison remplie de visages familiers, qui venaient me voir, encore et encore, pour poser ce baiser de circonstance sur ma joue, suivi inexorablement des mêmes mots : « Toutes mes condoléances. »

Quand nous sommes arrivés au cimetière, les enfants sont descendus de voiture et se sont effondrés à terre, incapables de faire un pas de plus. Je me suis allongée dans l'herbe avec eux et les ai serrés dans mes bras tandis qu'ils pleuraient. Leurs cousins nous ont rejoints et se sont allongés avec nous. Ils étaient tous empilés, comme un énorme tas de pleurs, entourés de ces bras adultes qui tentaient en vain d'apaiser leur chagrin.

La poésie, la philosophie et la physique nous enseignent que le temps ne passe pas à la même vitesse selon notre état. Pour moi, le temps a soudainement ralenti drastiquement. Mes journées étaient désormais remplies par les sanglots et les cris de mes enfants. Quand ils ne pleuraient pas, je passais mon temps à les observer, attendant avec angoisse le prochain moment où ils auraient besoin de réconfort. Mes propres sanglots et cris – la plupart dans ma tête, mais certains à voix haute – meublaient le reste de l'espace disponible. J'étais entrée dans un « néant », une sorte de vide abyssal qui envahit votre cœur et vos poumons et limite votre capacité à penser et même à respirer.

Le chagrin est un compagnon exigeant. Les premiers jours, les premières semaines, les premiers mois, il était constamment là, pas simplement sous la surface mais à la surface. Bouillonnant, persistant, pourrissant. Puis, telle une vague, il se réveillait et se déchaînait en moi, comme s'il allait m'arracher le cœur, littéralement. Dans ces moments-là, j'avais l'impression que je ne serais pas capable de supporter la douleur une minute de plus, encore moins une heure.

Je revoyais Dave allongé sur le sol de la salle de sport. La nuit, je criais son nom, je hurlais dans le néant : « Dave, tu me manques. Pourquoi m'as-tu quittée ? Reviens, s'il te plaît. Je t'aime… » Tous les soirs, je m'endormais en pleurs. Je me réveillais le matin et passais la journée en mode automatique. Je n'arrivais pas à croire que le monde puisse tourner sans lui. Comment les gens pouvaient-ils continuer de vivre comme si rien n'avait changé ? *Ne savaient-ils donc pas ?*

Le moindre événement du quotidien est devenu un terrain miné. Lors d'une réunion à l'école, ma fille m'a montré ce qu'elle avait écrit le jour de la rentrée, huit mois plus tôt : « Je suis en CE1. Je me demande ce qu'il va se passer dans le futur. » C'était comme si une enclume me tombait sur la tête. Ni elle ni moi n'aurions jamais imaginé qu'elle perdrait son père avant la fin du CE1. *Du CE1.* J'ai regardé sa petite main dans la mienne, son adorable visage levé vers moi pour voir si j'aimais ce qu'elle avait écrit. J'en ai perdu l'équilibre et ai failli tomber. Je lui ai dit que j'avais trébuché. J'ai parcouru le reste du trajet jusqu'à sa salle de classe les yeux baissés. Si j'avais croisé le regard d'un autre parent, je me serais complètement effondrée.

Les anniversaires étaient une source de déchirement encore plus grande. Dave avait toujours fait grand cas de la rentrée scolaire. Il prenait des tonnes de photos de nos enfants au moment du départ. J'ai essayé de rassembler tout mon enthousiasme pour prendre des photos à mon tour. À l'anniversaire de ma fille, je me suis assise par terre dans ma chambre avec ma mère, ma sœur et Marne. Je ne pensais pas pouvoir descendre au salon et survivre à une fête, encore moins sourire tout ce temps. Je savais que je devais le faire pour ma fille. Je savais aussi que je devais le faire pour Dave. Mais j'aurais voulu le faire *avec* Dave.

Il y a eu quelques moments où l'humour a repris le dessus. Un jour que je me faisais couper les cheveux, j'ai dit que j'avais du mal à dormir. Mon coiffeur a posé ses ciseaux et a ouvert son sac dans un geste théâtral, pour en sortir un million de Xanax de toutes les formes et de toutes les couleurs. Une autre fois, j'étais au téléphone avec mon père, me plaignant que tous les livres qui traitaient de deuil portaient des titres horribles : *La mort est d'une importance vitale, accueillez-là avec un grand oui.* (Comme si je pouvais dire non.) Ou bien *Dormir en plein milieu du lit.* Une autre fois encore, rentrant du bureau en voiture, j'ai allumé la radio dans l'espoir de me distraire un peu. Les chansons sur chaque station étaient pires les unes que les autres. « Some-body that I used to know[1]. » Horrible. « Not the End[2]. »

---

1. « Quelqu'un que j'ai connu ».
2. « Ce n'est pas la fin ».

Hum, ce n'est pas l'impression que j'ai. « Forever Young [1] ». Pas vraiment, là. « Good Riddance (Time of Your Life) [2] ». Non et non. Finalement, j'ai opté pour « Reindeers are better than people [3] », de *La Reine des Neiges*…

Davis Guggenheim, un ami qui réalise des documentaires, m'a dit un jour qu'il avait appris à laisser l'histoire s'écrire d'elle-même. Quand il se lance dans un projet, il n'en connaît pas la fin. L'histoire doit se révéler à lui. Il ne voulait pas que j'essaie de contrôler ma peine ; il m'a encouragée à l'écouter, à la garder près de moi et à la laisser suivre son cours. Davis me connaît bien. J'ai cherché bien des façons d'en finir avec mon chagrin, de le mettre dans une boîte et de le jeter aux oubliettes. Dans les premières semaines et les premiers mois, ce fut un échec total. L'angoisse gagnait à tous les coups. Même quand j'avais l'air calme et serein, la douleur était constamment là. Physiquement, si j'étais assise en réunion ou à lire une histoire à mes enfants, mon cœur, lui, était sur le sol de cette salle de sport.

C.S. Lewis a écrit : « Personne ne m'a jamais dit que le chagrin ressemblait tant à la peur. » Ma peur était constante et j'avais l'impression que le chagrin ne me quitterait jamais. Il continuerait à s'acharner sur moi par vagues, jusqu'à ce que je ne tienne plus debout et ne sois plus moi-même. Au pire du néant, deux semaines après la mort de Dave, j'ai reçu une lettre d'une connaissance. D'une soixantaine d'années, elle m'écrivait que, puisqu'elle avait un peu d'avance sur moi sur ce triste chemin du veuvage, elle aurait aimé pouvoir être de bon conseil, mais que ce n'était pas le cas. Elle avait perdu son mari quelques années auparavant, une

---

1. « Jeune pour l'éternité ».
2. « Bon débarras (le meilleur moment de ta vie) ».
3. « Les rennes sont meilleurs que les hommes ».

bonne amie à elle avait perdu le sien il y avait plus de dix ans, et aucune des deux n'avait le sentiment que le temps avait atténué leur chagrin. « J'ai beau chercher, je suis incapable de trouver une seule phrase pour t'aider », écrivait-elle. Bien que rédigée avec les meilleures intentions du monde, cette lettre a détruit en moi tout espoir de voir ma douleur s'estomper. J'avais l'impression que le néant se refermait sur moi, que les années qu'il me restait seraient celles d'un vide éternel.

J'ai appelé Adam Grant, psychologue et professeur à l'université de Wharton, pour lui lire cette missive terrible. Deux ans auparavant, après avoir lu le livre d'Adam *Give and Take*, Dave l'avait invité à participer à une conférence à Survey Monkey, l'institut de sondage en ligne dont il était le P-DG. Après cela, Adam était venu dîner à la maison. Il étudie comment les gens trouvent leur motivation et donnent un sens à leur vie. Nous avons discuté des défis que les femmes doivent affronter, et de ce que le travail d'Adam pouvait leur apporter. Nous avions commencé à écrire ensemble et sommes devenus amis. Quand Dave est mort, Adam a traversé tout le pays pour assister à son enterrement. Ma plus grande peur, c'était que mes enfants ne trouvent plus jamais le bonheur. D'autres avaient déjà tenté de me rassurer en me racontant leurs histoires, mais Adam m'a donné des faits concrets : après avoir perdu un parent, la plupart des enfants se révèlent étonnamment résilients, au point de continuer à grandir et à vivre une enfance heureuse, pour devenir des adultes épanouis.

En entendant mon désespoir à la lecture de cette lettre, Adam a retraversé le pays pour venir me convaincre que le vide éternel n'était pas une fatalité. Il voulait me dire face à face que, bien que le chagrin soit inévitable, il y avait des solutions pour apaiser la douleur de mes enfants et la mienne. Qu'au bout de six mois, plus de la moitié des gens qui avaient perdu leur compagnon dépassent ce que les psychologues appellent la « période aiguë du deuil ». Adam m'a convaincue que même si la période de chagrin était inévitable, mes convictions et mes actes pouvaient agir sur le temps que je mettrais à traverser le néant et sur la femme que je serais après.

Je ne connais personne à qui la vie n'a distribué que les meilleures cartes, et nous sommes tous confrontés à des moments difficiles. Nous en voyons venir certains et d'autres nous prennent par surprise. Ils peuvent être aussi tragiques que la mort d'un enfant, aussi déchirants qu'une relation qui se termine, aussi décevants qu'un rêve jamais réalisé. La question est là : Que faire, après de tels événements ?

Pour moi, la résilience représente notre capacité à endurer la douleur ; j'ai donc demandé à Adam comment je pouvais estimer la mienne. Il m'a expliqué que notre capacité de résilience n'était pas quelque chose de figé, que je devais plutôt me demander comment je pouvais acquérir cette résilience. La résilience, c'est la force et la rapidité de notre réaction face à l'adversité – et nous pouvons la développer. Il ne s'agit pas d'avoir les reins solides. Il s'agit de renforcer les muscles qui entourent nos reins.

Depuis la mort de Dave, un nombre incalculable de personnes m'ont répété : « Je ne peux pas imaginer ça. » Elles veulent dire qu'elles ne peuvent pas concevoir que ça leur arrive, et comment je parviens à rester debout à leur parler au lieu de me recroqueviller dans mon coin. J'ai eu un jour le même sentiment en voyant une collègue revenir travailler après avoir perdu son enfant, ou en croisant un ami qui buvait un café chez Starbucks alors qu'on venait de lui diagnostiquer un cancer. Mais quand je me suis retrouvée de l'autre côté de la barrière, j'ai répondu : « Je ne peux pas me le figurer non plus, mais je n'ai pas le choix. »

Je n'avais pas d'autre choix que celui de me lever le matin. Pas d'autre choix que de surmonter le choc, le chagrin, la culpabilité de celle qui a survécu. Pas d'autre choix que d'essayer d'avancer et d'être une bonne mère.. Pas d'autre choix que d'essayer de me concentrer du mieux possible pour être une bonne collaboratrice.

Le deuil, le chagrin et la déception sont des sentiments profondément personnels. Les circonstances dans lesquelles nous les éprouvons et nos réactions sont toutes différentes. Néanmoins, ce sont les personnes qui ont eu la bonté et le courage de me parler de leurs expériences qui m'ont aidée à me remettre en m'ouvrant leur cœur, parmi lesquelles certains de mes meilleurs amis. Mais j'ai aussi été aidée par des inconnus dont j'ai partagé la sagesse et les conseils, parfois même au travers de ces livres aux titres horribles. Quant à Adam, il s'est montré patient, insistant sur le fait que la lumière allait revenir mais que j'allais devoir contribuer à son retour. Que même face à la plus grande tragédie de ma vie, je pouvais en contrôler certains effets.

Ce livre est notre tentative, à Adam et moi, de vous faire part de ce que nous avons découvert sur la résilience. Nous l'avons écrit ensemble. Mais pour plus de simplicité et de clarté, c'est moi, Sheryl, qui vous en raconterai l'histoire, tandis qu'Adam sera cité à la troisième personne. Nous ne prétendons pas que l'espoir triomphera tous les jours de la peine. Ce ne sera pas le cas. Nous ne prétendons pas non plus avoir connu toutes les formes de deuil et tous les revers de la vie. Ce n'est pas le cas. Il n'y a pas de bonne façon ni de façon unique de faire son deuil ou d'affronter l'adversité, nous n'avons donc pas de réponses idéales. Car celles-ci n'existent pas.

Nous savons aussi que tout ne finit pas forcément bien. Pour chaque histoire pleine d'espoir que nous allons vous raconter, il en existe dont les épreuves étaient trop lourdes pour être dépassées. En matière de rétablissement, le point de départ n'est pas le même pour tous. Les guerres, la violence, le sexisme systématique et le racisme déciment des vies et des communautés entières. La discrimination, la maladie et la pauvreté sont à l'origine de nombreuses tragédies et les aggravent. La triste vérité, c'est que nous ne faisons pas tous face à la même adversité : des groupes marginalisés et privés de droits doivent endurer des batailles et des deuils plus redoutables encore.

Aussi traumatisante qu'ait été notre expérience, je suis bien consciente de la chance que nous avons d'être entourés de notre grande famille, nos amis et nos collègues, et de disposer de ressources financières dont peu de gens peuvent bénéficier. Je sais aussi que trouver des solutions contre l'adversité ne nous exempte pas d'essayer de la prévenir.

Grâce à notre action au sein de notre communauté ou de notre entreprise, aux politiques publiques que nous mettons en place, à la façon dont on s'entraide, nous pouvons faire en sorte qu'il y ait moins de souffrance dans le monde.

Mais malgré nos efforts pour éviter les épreuves, les inégalités et les traumatismes, ils existent quand même et c'est toujours à nous de nous en sortir. Afin de nous battre pour les changements à venir, il nous faut développer notre résilience aujourd'hui. Les psychologues ont étudié la façon de reprendre le cours de sa vie après des épreuves aussi diverses que le deuil, le divorce, l'isolement qui suit un accident ou une maladie, l'échec professionnel ou les déceptions personnelles. En nous intéressant de près à ces études, Adam et moi avons enquêté et identifié des individus et des groupes qui avaient surmonté des épreuves ordinaires ou extraordinaires. Leurs histoires ont changé notre façon de voir la résilience.

Ce livre parlera de la capacité de l'esprit humain à persévérer. Nous nous pencherons sur les étapes à suivre afin d'aider les autres et soi-même. Nous explorerons la psychologie du deuil et les défis à affronter pour reprendre confiance en soi et retrouver la joie de vivre. Nous évoquerons les différentes façons de parler du drame et de réconforter nos amis qui souffrent. Et nous verrons comment créer des communautés et des entreprises résilientes, élever des enfants solides, et apprendre à aimer de nouveau.

Je sais désormais qu'il est possible de sortir grandi d'un traumatisme, de connaître ce que l'on appelle la *croissance post-traumatique*. Face aux coups les plus durs, les gens peuvent retrouver une force nouvelle, donner un sens encore plus profond à leur vie. Il est aussi possible de connaître une croissance *pré*-traumatique et il n'est pas forcément nécessaire d'avoir vécu un drame pour améliorer sa capacité de résilience avant d'être prêt à rebondir, quoi que l'avenir nous réserve.

Je n'ai parcouru que la moitié de la route. Le brouillard de la période aiguë du deuil s'est enfin dissipé, mais la tristesse et le vide laissés par la mort de Dave subsistent. J'avance encore à tâtons et assimile encore la plupart des enseignements délivrés ici. Comme beaucoup de ceux frappés par la tragédie, j'espère pouvoir insuffler du sens à ma vie, voire de la joie de vivre, et aider les autres à en faire autant.

En repensant aux moments les plus sombres que j'ai traversés, je peux désormais discerner que même à l'époque, il y avait des signes d'espoir. Une amie m'a rappelé que quand mes enfants se sont effondrés au cimetière, je leur ai dit : « Nous sommes en train de vivre le deuxième pire moment de notre vie. Nous avons survécu au premier et nous survivrons à celui-ci. À partir de maintenant, les choses ne peuvent que s'améliorer. » Puis je me suis mise à fredonner une chanson de mon enfance, une prière de paix, *Oseh Shalom*. Je ne me souviens pas avoir décidé de chanter ni pourquoi j'ai choisi cette chanson-là. J'ai appris plus tard que c'était la dernière phrase du kaddish, la prière des endeuillés dans la religion juive, ce qui explique sans doute pourquoi elle m'est venue. Très vite, tous les adultes se sont joints à nous, puis les enfants, et les sanglots se sont arrêtés. À l'anniversaire de ma fille, j'étais affalée sur le sol de ma chambre, mais je me suis relevée et ai souri pendant toute la fête, durant laquelle, à ma grande stupéfaction, ma fille s'est beaucoup amusée.

Quelques semaines à peine après la mort de Dave, je parlais avec Phil d'une activité père-enfants que mon mari ne pouvait plus assurer. Nous avons fini par trouver quelqu'un pour remplacer Dave, mais je n'ai pas pu m'empêcher de pleurer et de dire à Phil : « Mais c'est Dave que je veux. » Phil a passé son bras autour de mes épaules et m'a dit : « L'option A n'est plus disponible. Alors, on va prendre l'option B, et on va tout déchirer. »

La vie n'est jamais parfaite. Nous vivons tous une option B sous une forme ou une autre. Ce livre est là pour nous aider à tout déchirer.

1

Reprendre son souffle

« Il faut continuer.
Je ne peux pas continuer.
Je vais donc continuer. »
SAMUEL BECKETT

Environ un an après la mort de Dave, j'étais au travail quand mon téléphone a sonné. C'était une vieille amie qui m'appelait, et vu que personne ne prend plus la peine de téléphoner à qui que ce soit de nos jours, je me suis dit que ça devait être important. Ça l'était. Mon amie venait d'apprendre une terrible nouvelle à propos d'une jeune femme qu'elle conseillait et guidait dans sa carrière. Quelques jours plus tôt, la jeune femme en question était allée à une soirée d'anniversaire. Au moment de partir, elle s'est rendu compte qu'un de ses collègues avait besoin qu'on le ramène chez lui. Il habitait dans son quartier, elle lui a donc proposé de l'emmener. Quand ils sont arrivés devant son immeuble, il a sorti une arme, l'a forcée à le suivre jusque chez lui et l'a violée.

Elle s'est rendue à l'hôpital pour un examen post-viol, puis a signalé l'agression à la police. Mon amie cherchait une façon de la réconforter ; sachant que je connaissais moi aussi cette jeune femme, elle m'a demandé si j'accepterais de lui parler pour la soutenir. J'ai composé le numéro avec anxiété, me demandant comment j'allais bien pouvoir aider quelqu'un durant une épreuve aussi violente. Mais en écoutant son histoire, j'ai réalisé que ce que j'avais appris sur la façon de surmonter ma peine pouvait peut-être faire écho chez elle.

Nous cultivons notre résilience selon la manière dont nous affrontons les événements malheureux de notre vie. Après avoir passé des décennies à étudier la façon dont les gens réagissent aux drames, le psychologue Martin Seligman a découvert que notre rétablissement était souvent freiné par ce qu'il appelle les « Trois P » : 1. la personnalisation – c'est-à-dire la conviction que ce qui est arrivé est de notre faute ; 2. la perméabilité – la conviction que cet événement va affecter tous les domaines de notre vie ; et 3. la permanence – la conviction que le séisme provoqué par cet événement durera éternellement. Les Trois P, c'est un peu le pendant tragique de la chanson « Tout est super génial », du film *La Grande Aventure LEGO*. Une chanson qui s'appellerait « Tout est vraiment horrible » et qui passerait en boucle dans votre tête : « C'est ma faute si tout est horrible. Ma vie est vraiment horrible. Et elle sera toujours horrible. »

Des centaines d'études ont montré qu'enfants et adultes se remettent plus facilement d'une épreuve quand ils se rendent compte qu'ils n'en sont pas entièrement la cause, qu'elle n'affecte pas les autres aspects de leur vie et qu'elle ne les poursuivra pas éternellement. Reconnaître que les événements négatifs ne sont ni personnels, ni perméables, ni permanents diminue les risques de sombrer dans la dépression et améliore la capacité à persévérer. Ne pas tomber dans le piège des Trois P a aidé de nombreux enseignants, en ville comme à la campagne : ils étaient plus efficaces en cours et leurs élèves voyaient leurs notes s'améliorer. Des nageurs d'équipes universitaires, quand ils n'atteignaient pas leurs objectifs lors d'une course, voyaient leur pouls s'emballer moins la fois d'après et amélioraient leur temps. Et cela a également aidé des assureurs dans leur tâche difficile : ceux qui ne prenaient pas le rejet personnellement et se disaient qu'ils pourraient approcher d'autres gens le lendemain vendaient deux fois plus d'assurances et exerçaient leur profession deux fois plus longtemps que leurs collègues.

Durant ma conversation téléphonique avec cette jeune femme, je l'ai d'abord simplement écoutée me raconter à quel point elle se sentait bafouée, trahie, en colère et combien elle avait peur. Puis elle a culpabilisé, a dit que c'était sa faute, qu'elle n'aurait pas dû ramener ce collègue. Je l'ai encouragée à ne pas personnaliser cette agression. Le viol n'est jamais la faute de la victime, et proposer à un collègue de le raccompagner est un acte raisonnable. J'ai insisté sur le fait que tout ce qui *nous* arrivait n'arrivait pas forcément *à cause de nous*. Puis j'ai évoqué les deux autres P : perméabilité et permanence. Nous avons parlé de tout ce qui allait bien dans les autres domaines de sa vie et je l'ai encouragée à penser que son désespoir allait s'atténuer avec le temps.

Se remettre d'un viol est un processus incroyablement difficile et complexe qui diffère d'une personne à l'autre. Il est courant que les victimes de viol s'en veuillent et se sentent démunies quant à leur avenir. Celles qui arrivent à se sortir de ce schéma ont moins de risques de vivre un épisode dépressif ou de stress post-traumatique.

Quelques semaines plus tard, la jeune femme m'a téléphoné pour me dire que grâce à sa coopération, le ministère public avait décidé de poursuivre son violeur. Elle m'a raconté qu'elle avait pensé tous les jours aux Trois P et que ce conseil l'avait aidée à se sentir mieux. Cela m'a permis de me sentir mieux, moi aussi.

J'étais moi-même tombée dans ces trois pièges, à commencer par la personnalisation. Je m'étais tout de suite sentie coupable du décès de Dave. Le premier rapport médical affirmait qu'il était mort d'un traumatisme crânien suite à sa chute, donc je me tourmentais sans cesse en me disant que j'aurais pu le sauver si je l'avais trouvé plus tôt. David, mon frère, qui est neurochirurgien, m'a assuré que ce n'était pas vrai, que tomber d'une machine elliptique aurait pu casser le bras de Dave, mais ne l'aurait pas tué. Quelque chose d'autre avait provoqué sa chute en premier lieu. L'autopsie a donné raison à mon frère : Dave était mort en quelques secondes d'une arythmie cardiaque causée par une maladie de l'artère coronaire.

Mais même après avoir eu la confirmation que Dave n'était pas mort sur le sol d'une salle de sport à cause d'une négligence, je trouvais encore des raisons de m'accuser. La maladie de l'artère coronaire de Dave n'avait jamais été diagnostiquée. J'ai passé des semaines avec ses médecins et ceux de ma famille à décortiquer le résultat de son autopsie et son dossier médical. J'étais terrifiée à l'idée qu'il se soit plaint de douleurs dans la poitrine, mais que nous soyons passés à côté. J'ai analysé sous toutes les coutures son régime alimentaire en me disant que j'aurais dû le pousser à l'améliorer. Ses médecins m'ont dit qu'aucun changement dans son mode de vie n'aurait pu le sauver avec certitude. Et le fait que sa famille me dise que ses habitudes alimentaires étaient bien plus saines depuis qu'il était avec moi m'a également soulagée.

Je me suis aussi sentie coupable du dérangement que la mort de Dave avait causé à mon entourage. Avant cette tragédie, j'étais la grande sœur, celle qui agissait, qui allait de l'avant. Mais quand il est mort, j'étais incapable de faire quoi que ce soit. Ce sont les autres qui sont venus à ma rescousse. Mark Zuckerberg, mon patron, Marc, mon beau-frère, et Marne se sont chargés d'organiser l'enterrement. Mon père et ma belle-sœur Amy ont tout arrangé avec les pompes funèbres. Quand les gens sont venus rendre hommage à Dave chez nous après la cérémonie, Amy m'a aidée à me lever et à remercier tout le monde d'être venu. Mon père m'a dit de ne pas oublier de me nourrir, il s'est même assis à côté de moi pour s'assurer que je le fasse.

« Je suis désolée. » Voilà la phrase que j'ai le plus souvent répétée au cours des mois qui ont suivi. Je demandais constamment pardon à tout le monde. À ma mère, qui a mis sa vie entre parenthèses pour être à mes côtés le premier mois. À mes amis, qui ont tout arrêté et traversé le pays pour venir à l'enterrement. À mes clients, pour avoir manqué nos rendez-vous. À mes collègues, pour ne pas avoir pu me concentrer quand l'émotion avait raison de moi. Je commençais chaque réunion en me disant « je peux le faire », mais chaque fois les larmes affleuraient et je devais quitter la pièce à la hâte en bafouillant un « je suis désolée ». C'était une nouveauté, mais pas vraiment le genre d'innovation qu'encourage d'habitude la Silicon Valley.

Adam a fini par me convaincre de bannir le mot « pardon » de mon vocabulaire. Il m'a également interdit « je suis désolée », « je regrette » et toute tentative de contourner son interdiction. Il m'a expliqué qu'en rejetant la faute sur moi-même, je retardais mon rétablissement, ce qui signifiait que je retardais également celui de mes enfants. Il n'en fallait pas plus pour me réveiller. J'ai enfin compris que les médecins de Dave n'avaient pas pu empêcher sa mort et qu'il était donc irrationnel de croire que j'aurais pu le sauver moi-même. Ce n'était pas moi qui avais chamboulé la vie de tous ces gens autour de moi, mais un événement dramatique. Personne ne pensait que je devais m'excuser de pleurer. Quand je me suis enfin décidée à essayer de ne plus demander pardon, j'ai dû me mordre la langue à maintes reprises et arrêter, une fois pour toutes, de *personnaliser*.

Au fur et à mesure que j'ai cessé de me tenir responsable de ce qui s'était passé, j'ai pu remarquer que *tout* n'était pas si terrible. Mon fils et ma fille dormaient la nuit, pleuraient moins et jouaient davantage. Nous consultions des psychologues et étions suivis par des thérapeutes. J'avais les moyens d'employer quelqu'un pour m'aider à m'occuper de mes enfants et tenir ma maison. J'avais une famille, des collègues et des amis aimants et je m'émerveillais de voir combien ils nous soutenaient, mes enfants et moi – la plupart du temps au sens propre. Je me suis sentie plus proche d'eux que je ne l'aurais jamais cru possible.

Reprendre le travail m'a également aidée à limiter la perméabilité. Dans la tradition juive, il y a une période de deuil intense de sept jours que l'on appelle *schiva*, après laquelle nous sommes censés reprendre la plupart de nos activités quotidiennes. Les pédopsychologues et les spécialistes du deuil m'ont tous conseillé de m'assurer que mes enfants retrouvent leur routine le plus vite possible. Par conséquent, dix jours après la mort de Dave, ils sont retournés à l'école et moi au travail.

J'ai passé ces premiers jours au bureau dans un brouillard total. J'avais beau être directrice des opérations de Facebook depuis sept ans, tout me semblait étranger. Lors de ma première réunion, je n'avais qu'une question en tête : *De quoi parlent tous ces gens, et qu'est-ce que ça peut bien faire ?* Puis, à un moment, j'ai été happée dans une discussion et l'espace d'une seconde – une toute petite seconde – j'ai oublié. J'ai oublié la mort. J'ai oublié l'image de Dave allongé sur le sol de cette salle de sport. J'ai oublié celle de son cercueil que l'on descendait six pieds sous terre. Lors de ma troisième réunion de la journée, je me suis même endormie pendant quelques minutes. J'avais beau être embarrassée, j'étais aussi reconnaissante – et pas seulement parce que je n'avais pas ronflé. Pour la première fois, je m'étais détendue. Au fil des jours, qui sont devenus des semaines puis des mois, j'ai été capable de me concentrer de plus en plus longtemps. Le bureau était un endroit où je pouvais redevenir moi-même, et la gentillesse de mes collègues m'a montré que tous les aspects de ma vie n'étaient pas si horribles.

J'ai toujours eu la conviction que les gens devaient se sentir soutenus et compris sur leur lieu de travail. Je sais désormais que c'est encore plus crucial après un drame. Hélas, ce n'est pas aussi courant que cela devrait l'être. Après la mort d'un proche, seulement 60 % des employés du secteur privé ont droit à un congé payé – et d'à peine quelques jours en général. Quand ils reviennent travailler, leur chagrin peut nuire à leur performance professionnelle. L'angoisse financière qui suit en général la perte d'un être cher est un deuxième coup dur. Rien qu'aux États-Unis, on estime que les baisses de productivité dues au deuil coûtent aux entreprises près de 75 milliards de dollars par an. On pourrait contrôler ces pertes, tout en atténuant la pression subie par les personnes en deuil, si les employeurs leur accordaient un congé, des horaires réduits et flexibles ainsi qu'une aide financière. Les entreprises qui offrent une couverture sociale complète, une retraite et des congés pour raison familiale ou médicale s'aperçoivent que cet investissement à long terme au bénéfice de leurs employés rapporte, tout en leur assurant une force de travail plus constante et plus productive. Les soutenir, c'est faire preuve de compassion, *mais aussi* d'intelligence. Je suis reconnaissante que Facebook m'ait permis de prendre un congé pour deuil assez long ; et après la mort de Dave, mon équipe et moi avons fait en sorte de faire évoluer la politique de l'entreprise dans ce sens.

Pour moi, le plus difficile des Trois P était la permanence. Pendant des mois, peu importe ce que je faisais, j'étais convaincue que cette angoisse écrasante ne s'en irait jamais. La majeure partie des gens que je connaissais et qui avaient vécu un drame m'avaient affirmé qu'avec le temps, mon chagrin finirait par disparaître. Ils m'avaient assuré qu'un jour, je serais capable de repenser à Dave en souriant. Je ne les croyais pas. Quand mes enfants pleuraient, je voyais leur vie défiler dans ma tête, une vie sans père. Dave n'allait pas simplement manquer un match de foot mais *tous* les matchs de foot. *Tous* les tournois de débat. *Toutes* les fêtes et *toutes* les vacances. *Toutes* les remises de diplôme. Il ne conduirait pas notre fille à l'autel le jour de son mariage. La peur de cette éternité sans lui me paralysait.

Je ne suis pas la seule à avoir connu ces terribles angoisses. Quand nous souffrons, nous avons tendance à nous projeter indéfiniment. Des études de « prévision émotionnelle » – c'est-à-dire comment nous pensons nous sentir dans le futur – révèlent que nous avons tendance à surestimer la durée des effets d'événements négatifs sur nous. On a demandé à des étudiants à l'université d'imaginer que leur relation amoureuse se terminait, et d'estimer dans quel état ils seraient deux mois après. Puis on a comparé ces résultats aux réponses d'autres étudiants qui avaient véritablement vécu une rupture deux mois auparavant. On a découvert qu'ils étaient bien plus heureux que ce à quoi on s'attendait.

Les gens surestiment également l'impact négatif d'autres épisodes stressants de leur vie. Des professeurs assistants pensaient que ne pas être titularisés au sein de leur université les déprimerait pour au moins cinq ans. Ce ne fut pas le cas. Des étudiants d'université étaient convaincus qu'ils seraient malheureux comme les pierres s'ils se retrouvaient coincés dans un dortoir autre que celui de leur choix. Ils ne l'ont pas été. M'étant moi-même retrouvée dans le pire dortoir de mon université à deux reprises, je trouve cette dernière étude particulièrement exacte.

À l'instar du corps doté d'un système immunitaire physiologique, le cerveau a un système immunitaire psychologique. Quand quelque chose va de travers, nous déclenchons instinctivement nos mécanismes de défense. Nous tentons de voir le bon côté des choses. Nous ajoutons du sucre et un peu d'eau à notre jus de citron. Nous nous raccrochons aux clichés. Mais après avoir perdu Dave, j'étais incapable de faire tout cela. Chaque fois que j'essayais de me persuader que les choses allaient s'améliorer, une voix plus forte dans ma tête insistait pour me dire que j'avais tort. Il semblait évident que mes enfants et moi ne connaîtrions plus jamais aucun moment de joie authentique. *Jamais.*

Seligman a découvert que des mots comme « jamais » et « toujours » sont des symboles de permanence. Tout comme j'avais banni « pardon » de mon vocabulaire, j'ai essayé d'éliminer « jamais » et « toujours » et de les remplacer par « parfois » et « dernièrement ». « Je me sentirai toujours aussi mal » est donc devenu « Il m'arrivera parfois de me sentir aussi mal. » Pas la pensée la plus joyeuse du monde, mais c'était tout de même une amélioration. J'ai remarqué que la douleur s'apaisait parfois l'espace d'un instant, comme une migraine atroce qui s'atténue. Ces moments de répit se sont multipliés et je pouvais m'y raccrocher quand je sombrais dans un chagrin plus profond. J'ai commencé à comprendre que, aussi triste que je sois, un moment de répit allait finir par arriver. Cela m'a aidée à retrouver un sentiment de contrôle.

J'ai essayé une technique de thérapie cognitive comportementale qui consiste à mettre sur papier quelque chose dont vous êtes convaincu et qui vous angoisse, puis d'écrire la preuve que cette conviction est erronée. J'ai commencé par ma plus grande peur : « Mes enfants n'auront jamais une enfance heureuse. » Voir cette phrase noir sur blanc m'a fait un nœud à l'estomac, mais m'a également permis de prendre conscience que beaucoup de gens à qui j'avais parlé, qui avaient perdu leurs parents très jeunes, avaient grandi en me donnant tort. J'ai aussi écrit : « Je ne me sentirai plus jamais bien. » Ces mots m'ont obligée à me rendre compte que, pas plus tard que ce matin-là, quelqu'un m'avait raconté une blague à laquelle j'avais ri. Même si ce n'était que l'espace d'un instant, j'avais moi-même prouvé que cette phrase n'était pas vraie.

Un ami psychiatre m'a expliqué que du fait de notre processus évolutif, nous sommes programmés pour créer des liens affectifs, mais aussi pour être tristes : nous possédons naturellement des outils pour nous remettre de la perte et du traumatisme. Cela m'a aidée à croire que j'allais pouvoir m'en sortir. Si nous avons évolué en apprenant à gérer la souffrance, mon chagrin profond ne me tuera pas. J'ai réfléchi à la façon dont les êtres humains étaient confrontés à l'amour et au deuil depuis des siècles, et je me suis sentie connectée à quelque chose de bien plus grand – à une expérience universelle.

J'ai contacté le révérend Scotty McLennan, un de mes anciens professeurs favoris, qui m'avait été d'un grand secours quand mon premier mari et moi avions divorcé l'année de mes vingt-cinq ans. Cette fois, Scotty m'a expliqué que pendant les quarante années qu'il avait passées à accompagner les gens dans leur deuil, il avait remarqué que « se tourner vers Dieu donne aux gens l'impression d'être entourés de bras aimants, forts et éternels. Ils ont besoin de savoir qu'ils ne sont pas seuls ».

Penser à ces liens m'a aidée, mais je n'arrivais tout de même pas à me défaire de cette sensation accablante de peur. Les souvenirs et les images de Dave étaient partout. Durant les premiers mois, je me réveillais prise de nausées à l'idée qu'il était mort. Le soir, j'entrais dans la cuisine en m'attendant à le voir, et quand je me souvenais qu'il n'était plus là, la douleur me frappait à nouveau de plein fouet. Mark Zuckerberg et son épouse Priscilla Chan ont pensé que cela nous ferait du bien de nous emmener, mes enfants et moi, dans des lieux où nous n'aurions aucun souvenir avec Dave. Ils nous ont donc invités à passer une journée sur une plage que nous ne connaissions pas. Pourtant, quand nous nous sommes assis sur un banc face à l'océan, j'ai levé les yeux vers le ciel immense... et j'ai vu le visage de Dave qui me regardait depuis les nuages. J'étais assise entre Mark et Priscilla et je pouvais sentir leurs bras qui m'entouraient, mais d'une façon ou d'une autre, Dave avait réussi à être parmi nous.

Il n'y avait pas d'issue. Mon chagrin était comme une brume épaisse et sans fin qui m'enveloppait constamment. Mon amie Kim Jabal, qui a perdu son frère, parlait d'une chape de plomb qui lui aurait recouvert le visage et le corps. Rob, le frère de Dave, disait que c'était comme une botte qui lui écrasait la poitrine et empêchait l'air d'accéder à ses poumons, une botte encore plus pesante qu'après la mort de leur père seize ans auparavant. J'avais du mal à remplir mes poumons, moi aussi. Ma mère m'a appris comment respirer pendant mes crises d'angoisse : inspirer en comptant jusqu'à six, retenir son souffle en comptant jusqu'à six, puis expirer en comptant jusqu'à six. Elise, ma filleule, dans une inversion touchante des rôles, m'a un jour tenu la main en comptant avec moi à haute voix jusqu'à ce que la panique s'évanouisse.

Nat Ezray, le rabbin qui a officié à l'enterrement de Dave, m'a dit « d'aller à la rencontre de ma peine » – et que je devais m'attendre à ce que cela soit horrible. Pas vraiment ce que j'avais en tête quand je clamais « en avant toutes », mais c'était un bon conseil. Des années plus tôt, j'avais remarqué que chaque fois que j'étais triste ou stressée, c'était en réalité la dérivée seconde – pour reprendre un terme mathématique – de ces sentiments qui posait un problème. Quand je me sentais mal, je me sentais encore plus mal à l'idée de me sentir mal. Quand j'étais stressée, j'étais stressée à l'idée d'être stressée. « Une partie de chaque misère, a écrit C.S. Lewis, est pour ainsi dire l'ombre ou le reflet de la misère. [...] Le fait de ne pas simplement souffrir, mais de devoir continuer à penser au fait de souffrir. »

À la mort de Dave, j'éprouvais plus de sentiments négatifs, de dérivées secondes qu'auparavant. Je n'étais pas seulement accablée par le chagrin, j'étais accablée d'être accablée. Je n'étais pas simplement angoissée, j'étais méta-angoissée. Des petites choses qui n'avaient jamais eu d'importance à mes yeux, comme la possibilité que mes enfants se blessent en allant à l'école à vélo, m'inquiétaient désormais sans cesse. Puis je me suis inquiétée de m'inquiéter. J'ai suivi le conseil de mon rabbin, et accepter que la situation soit horrible m'a beaucoup aidée. Au lieu de me laisser surprendre par ces sentiments négatifs, je les attendais et les acceptais.

Une amie m'a dit que je venais d'apprendre quelque chose que les bouddhistes savaient depuis le ve siècle avant Jésus-Christ. La première vérité noble du bouddhisme, c'est que toute forme de vie implique la souffrance. La vieillesse, la maladie et le deuil sont inévitables. Et même si la vie donne lieu à des moments de joie, ils disparaîtront malgré nos tentatives pour les faire durer. Le professeur bouddhiste Pema Chödrön, qui a brisé le « plafond de verre zen » en devenant la première femme américaine moine selon la tradition tibétaine, écrit que quand nous acceptons cette noble vérité, notre souffrance diminue et nous finissons par « nous lier d'amitié avec nos démons ». Je n'avais pas l'intention d'aller boire un verre avec mes démons, mais ils m'ont moins hantée après que je les ai acceptés.

Quelques jours après l'enterrement de Dave, mon fils et ma fille ont dressé la liste des nouvelles « règles de la famille » et l'ont accrochée au-dessus des casiers où ils rangent leurs sacs à dos. Règle numéro un : « Respecter nos sentiments – on a le droit d'être tristes et en colère. » Nous avons discuté de la capacité de la tristesse à les surprendre à des moments étranges, en classe par exemple, et décidé que quand cela arrivait, ils avaient le droit d'arrêter ce qu'ils étaient en train de faire pour une pause. Il y a eu de nombreuses « pauses-sanglots ». Dans ces cas-là, leurs instituteurs s'arrangeaient gentiment pour qu'ils puissent sortir avec un ou une de leurs camarades, ou aller voir le conseiller d'éducation afin de laisser libre cours à leurs émotions.

J'ai donné ce conseil à mes enfants, mais il fallait que je le suive moi aussi. Aller à la rencontre de ma peine signifiait que je devais admettre ne pas pouvoir décider du moment où la tristesse m'envahirait. J'avais moi aussi besoin de pauses-sanglots. Je les ai faites dans ma voiture, au bord de la route, au travail, en réunion du conseil d'administration. Parfois, j'allais aux toilettes pour pleurer, ou je me contentais de rester derrière mon bureau. Le jour où j'ai arrêté d'essayer de repousser ces moments-là, ils sont passés beaucoup plus vite.

Au bout de quelques mois, la brume de la douleur intense se dissipait de temps à autre, et quand elle revenait, elle restait moins longtemps. Je me suis dit que gérer sa peine, c'était comme travailler son endurance physique : plus on fait de l'exercice, plus vite notre pouls revient à la normale après un effort. Il arrive même que, au cours d'une activité physique particulièrement intense, on se découvre des forces que l'on ne pensait pas avoir.

Très étrangement, imaginer les pires scénarios possibles m'a beaucoup aidée. Prévoir le pire est quelque chose d'assez naturel pour moi, c'est une tradition juive ancestrale, comme refuser la première table qu'on vous propose au restaurant. Durant ces premiers jours de désespoir, toutefois, mon instinct a été de penser à des choses positives. Adam m'a dit le contraire, que c'était en fait une bonne idée d'imaginer combien les choses pourraient être pires. « Pire ? lui ai-je demandé. Tu te moques de moi ? Comment cela pourrait-il être pire ? » Sa réponse m'a percutée de plein fouet : « Dave aurait pu avoir ce même accident cardiaque en conduisant, avec vos enfants dans la voiture. » Waouh. L'idée que j'aurais pu les perdre tous les trois ne m'avait jamais traversé l'esprit. J'ai immédiatement ressenti une immense gratitude du fait que le reste de ma famille soit sain et sauf. La gratitude a pris le dessus sur une partie de la douleur.

Dave, nos enfants et moi observions un rituel familial au dîner qui consistait à raconter, chacun son tour, le meilleur et le pire de notre journée. Quand nous nous sommes retrouvés à trois, j'ai ajouté une troisième catégorie. Désormais, nous ferions également part d'une chose pour laquelle nous étions reconnaissants. Nous avons également ajouté une prière avant le repas. Nous tenir les mains et remercier Dieu pour la nourriture que nous sommes sur le point de manger nous aide à nous souvenir de notre chance au quotidien.

Se montrer reconnaissant des aspects positifs de notre vie est positif en soi. Des psychologues ont demandé à un groupe de personnes de faire chaque semaine la liste de cinq choses pour lesquelles elles étaient reconnaissantes. Puis à un deuxième groupe de faire une liste de leurs ennuis, et à un troisième, une liste d'événements ordinaires. Neuf semaines plus tard, le groupe reconnaissant se sentait considérablement plus heureux et avait moins de problèmes de santé. Les gens qui ont intégré le marché du travail pendant une période de récession économique sont, des années plus tard, plus satisfaits de leur emploi parce qu'ils ont conscience de la difficulté de trouver du travail. Tenir une liste de ce qui va bien dans notre vie peut accroître notre bonheur et améliorer notre santé. Alors, tous les soirs, parfois juste pour montrer l'exemple à mes enfants, j'exprimais ma reconnaissance envers quelqu'un ou quelque chose.

Je ressentais également une très grande gratitude pour la sécurité financière dont nous bénéficiions. Ma fille comme mon fils m'ont demandé si on allait devoir déménager, et j'étais consciente d'avoir la chance de pouvoir répondre non. Un événement aussi inopiné qu'une simple visite à l'hôpital ou la réparation de sa voiture peut déstabiliser l'équilibre financier de nombre de foyers du jour au lendemain. En France, une personne sur cinq risque de tomber dans la pauvreté – une sur quatre, au sein de l'Union européenne –, et ce risque est plus élevé pour les femmes et les parents célibataires.

60 % des Américains ont vécu un événement qui a menacé leur capacité à joindre les deux bouts, et un tiers d'entre eux n'ont aucune économie, ce qui les plonge dans un état de vulnérabilité permanente. La mort d'un époux ou d'une épouse a souvent des conséquences financières sévères – particulièrement pour les femmes, qui gagnent bien souvent moins que les hommes et n'ont pas la même retraite. En plus d'être anéanties par la perte d'un être cher, elles se retrouvent souvent sans argent pour subvenir aux besoins les plus élémentaires et perdent leur maison. Parmi les 258 millions de veuves à travers le monde, plus de 115 millions vivent dans la pauvreté. C'est l'une des nombreuses raisons qui montrent l'importance de supprimer l'inégalité des salaires entre hommes et femmes.

Nous devons accueillir à bras ouverts toutes les familles – quelle que soit leur forme – et leur fournir l'aide dont elles ont besoin pour supporter les coups durs. Les concubins ou les couples homosexuels n'ont en général pas les mêmes protections légales ni les mêmes avantages sociaux que les couples hétérosexuels. Nous devons développer une politique de sécurité sociale plus forte et des entreprises plus favorables aux familles afin d'éviter que les drames de la vie ne causent plus de difficultés qu'ils ne le font déjà. Les parents célibataires et les veufs méritent plus de soutien, et nous avons besoin que leurs patrons, leurs collègues et leurs voisins s'engagent à y participer.

Même en ayant conscience de ma chance, j'étais quand même submergée par la douleur. Quatre mois et deux jours après avoir trouvé Dave par terre, j'ai participé à la soirée de rentrée à l'école de mes enfants. J'y allais seule pour la première fois. On nous avait réunis dans le gymnase avant de nous conduire aux salles de classe de nos enfants respectifs. Dave et moi nous séparions toujours. L'un assistait à la réunion de notre fille, l'autre à celle de notre fils. Puis nous échangions nos notes. Un marquage individuel, comme au basket-ball. Tout ça, c'était fini.

J'avais été terrorisée toute la semaine à l'idée de devoir choisir une salle de classe. Quand le moment est arrivé, j'ai été submergée par une vague de tristesse. Je marchais dans le couloir en tenant la main de mon amie Kim et en essayant de me décider, quand mon téléphone a sonné. C'était mon médecin. Il m'a annoncé que la mammographie de routine que j'avais passée révélait une tache suspecte et qu'il avait donc préféré me contacter immédiatement. Mon cœur s'est emballé. Il m'a dit qu'il n'y avait aucune raison de s'inquiéter pour le moment – *merci pour cette précision* – mais qu'il était préférable que je passe au cabinet le lendemain pour une échographie.

Ma tristesse s'est transformée en panique, et au lieu d'entrer dans une salle de classe, j'ai foncé à ma voiture et je suis rentrée à la maison. Depuis qu'ils avaient perdu leur père, mes enfants étaient, on peut les comprendre, obsédés par la mort. Quelques semaines auparavant, pendant le dîner, ma fille avait eu besoin de faire une pause-sanglots et je l'avais suivie dans sa chambre. Je m'étais allongée à côté d'elle sur son lit et elle avait attrapé mon collier auquel sont attachés quatre pendentifs, chacun étant l'initiale du prénom d'un membre de notre famille. « Je vais en choisir un », m'a-t-elle dit. Je lui ai demandé pourquoi. Elle m'a dit qu'elle préférait ne pas me répondre parce que j'allais m'énerver. Je lui ai affirmé qu'elle pouvait tout me dire. Alors, elle a murmuré : « Celui que je choisirai, ce sera le prochain à mourir. » Soudain, je ne pouvais plus respirer. J'ai réussi à me reprendre sans savoir comment, et ai déclaré : « Alors laisse-moi choisir. » J'ai attrapé le pendentif en forme de S. « C'est moi qui serai la prochaine à mourir

– et je pense que ça arrivera dans quarante ans, quand j'aurai plus de quatre-vingt-dix ans. » Je ne savais pas si c'était la bonne chose à dire et mon calcul était faux, mais je voulais la réconforter.

Sur le chemin du retour de l'école, j'ai posé la main sur mon collier. *Comment pourrais-je leur annoncer, à elle et à son frère, que j'ai un cancer ?* Et si, et s'ils me perdaient moi aussi ? Et comment était-ce possible, alors que, quelques minutes auparavant seulement, j'angoissais à l'idée de devoir choisir une salle de classe ?

Ce soir-là, j'ai trop tremblé et pleuré pour être capable de coucher mes enfants. Je ne voulais pas les inquiéter, donc c'est ma mère qui les a mis au lit. Ma sœur nous a rejointes et nous nous sommes tenu les mains toutes les trois pour prier. C'est ma mère qui a récité la prière, et je lui ai demandé de la dire encore une fois. Et encore. Et encore et encore. Elle s'est exécutée.

Les dix-sept heures qui ont suivi m'ont semblé interminables. Je ne pouvais ni dormir, ni manger, ni tenir une conversation cohérente. Je me contentais de regarder l'heure, en attendant mon rendez-vous de 13 heures.

L'échographie a immédiatement révélé que le résultat de la mammographie était erroné. La vague de gratitude qui m'a alors envahie était au moins aussi puissante que la douleur que je ressentais depuis ces quatre derniers mois. Soudain, j'étais bien plus reconnaissante pour ma bonne santé et ce qui allait bien dans ma vie que je ne l'avais jamais été auparavant.

En y repensant, j'aurais aimé mettre en pratique la théorie des Trois P bien plus tôt dans ma vie. Cela aurait pu m'aider tellement de fois, même pour des petits tracas du quotidien. Le premier jour de mon premier travail après l'université, mon patron m'a demandé d'entrer des données dans le logiciel

Lotus 1-2-3, un tableur à la mode dans les années 1990. J'ai été forcée d'admettre que je ne savais pas m'en servir. Il en est resté bouche bée et m'a dit : « Je n'arrive pas à croire qu'on vous ait engagée alors que vous ne savez pas faire ça. » Puis il a quitté la pièce. Je suis rentrée chez moi, convaincue que j'allais être renvoyée. Je pensais être nulle en tout, alors que j'étais simplement nulle en tableurs. Comprendre le concept de perméabilité m'aurait évité bien des moments d'angoisse, cette semaine-là. Et j'aurais adoré que quelqu'un me parle de permanence chaque fois que j'ai rompu avec un petit ami. J'aurais pu m'épargner beaucoup de stress si j'avais su que mes peines de cœur ne seraient pas éternelles – et, avec un peu d'honnêteté, j'aurais dû savoir que ces relations ne le seraient pas non plus, d'ailleurs. J'aurais également aimé avoir déjà entendu parler de personnalisation quand certains de mes petits amis m'ont larguée (parfois ce n'est pas vous, c'est *vraiment* eux).

Les Trois P se sont acharnés sur moi quand mon premier mariage s'est soldé par un divorce. Je me disais à l'époque que peu importe ce que j'accomplirais, ce serait toujours un échec cuisant. En y repensant, c'est ce mariage malheureux qui m'a conduite à quitter Washington et à déménager pour Los Angeles, à l'autre bout du pays, où je ne connaissais pour ainsi dire personne. Heureusement, un de mes amis m'a invitée à aller dîner et voir un film avec un de ses copains. Ce soir-là, nous avons mangé dans un *deli*, puis nous sommes allés voir *À l'épreuve du feu*, et je me suis endormie sur l'épaule de Dave pour la première fois.

Nous faisons tous le deuil de quelque chose : un travail, une relation amoureuse, un être cher. La question n'est pas de savoir si ces drames vont nous arriver. Ils *vont* nous arriver. La résilience se construit grâce à nos ressources intérieures les plus profondes et grâce à une aide extérieure. Elle vient de notre gratitude envers les événements positifs de notre vie et de notre capacité à aller à la rencontre de notre peine. Elle vient de notre façon de gérer le chagrin et de l'accepter. Nous la contrôlons parfois moins bien que nous le pensons. Mais aussi parfois plus.

Quand la vie nous fait toucher le fond, il faut donner un coup de talon, revenir à la surface et reprendre notre souffle.

2

Chasser l'éléphant de la pièce[1]

« *Non, c'est l'éléphant à l'appareil.* »

À la fac, les étudiants vivent en général avec un ou deux colocataires, certains avec trois ou quatre. Dave en avait dix. Leur diplôme en poche, ils sont

---

1. *An elephant in the room*, littéralement « un éléphant dans la pièce », est une expression anglaise très répandue qui désigne un problème ou une situation embarrassante dont tout le monde a conscience, mais dont personne n'ose discuter.

partis s'installer aux quatre coins du pays. Ils ne se voyaient plus qu'à des occasions particulières. Au printemps 2014, nous nous sommes tous réunis pour les vingt-cinq ans de leur promotion universitaire. Nos familles se sont tellement amusées que nous avons décidé de passer le week-end du 4-Juillet[1] suivant tous ensemble.

Dave est mort deux mois avant.

J'ai d'abord songé à ne pas y aller. L'idée de partir quelques jours avec les anciens colocataires de Dave *sans Dave* me semblait insurmontable. Mais je m'accrochais à la vie que j'avais passée avec lui, et annuler m'aurait donné l'impression d'y renoncer. J'y suis donc allée, avec l'espoir que le fait d'être aux côtés de ses amis proches qui le pleuraient serait une source de réconfort.

Je ne me souviens que vaguement du séjour, j'en ai passé la majeure partie dans un brouillard total. Mais le matin du dernier jour, je me suis assise à la table du petit déjeuner avec plusieurs de ses anciens colocataires. Parmi eux se trouvait Jeff King, à qui on avait diagnostiqué une sclérose en plaques quelques années auparavant. Dave et moi avions discuté de nombreuses fois de sa maladie, mais j'ai pris conscience ce matin-là que je n'en avais jamais parlé directement avec Jeff.

Bonjour, Éléphant.

« Jeff, comment vas-tu ? Je veux dire *comment vas-tu vraiment ?* Comment te sens-tu ? Est-ce que tu as peur ? »

Jeff m'a regardée, surpris, et n'a rien dit pendant un long moment. « Merci. Merci de poser la question », a-t-il répondu, les larmes aux yeux. Et puis il a parlé. Il a parlé de son diagnostic et m'a raconté combien il détestait ne plus pouvoir pratiquer la médecine ; combien il était difficile pour ses enfants d'assister à sa dégradation progressive ; combien

---

1. Fête nationale américaine.

il s'inquiétait pour son avenir ; combien ça le soulageait de pouvoir nous parler, à moi et aux autres, autour de cette table ce matin-là. Une fois le petit déjeuner terminé, il m'a serrée fort dans ses bras.

Durant les premières semaines qui ont suivi la mort de Dave, j'étais choquée chaque fois que je croisais des amis qui ne me demandaient pas comment j'allais. La première fois, je me suis dit qu'ils n'étaient pas du style à poser beaucoup de questions par ailleurs. Nous en connaissons tous quelques-uns. Le blogueur Tim Urban les décrit ainsi : « Vous aurez beau démissionner. Vous aurez beau tomber amoureux. Vous aurez beau surprendre votre fiancée en pleine adultère et les tuer, elle et son amant, dans un acte de folie passagère... Tout ça n'y changera rien, car vous n'en discuterez jamais avec cet ami qui ne pose pas de questions, qui ne vous demande jamais, au grand jamais, quoi que ce soit au sujet de votre vie. »

Certains de ces amis ne sont rien d'autre que des nombrilistes. Mais d'autres sont simplement embarrassés à l'idée d'avoir une conversation intime.

Je n'arrivais pas à comprendre, quand je les rencontrais, que même certains de mes proches ne me demandent pas comment j'allais. J'avais l'impression d'être invisible, que j'étais là devant eux, mais qu'ils étaient incapables de me voir. Si quelqu'un arrive avec un plâtre, on lui demande aussitôt : « Que s'est-il passé ? » Si vous vous brisez la cheville, les gens veulent que vous leur racontiez l'histoire. Si c'est votre vie qui se brise, ils ne veulent rien savoir.

Jour après jour, la majeure partie de mon entourage se contentait d'éviter le sujet. Un soir, je suis allée dîner chez une amie de longue date. Elle et son mari ont parlé de la pluie et du beau temps pendant tout le repas. Je les ai écoutés, estomaquée, me gardant bien de dire ce que je pensais. *Vous avez raison, les Warriors ont fait une saison incroyable ! Et vous savez qui adorait cette équipe ? Dave.*

J'ai reçu des e-mails de certains de mes amis qui me demandaient de prendre l'avion pour venir participer aux conférences qu'ils organisaient, sans jamais évoquer le fait que voyager n'était peut-être plus aussi simple pour moi, désormais. *Oh, c'est juste pour une nuit ? Pas de problème, je vais voir si Dave peut revenir d'entre les morts et coucher les enfants.* Il m'est arrivé de croiser des amis au parc, et de parler de la météo. *Oui ! Le temps a été bizarre ces derniers mois, avec toute cette pluie et cette mort.*

Ce n'est qu'au cours de ce petit déjeuner avec Jeff que je me suis rendu compte qu'il m'arrivait d'être cette amie qui évitait les conversations délicates. Je ne lui avais jamais posé directement aucune question sur sa santé, non pas parce que je m'en moquais, mais parce que j'avais peur de le contrarier. Perdre Dave m'a fait comprendre combien tout ça était ridicule. Impossible de contrarier Jeff en lui rappelant qu'il vivait avec une sclérose en plaques, il en avait conscience chaque minute de sa vie.

Même les gens qui ont enduré les pires souffrances ont souvent envie d'en parler. Merle Saferstein – l'une des meilleures amies de ma mère –, ancienne directrice de l'éducation au Centre de documentation sur l'Holocauste de la Floride du Sud, a travaillé avec plus de cinq cents survivants de la Shoah, parmi lesquels un seul a refusé de parler de ce qu'il avait traversé. « D'après mon expérience, les survivants veulent tous avoir une chance de partager ce qu'ils ont vécu, et aucun ne souhaite être marginalisé parce qu'il a vécu l'inimaginable », affirme-t-elle. Quand bien même, la plupart des gens hésitent à poser des questions par peur de faire ressurgir le traumatisme. Pour encourager les discussions, Merle a lancé un programme qui réunissait survivants, lycéens et étudiants. Elle a remarqué que quand on en donne l'opportunité à ces jeunes, les questions se mettent à fuser. « Ils leur demandaient : "Que mangiez-vous en camp de concentration ? Croyez-vous toujours en Dieu ?" Les filles voulaient souvent savoir : "Aviez-vous vos règles ? Comment faisiez-vous quand cela arrivait ?" Ce n'étaient pas des questions intimes. C'étaient des questions humaines », m'a expliqué Merle.

Vouloir protéger quelqu'un et lui éviter des émotions sont deux choses bien distinctes. Merle m'a raconté avoir rendu visite, accompagnée de l'une de ses jeunes cousines, à un couple âgé qui avait accroché au mur de sa maison une plaque d'argile sur laquelle figuraient les empreintes de mains de deux enfants. Pourtant, ils ne parlaient jamais que de leur fille unique. On avait bien dit à la cousine de Merle de ne pas leur parler de leur autre fille pour ne pas les attrister. Merle n'étant pas au courant de cette injonction, elle leur a donc demandé à qui appartenait l'autre paire de mains. Sa cousine l'a regardée d'un air effaré, mais le couple, lui, s'est étendu avec affection sur sa fille disparue. « Ils voulaient qu'on se souvienne d'elle », a dit Merle.

Les parents qui ont subi la pire perte imaginable partagent souvent ce sentiment. Après le décès de Kelly, son fils de neuf ans, des suites d'une tumeur au cerveau, l'auteur Mitch Carmody a affirmé : « Nos enfants meurent une seconde fois quand les gens refusent de prononcer leur nom. » C'est une des raisons pour lesquelles Compassionate Friends, l'une des associations de soutien au deuil les plus importantes aux États-Unis, encourage les familles à parler ouvertement et fréquemment des enfants qu'ils ont perdus.

Éviter les sujets difficiles est une pratique si courante qu'elle a même un nom : il y a plusieurs décennies, des psychologues ont désigné par « syndrome de la maman » celui de gens qui ne veulent pas annoncer de mauvaises nouvelles. Des médecins qui évitent de dire à leurs patients que leur espérance de vie est limitée. Des patrons attendant bien trop longtemps pour annoncer à certains employés qu'ils sont renvoyés. Ma collègue Maxine Williams, directrice de la diversité chez Facebook, estime que la plupart des gens succombent au « syndrome de la maman » sur les questions de race : « Même quand une personne noire non armée a été tuée pour avoir bougé un bras en essayant d'attraper son permis de conduire pour le montrer à un policier, les Blancs, en apprenant la nouvelle au journal télévisé – alors qu'ils vivent dans la même communauté ou qu'ils partagent les mêmes bureaux que nous –, s'abstiennent souvent de dire quoi que ce soit. Pour une victime du racisme comme pour une victime du deuil, le silence est assourdissant. Quand nous souffrons, nous voulons savoir deux choses : que nous ne sommes pas fous de ressentir ce que nous ressentons, et que nous sommes soutenus. Se comporter comme si rien d'important n'était en train d'arriver à des gens qui nous ressemblent anéantit cette possibilité. »

En restant silencieux, nous nous isolons souvent de nos familles, de nos amis et de nos collègues. Même au quotidien, rester seul avec ses pensées peut être problématique. Lors d'une expérience, un quart des femmes et deux tiers des hommes parmi les participants ont préféré subir des électrochocs douloureux plutôt que de rester assis seuls pendant quinze minutes. Le silence peut décupler la souffrance. Au début, je ne parvenais à évoquer Dave qu'avec une petite partie de ma famille et de mes amis. Mais certains de mes autres amis et collègues m'ont aidée à m'ouvrir davantage. Les psychologues les appellent, de façon littérale, des « ouvreurs ». À l'inverse des amis qui ne posent pas de questions, les ouvreurs en posent beaucoup et écoutent les réponses sans juger. Ils aiment apprendre des autres et sentir qu'ils ont un lien avec eux. Les ouvreurs peuvent vraiment faire la différence dans les périodes de crise, particulièrement auprès de personnes habituellement réticentes. Je n'aurais jamais imaginé avoir du mal à parler de ma vie. Parmi mes amis, je suis celle qui veut parler de tout. *Il te plaît ? Est-ce qu'il embrasse bien ?* (Pas nécessairement dans cet ordre.) Au bureau, je demande constamment qu'on me fasse des retours – au point que les retours en question portent sur mes demandes excessives de retours. Mais quand il a été question de mon chagrin, je n'ai pas voulu décharger mes problèmes sur les autres, et j'étais incapable de parler de Dave, à moins que l'on ne m'y force.

Les ouvreurs ne sont pas toujours parmi nos amis les plus proches. Les gens qui ont traversé une épreuve montrent en général plus de compassion envers ceux qui souffrent. L'écrivain Anna Quindlen note que le chagrin se discute « entre ceux qui identifient chez l'autre un gouffre semblable à celui qui est ouvert au plus profond d'eux-mêmes ». Les vétérans de guerre, les victimes de viol et les parents qui ont vu mourir leurs enfants rapportent tous que les personnes dont le soutien a été le plus utile sont celles qui ont traversé les mêmes épreuves. Merle m'a raconté que quand la plupart des survivants de l'Holocauste sont arrivés aux États-Unis, « ils se sentaient extrêmement seuls, et ils ont donc tissé des liens entre eux. C'est comme ça qu'ont été créées les associations de survivants. Les seuls qui comprenaient vraiment étaient ceux qui avaient vécu la même chose ».

J'ai découvert que c'était vrai lorsque Colin Summers, un ami de Los Angeles, est venu me voir après l'enterrement de Dave. Plutôt que de me dire : « Toutes mes condoléances », la première chose qui est sortie de sa bouche a été : « Mon père est mort quand j'avais quatre ans. » « Oh ! génial, ai-je répondu instinctivement avant d'ajouter aussitôt : Enfin non... pas génial. C'est juste que tu es devenu quelqu'un de fantastique et que cela me redonne de l'espoir pour mes enfants. » J'étais embarrassée, mais il m'a prise dans ses bras et a dit : « Je sais ce que tu as voulu dire et je t'assure que tes enfants sont plus forts que tu ne l'imagines. » On ne peut pas dire que j'aie fait preuve d'un tact exceptionnel, mais c'est un des seuls moments de cette horrible journée qui m'a fait me sentir un tout petit peu mieux.

J'étais devenue membre d'un club dont personne ne voulait faire partie – un club dont j'ignorais jusqu'à l'existence avant de le rejoindre malgré moi. Neuf jours après la mort de Dave, je suis allée assister au match de football de ma fille et j'ai aperçu Jo Shepherd, la grand-mère d'une de ses coéquipières, une dame de soixante-dix ans, assise à côté d'un siège libre. Jo, elle aussi, avait dû élever seule deux enfants en bas âge quand son mari était mort, et j'ai su instinctivement que ce siège était le mien. Je me suis assise, et avant même que nous n'ayons échangé dix mots, je me suis sentie totalement comprise. Au cours d'un petit déjeuner avec les partenaires de Facebook, un client que je n'avais jamais rencontré auparavant m'a dit qu'il venait tout juste de perdre son frère. Nous nous sommes assis dans un coin à pleurer tous les deux.

Dans mon entourage, même parmi mes amis les plus proches, ceux qui n'avaient jamais vécu un deuil ne savaient pas quoi dire, ni à moi ni à mes enfants. Leur malaise était palpable, surtout comparé à la facilité avec laquelle nous communiquions habituellement. On s'obstinait à ne pas voir l'éléphant au milieu de la pièce, mais celui-ci s'est mis à s'agiter, à empiéter sur nos relations. Si mes amis ne me demandaient pas comment j'allais, cela voulait-il dire qu'ils s'en moquaient ? Ne voyaient-ils pas les énormes empreintes de pas boueuses et les tonnes de fumier ?

Adam était persuadé que certaines personnes avaient envie d'en parler, mais qu'elles ne savaient pas comment s'y prendre. Personnellement, j'étais moins convaincue. Des proches me demandaient : « Comment vas-tu ? », mais je le prenais plus comme une formule de politesse banale que comme une question sincère. J'avais envie de leur hurler : « Mon mari vient de mourir, comment crois-tu que j'aille ? » Je ne savais pas comment réagir aux phrases toutes faites. *Et à part ça, c'était sympa, cette petite balade en voiture, madame Kennedy ?*

Quelle que soit notre culture, nous sommes encouragés à cacher nos émotions négatives. En Chine et au Japon, l'état émotionnel idéal est le calme et la sérénité. Aux États-Unis, nous affectionnons l'excitation *(Oh my god !)* et l'enthousiasme *(LOL !).* Comme le souligne le psychologue David Caruso : « La culture américaine exige qu'à la question *Ça va ?* nous ne répondions pas seulement par *bien*, mais par *génial !* Il existe une pulsion irrépressible de ne pas exprimer nos sentiments les plus profonds. Reconnaître que vous traversez une période difficile serait presque déplacé », ajoute-t-il. Anna Quindlen tourne les choses de façon plus poétique. « Le chagrin est un murmure pour le monde et un hurlement intérieur. Plus que le sexe, plus que la foi et plus que la perte de la foi, le chagrin est tabou, on l'ignore en public, excepté durant ces quelques minutes d'un enterrement qui passent trop vite. »

L'éléphant m'a suivie jusqu'au bureau. J'ai toujours entretenu une relation amicale avec mes collègues, particulièrement chez Facebook qui a pour mission de créer un monde plus ouvert et connecté. Notre culture d'entreprise reflète cet objectif : nos bureaux sont ouverts et tout le monde peut venir parler à tout le monde. Les conversations – personnelles comme professionnelles – sont donc fréquentes et publiques.

Au début, reprendre le travail m'a procuré un vague sentiment de normalité. Mais j'ai vite compris que les choses n'étaient pas comme d'habitude. J'encourage depuis longtemps les gens à être totalement eux-mêmes quand ils sont au bureau. Sauf que, désormais, mon « totalement moi-même » était d'une tristesse infinie. Il était déjà difficile de parler de Dave avec mes amis, mais l'évoquer au bureau me semblait encore plus inapproprié. Je ne l'ai donc pas fait. Et mes collègues non plus. La plupart de mes interactions avaient quelque chose de distant, de froid et de guindé. J'ai commencé à me sentir comme un fantôme qui se baladait dans les couloirs de Facebook, à la fois effrayant et invisible. Quand je n'en pouvais plus, je me réfugiais avec Mark dans sa salle de conférence. Je lui disais que je m'inquiétais de voir mes liens avec nos collègues se détériorer. Il comprenait mes craintes mais m'assurait que je me méprenais sur leur réaction. Il affirmait qu'ils voulaient être là pour moi, mais qu'ils ne savaient pas comment faire.

La profonde solitude de mon chagrin était accentuée par le caractère distant de mes relations au quotidien. Je me sentais de plus en plus mal. J'ai songé à me balader avec un éléphant en peluche sous le bras, mais je ne suis pas sûre que qui que ce soit aurait saisi l'allusion. Je savais que les gens faisaient de leur mieux ; ceux qui ne disaient rien essayaient de ne pas alourdir ma peine, ceux qui disaient ce qu'il ne fallait pas voulaient en fait me réconforter. Je me suis reconnue dans beaucoup de ces tentatives – tous faisaient exactement ce que j'avais fait quand j'étais de l'autre côté de la barrière. Quand mes amis souffraient, j'essayais, avec la meilleure intention, de me montrer optimiste et rassurante afin de minimiser leurs craintes. *Ouais, je vois un animal gris dans la pièce, mais ce n'est pas un éléphant, voyons… ça ressemble plus à une souris.* Je sais désormais que je prenais mes désirs pour des réalités, et que mes amis se sentaient probablement encore moins compris.

Selon la tradition juive, la période de deuil pour une épouse est de trente jours. Le mois touchait à sa fin quand j'ai décidé de partager sur Facebook ce que je ressentais. J'ai déversé mes émotions dans un post, mais je n'avais pas vraiment l'intention de le publier, c'était trop personnel, trop brut, trop révélateur. Finalement, je me suis dit que la situation ne pouvait pas être pire et que ce post pourrait peut-être l'améliorer un peu. Alors, le lendemain matin tôt, avant de pouvoir changer d'avis, j'ai cliqué sur le bouton « envoyer ».

Dans ce message, j'ai d'abord décrit le néant et combien il était facile d'y sombrer. J'ai dit que pour la première fois de ma vie, je comprenais la signification de la prière qui affirme : « Ne me laissez pas mourir tant que je suis encore en vie. » J'ai tenté de me raccrocher à une bouée de sauvetage en affirmant préférer le sens au vide. J'ai aussi remercié ma famille et mes proches de m'avoir aidée à traverser ces premières semaines inimaginables. Puis, j'ai dit ce qui était si difficile à dire à mes amis et mes collègues, combien une phrase aussi anodine que « Comment vas-tu ? » était douloureuse parce qu'elle cherchait à ignorer qu'un événement extraordinaire était survenu. J'ai souligné que si les gens demandaient plutôt « Comment vas-tu *aujourd'hui* ? », cela montrerait qu'ils avaient conscience de la lutte dans laquelle je devais m'engager pour surmonter chaque journée.

L'impact de ma publication a été immédiat. Je m'étais montrée plus ouverte et vulnérable que jamais auparavant. Des amis, des voisins et des collègues ont commencé à parler de l'éléphant. J'ai reçu des centaines d'e-mails disant, en substance : « Je sais que ça doit être vraiment dur. Je pense à toi et aux enfants. »

Je me suis également sentie moins isolée en lisant les réactions d'inconnus du monde entier. Une jeune maman m'a écrit depuis sa chambre d'hôpital, alors qu'elle était au service des soins intensifs de la maternité, pour me dire qu'elle avait perdu un de ses jumeaux et voulait trouver en elle la force de donner une vie extraordinaire à son bébé qui avait survécu. Un jeune homme a partagé les photos de ses noces, à la veille de ce qui aurait été son troisième anniversaire de mariage si son épouse n'était pas décédée. Il expliquait qu'elle avait changé sa vie le jour de leur rencontre, et qu'il s'était donné pour mission de continuer à changer celle des autres, pour honorer sa mémoire, en aidant les femmes à réussir dans son domaine dominé par les hommes. Des inconnus se consolaient les uns les autres. À la maman qui avait perdu l'un de ses jumeaux, une femme qui avait traversé la même épreuve essaya d'apporter du réconfort. Des douzaines de personnes envoyèrent des messages d'encouragement au jeune veuf. Dans de nombreux cas, des gens découvraient que certains de leurs amis avaient perdu un être cher et leur disaient qu'ils étaient là pour les soutenir. Certains offraient leur compassion, d'autres racontaient leur histoire, mais le message était clair : comme l'a écrit un homme dans un de ses commentaires, même si l'option A n'était plus disponible pour beaucoup d'entre nous, nous n'étions pas seuls.

Tout le monde n'est pas forcément à l'aise à l'idée d'évoquer un drame personnel. Décider de où, quand et comment nous souhaitons exprimer nos sentiments est un choix personnel. Néanmoins, il existe des preuves convaincantes qui démontrent que parler d'un événement traumatique peut améliorer notre santé mentale et physique. Discuter avec un ami ou un membre de sa famille aide souvent à définir ses propres émotions et à se sentir compris.

Après ma publication, j'ai remarqué un changement bienvenu : les gens me demandaient « Comment vas-tu aujourd'hui ? », ce qui était une façon simple d'exprimer leur empathie. Cette question m'a également permis de penser que ma douleur absolue n'était peut-être pas éternelle. Adam a souligné que je répondais souvent « ça va », ce qui n'encourageait pas les gens à me poser d'autres questions. Il m'a dit que si je voulais que les autres s'ouvrent plus, je devais montrer l'exemple. J'ai commencé à répondre plus honnêtement. « Je ne vais pas bien et ça me soulage de pouvoir te le dire en toute sincérité. » J'ai appris que même les plus petits détails pouvaient indiquer que j'avais besoin d'aide. Par exemple, quand quelqu'un me prenait dans ses bras pour me dire bonjour, je pouvais lui signifier que je n'allais pas bien en le serrant un peu plus fort que d'habitude.

Avec certains de mes amis non-questionneurs, j'ai pris le taureau par les cornes. J'ai pris mon courage à deux mains et je leur ai dit, en larmes la plupart du temps, que quand ils ne me demandaient pas comment j'allais, j'avais parfois l'impression qu'ils s'en moquaient. À ma grande joie, ils ont tous réagi avec gentillesse, en me disant qu'ils appréciaient que je leur en parle – et, dès lors, ont posé plus de questions. Comme je l'avais fait avec Jeff, le colocataire de Dave à l'université, ils m'avaient sincèrement demandé comment j'allais, mais je ne leur avais pas donné de réponse sincère et ils n'avaient pas osé insister.

J'ai fini par me dire que puisque l'éléphant me suivait de toute façon, j'allais faire le premier pas et reconnaître son existence. Au bureau, j'ai annoncé à mes collègues qu'ils pouvaient me poser toutes les questions dont ils avaient envie, n'importe lesquelles, et qu'ils pouvaient exprimer eux aussi ce qu'ils ressentaient. Un de mes collègues m'a dit qu'il était paralysé dès qu'il me voyait, qu'il avait peur d'être maladroit. Une autre m'a dit qu'elle était souvent passée en voiture devant chez moi en se demandant chaque fois si elle aurait dû s'arrêter et venir frapper à ma porte. Après lui avoir dit que j'adorerais qu'elle passe me voir pour discuter, elle s'est décidée à venir sonner un matin. J'étais ravie de la voir... et pas seulement parce qu'elle m'apportait un café.

Il m'est arrivé de vouloir éviter les conversations sérieuses devant mon fils et ma fille. Juste avant une réunion. Ce qui fonctionnait le mieux dans mon cas, c'était quand les gens me disaient : « Je suis là, si tu as besoin de parler. Maintenant. Ou plus tard. Ou en pleine nuit. Tout ce qui pourra t'être utile. » Plutôt que de tenter de deviner si quelqu'un a envie de parler, il vaut mieux lui donner une occasion de le faire et voir comment la personne réagit.

La mort n'est pas le seul drame qui provoque la venue de l'éléphant. Tout ce qui nous rappelle que nous avons quelque chose à perdre peut nous faire perdre nos mots. Les difficultés financières. Le divorce. Le chômage. Le viol. L'addiction. La prison. La maladie. Adam m'a raconté qu'il y a dix ans, la veille de leur déménagement avec son épouse Allison en Angleterre – où il avait obtenu un poste d'enseignant-cher-cheur –, celle-ci avait fait une fausse couche. Ils ont d'abord pensé tout annuler, mais se sont finalement dit qu'un change-ment de décor les aiderait peut-être à s'en remettre. Du fait de la distance et parce qu'ils ne voulaient pas être un poids pour leurs proches, ils n'ont pas parlé de cette fausse couche à leur famille ni à leurs amis. Ni de la seconde, survenue quelque temps après. Allison, qui a fait des études de psychiatrie, a expliqué à Adam que quand un événement terrible arrivait, il était important de penser que les choses pouvaient être bien pires. Ils se sont souvenus qu'une de leurs amies proches avait surmonté sept fausses couches avant de donner enfin le jour à des bébés en bonne santé. Ils ont pensé aux fausses couches tardives, beaucoup plus dévastatrices. Quand ils sont rentrés chez eux, la douleur était moins vive et plus facile à évoquer. Quand elle a commencé à partager son expérience avec d'autres femmes, Allison a découvert que plusieurs de ses amies avaient fait des fausses couches mais n'en n'avaient jamais parlé non plus.

Parler peut resserrer les liens sociaux, mais cela peut se révéler risqué dans certains cas. Anthony Ocampo était l'un des rares étudiants d'origine philippine de son campus universitaire, et il dit avoir ressenti « la pression du rêve américain d'être le représentant de [sa] communauté ». Il portait également un poids dont il ne parlait pas. « Dans la branche conservatrice des immigrés philippins catholiques à laquelle mes parents appartenaient, avoir un fils homosexuel n'a jamais fait partie de leurs plans. » Anthony est devenu professeur de sociologie et a étudié ce qu'impliquait de faire son coming out au sein d'une famille d'immigrés. Il a mené de nombreux entretiens. Un adolescent philippin homosexuel lui a raconté avoir bu dans un verre et que sa mère l'avait jeté en affirmant qu'« il était désormais sale ». Quand un autre fils d'immigrés a annoncé à sa famille qu'il était homosexuel, ils l'ont conduit au Mexique et lui ont « pris son passeport pour qu'il apprenne à être un homme ».

Anthony a mis le doigt sur le paradoxe des parents immigrés, qui connaissent le sentiment douloureux de l'exclusion, mais infligent une douleur similaire à leurs enfants de la communauté LGBTQ. Quand Anthony a finalement annoncé à ses parents qu'il était homosexuel, il leur a également fait part de son étude sur les dommages causés par les familles qui tournent le dos à l'un des leurs. « Ces enfants cherchent l'acceptation dans la drogue, l'alcool et les comportements sexuels à risques, leur a-t-il dit. Ils s'en souviennent des années durant, et cela affecte presque tous les domaines de leur vie. » Avec le soutien patient et bienveillant de leur fils, les parents d'Anthony ont réussi à l'accepter. Ils invitent désormais le petit ami d'Anthony à toutes leurs fêtes de famille, et se sont rendus à l'hôpital quand la mère de celui-ci est décédée. Rompre le silence les a rapprochés.

Le cancer est un autre sujet tabou qui fait l'objet de messes basses. J'ai lu un article de l'écrivain Emily McDowell, dans lequel elle racontait que le pire, après qu'on lui eut diagnostiqué un lymphome, n'était ni les nausées dues à la chimiothérapie ni la perte de ses cheveux. « C'était la solitude et l'isolement que j'ai ressentis, quand beaucoup de mes amis proches et de membres de ma famille ont disparu de la circulation parce qu'ils ne savaient pas quoi dire, ou qu'ils disaient quelque chose d'horrible sans s'en rendre compte. » En réponse à cette situation, Emily a créé des « cartes d'empathie ». Je les aime toutes, mais voici mes deux préférées, elles me font rire et pleurer à la fois :

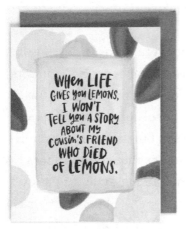

Si la vie te donne une mauvaise main, je ne vais pas te raconter l'histoire de mon cousin qui est mort après une partie de poker.

Je suis vraiment désolée de ne pas avoir été là. Je ne savais pas quoi dire.

La première fois que j'ai vu les cartes d'Emily, j'ai repensé à cet ami atteint d'un cancer en phase terminale qui me racontait que, pour lui, la pire phrase qu'il pouvait entendre, c'était : « Tout va bien se passer. » Il disait qu'une voix terrifiée dans sa tête se mettait alors à crier : *Comment sais-tu que ça va bien se passer ? Tu ne comprends donc pas que je vais peut-être mourir ?* Je me souviens qu'un an avant la mort de Dave, on a diagnostiqué un cancer à l'une de mes amies. À l'époque, je pensais que la meilleure façon de la réconforter était de lui assurer : « Tu vas t'en sortir. Je le sais, c'est tout. » Puis j'ai laissé le sujet de côté pendant des semaines en me disant qu'elle en parlerait si elle en avait envie.

Je ne pensais pas à mal, mais je suis plus sage aujourd'hui. Récemment, une collègue a appris qu'elle avait un cancer, et j'ai réagi différemment. « J'ai conscience que tu ne sais pas encore ce qui va se passer, et moi non plus. Mais tu ne traverseras pas tout ça seule. Je serai à ton côté à chaque étape », lui ai-je dit. Ce n'était peut-être pas exactement la chose à lui dire à ce moment-là, mais j'avais reconnu que la situation était angoissante et terrifiante et j'ai continué à prendre de ses nouvelles régulièrement.

Parfois, en dépit de nos bonnes intentions, nous faisons quand même ce qu'il ne faut pas. Diane Sawyer, la présentatrice du journal d'ABC, venait juste de reprendre le travail après la mort de son mari Mike Nichols quand, alors qu'elle était sur l'Escalator qui montait à son bureau, un de ses collègues qui descendait lui a crié : « Toutes mes condoléances ! » Comme ils n'allaient pas dans le même sens, elle n'a pas eu à lui répondre, c'était déjà ça.

« Quand on est confronté à un événement tragique, on comprend que l'on n'est plus entouré de gens, mais de banalités. Alors, qu'avons-nous d'autre à offrir qu'un banal "tout a sa raison d'être" ? s'interroge l'écrivain Tim Lawrence. Le plus important que vous puissiez faire, c'est de reconnaître l'existence de la situation. Prononcer littéralement les mots : "J'ai conscience de ta douleur, je suis avec toi." »

L'éléphant prend toute la place tant qu'on n'a pas reconnu son existence. En l'ignorant, ceux qui souffrent s'isolent un peu plus et ceux qui pourraient les réconforter augmentent en réalité la distance qui les sépare. Chacun doit faire un pas vers l'autre. Parler avec empathie et sincérité est un bon point de départ. Vous ne pouvez pas faire disparaître l'éléphant d'un revers de la main. Mais vous pouvez dire : « Je le vois. Je vois que tu souffres. Et tu comptes pour moi. » Dans l'idéal, il ne faut pas le crier depuis un Escalator.

« Je suis là, au milieu de la pièce,
et tout le monde fait semblant de ne pas me voir. »

3

La règle de platine de l'amitié

Un matin d'août, durant sa première année d'enseignement à Philadelphie, Adam a vu un étudiant entrer dans sa salle de classe en traînant les pieds. Du haut de son mètre quatre-vingt-dix et fort de ses cent dix kilos, Owen Thomas avait été recruté comme défenseur de l'équipe de football américain de l'université de Pennsylvanie. Mais sa taille n'était pas seulement ce qu'on remarquait chez lui. Les cheveux d'Owen étaient si roux qu'on aurait pu croire que sa tête était en feu en le voyant arriver de loin. Même s'il s'était assis au dernier rang, Adam l'aurait remarqué, mais l'étudiant avait de surcroît l'habitude de s'asseoir devant, d'arriver en avance et de poser des questions pertinentes.

Owen accueillait chacun de ses camarades en se présentant avec un sourire amical pour qu'il se sente le bienvenu. Lors d'un cours sur la négociation, les étudiants se sont groupés par deux pour un jeu de rôle, essayant de pratiquer un commerce imaginaire. Owen a eu la plus mauvaise note de la classe. Il ne supportait pas l'idée de prendre le moindre centime, même hypothétique, dont il n'avait pas besoin, et avait donc cédé son entreprise pour presque rien. En décembre, quand la classe a élu le négociateur le plus coopératif, Owen a gagné haut la main.

En avril, il s'est suicidé.

Deux mois à peine auparavant, Owen était allé voir Adam dans son bureau pour lui demander de l'aide. D'habitude si joyeux, il semblait anxieux ce jour-là. Il a dit qu'il était à la recherche d'un stage, et Adam lui a proposé de le présenter à plusieurs personnes. Owen n'a jamais donné suite, et c'est la dernière fois qu'ils se sont parlé. En repensant à ce jour-là, Adam a eu l'impression d'avoir échoué à sa mission la plus importante. Après l'enterrement, il est rentré chez lui et a demandé à son épouse s'il devait quitter l'enseignement.

Une autopsie a révélé que le cerveau d'Owen montrait des signes d'encéphalopathie traumatique chronique (ETC), une maladie sans doute causée par les coups répétitifs qu'il avait reçus à la tête. Cette affection peut provoquer des dépressions sévères et est en lien avéré avec le suicide de plusieurs joueurs de NFL[1]. C'était la première fois qu'on diagnostiquait une ETC chez un joueur aussi jeune, et ce alors qu'il n'avait jamais subi de commotion cérébrale, ce qui était un élément nouveau.

Après avoir eu vent de ce diagnostic, Adam s'en est un peu moins voulu de ne pas avoir décelé de signes indicateurs de maladie mentale. Il a réfléchi à une façon de mieux aider les étudiants qui luttaient contre ce type d'affection. Mais avec l'arrivée de centaines de nouveaux étudiants chaque année, Adam devait trouver une façon de tisser un lien personnel en parallèle avec un grand nombre d'individus. Il s'est inspiré d'une expérience dont il avait entendu parler.

Au cours d'une étude sur le stress, on a demandé aux participants d'accomplir des tâches exigeant une certaine concentration, comme assembler un puzzle pendant qu'on diffusait des

---

1. National Football League.

sons très forts à intervalles irréguliers. Ils suaient, leur rythme cardiaque et leur tension artérielle s'emballaient. Ils avaient du mal à se concentrer et commettaient des erreurs. Beaucoup, frustrés, renonçaient à leur tâche. Cherchant un moyen de réduire ce stress, les scientifiques ont offert à une partie des participants une échappatoire. Si le bruit devenait insupportable, ils n'avaient qu'à appuyer sur un bouton pour l'arrêter. Bien évidemment, le bouton leur permettrait de rester plus calmes, de commettre moins d'erreurs et d'être moins irritables. Ce n'est pas surprenant. Ce qui l'est, c'est qu'aucun des participants n'ait appuyé sur le bouton. Interrompre le bruit n'était pas ce qui faisait la différence… mais savoir qu'ils pouvaient le faire cesser, oui. Le bouton leur donnait une impression de contrôle et leur permettait de supporter le stress.

Quand les gens souffrent, ils ont besoin d'un bouton sur lequel appuyer. Après le suicide d'Owen, Adam a inscrit son numéro de portable sur le tableau le jour de la rentrée. Il faisait ainsi savoir à ses étudiants que s'ils avaient besoin de lui, ils pouvaient l'appeler à n'importe quelle heure. Les étudiants ne l'appellent que rarement, mais ce numéro, tout comme la documentation sur les maladies mentales accessible sur le campus, sont des boutons supplémentaires à leur disposition.

Quand nos proches traversent une épreuve, comment leur fournir ce bouton de sécurité ? Même s'il semble évident que nous voulons soutenir nos amis en cas de crise, certaines barrières nous en empêchent. Il existe deux sortes de réponses émotionnelles à la douleur des autres : l'empathie, qui nous pousse à les aider, et la détresse, qui nous pousse à les éviter. L'écrivain Allen Rucker a observé ces deux réactions après une paralysie due à une maladie rare. « Tandis que certains de mes amis venaient me voir tous les jours avec des sandwichs, l'intégrale d'Alfred Hitchcock ou simplement leur bonté, d'autres ont été étonnamment absents, écrit-il. C'était le premier signe que je n'étais pas la seule personne à avoir peur de mon état. » Chez certains, sa paralysie physiologique avait provoqué une paralysie émotionnelle.

Quand nous apprenons qu'un de nos proches a perdu son emploi, commencé une chimiothérapie ou est en plein divorce, la première chose à laquelle nous pensons généralement, c'est : « Il faut que je l'appelle. » Puis, juste après cette réaction, nous sommes souvent assaillis par le doute. « Et si je dis ce qu'il ne faut pas ? Et si en parler le gêne ? Et si c'était déplacé de ma part ? » Une fois installés, ces doutes sont suivis d'excuses comme : « Il a tellement d'amis… et au fond, nous ne sommes pas si proches » ou : « Elle doit être très occupée, je ne veux pas la déranger. » On repousse le moment de l'appeler ou de l'aider puis on se sent coupable de ne pas l'avoir fait plus tôt… jusqu'au moment où c'est trop tard.

Une de mes connaissances a perdu son mari d'un cancer quand elle avait une cinquantaine d'années. Avant ce drame, une amie l'appelait toutes les semaines pour discuter. Puis, soudainement, ses coups de fil ont cessé. Près d'un an plus tard, la veuve a décroché son téléphone. « Pourquoi n'ai-je eu aucune nouvelle de toi ? », a-t-elle demandé. « Oh, je voulais attendre que tu te sentes mieux », a-t-elle répondu sans comprendre qu'elle avait, en ne réconfortant pas son amie, accentué sa douleur.

Alycia Bennett a fait les frais de ce phénomène quand elle avait le plus besoin de réconfort. Au lycée, elle dirigeait l'annexe d'une ONG qui luttait contre la pauvreté en Afrique. Elle est entrée à l'université bien décidée à poursuivre son engagement. Elle a contacté un administrateur qui s'occupait de plusieurs associations sur le campus. Ils se sont donné rendez-vous dans sa résidence universitaire pour discuter des différents programmes. Quand il a compris qu'Alycia était seule, il l'a violée.

Durant la période douloureuse qui a suivi, Alycia a lutté contre la dépression et s'est confiée à l'une de ses amies les plus proches. « Avant, nous étions inséparables, nous a-t-elle raconté. Mais quand je lui ai annoncé que je m'étais fait violer, elle m'a répondu : "je ne peux pas te parler." » Alycia a cherché du soutien auprès d'autres amis, mais leur réaction a été similaire. L'une d'entre eux a même admis : « Je sais que tout ça a été très dur pour toi, mais ça a aussi été très dur pour *moi*. » Cette amie se sentait coupable de ne pas avoir pu empêcher l'agression et personnalisait le drame. Alycia l'a rassurée en lui disant que ce n'était pas sa faute, mais l'amie a tout de même cessé de lui parler, choisissant la fuite plutôt que l'empathie.

« Le viol m'a évidemment traumatisée, raconte Alycia. Quand j'ai décidé d'aller porter plainte, cela a déclenché beaucoup de tensions. C'était une communauté plutôt prospère et aisée, majoritairement blanche. En tant que noire, j'étais intimidée. Mais la réaction de mes amis était tout aussi traumatisante pour moi. Je me sentais désarmée. » Par chance, ses amis de lycée ont pris les choses en main, et elle a pu changer d'université et emménager dans un nouvel appartement, avec de nouveaux colocataires qui l'ont aidée à surmonter cette épreuve. Alycia a raconté son histoire sur le site de notre communauté Lean In, espérant encourager d'autres victimes de viol à parler. Dans son article, elle faisait part de sa ferme intention de poursuivre ses objectifs d'origine, et elle a réussi, car après son diplôme universitaire, elle a obtenu un travail qu'elle adore dans le milieu des affaires et de la sécurité du Moyen-Orient.

Nombreux sont ceux qui considèrent qu'ils se protègent en se mettant à distance de la douleur émotionnelle. Certains croient, peut-être inconsciemment, que fréquenter une personne dévastée par le chagrin et l'anxiété les fera sombrer eux aussi. D'autres se sentent dépassés par leur impuissance et ont l'impression que rien de ce qu'ils pourront dire ou faire n'arrangera les choses, et choisissent donc de ne pas dire ni faire quoi que ce soit. Mais nous avons appris de l'étude sur le bruit qu'il n'est pas nécessaire d'appuyer sur le bouton pour soulager la pression. Se contenter d'être présent pour un ami peut faire une énorme différence.

J'ai eu la chance d'être très entourée par mes proches, qui comprenaient souvent ce dont j'avais besoin avant que je le comprenne moi-même. Le premier mois, ma mère est restée chez nous pour m'aider à m'occuper de mes enfants… et pour s'occuper de moi. À la fin de ces longues journées, elle s'allongeait à côté de moi tandis que je pleurais, et me serrait dans ses bras jusqu'à ce que je m'endorme. Je ne lui ai jamais demandé de le faire ; elle le faisait, c'est tout. Le jour de son départ, ma sœur Michelle a pris le relais. Durant les quatre mois suivants, elle est venue plusieurs soirs par semaine et s'assurait qu'une de mes amies la remplace quand elle avait un empêchement.

C'était terrible pour moi d'avoir à ce point besoin d'aide. Mais un acte aussi anodin qu'entrer dans la chambre que je partageais avec Dave était comme un coup de poing dans le ventre. Se coucher était devenu le symbole de tout ce que j'avais perdu. C'était à ce moment de la journée que le chagrin et l'angoisse atteignaient leur paroxysme, quand je savais que j'allais devoir ramper – oui, j'ai bien dit ramper – jusqu'à mon grand lit vide. En étant là, soir après soir, et en me montrant clairement qu'ils seraient toujours là quand j'aurais besoin d'eux, ma famille et mes amis étaient devenus ce fameux bouton.

Dès lors que mes proches m'ont convaincue qu'ils voulaient sincèrement m'aider, j'avais moins l'impression d'être un fardeau. J'ai dit à Michelle de rentrer chez elle, mais elle a insisté en affirmant qu'elle serait incapable de dormir à moins de savoir que je dormais aussi. David, mon frère, m'a appelée de Houston tous les jours pendant plus de six mois. Quand je l'ai remercié, il m'a dit qu'il l'avait fait pour lui parce que quand nous discutions, c'était le seul moment où il se sentait bien. J'ai découvert que, parfois, quand on se soucie du bien-être de l'autre, on n'imagine pas être ailleurs qu'à son côté dans les moments de douleur.

Pour moi, ce soutien constant était vital, mais il ne l'est pas forcément pour tout le monde. Une femme dont le mari est mort un mois après Dave nous a raconté qu'au début, elle était aussi très angoissée à l'idée d'être seule le soir. Sa mère est restée avec elle pendant deux semaines, puis elle s'est installée chez son frère. Elle a bien évidemment apprécié leur aide, mais a admis que, « au bout d'un mois », elle était « plus que prête à être seule de nouveau ».

Il est difficile d'imaginer, voire de comprendre la douleur d'une autre personne. Quand nous ne nous trouvons pas nous-mêmes dans un état physique ou émotionnel critique, nous sous-estimons l'impact d'une telle situation. Lors d'une expérience, on a demandé aux participants, dont le bras était plongé dans un seau d'eau, d'estimer dans quelle mesure il leur serait douloureux de rester assis dans une chambre froide pendant cinq heures d'affilée. Les membres du premier groupe avaient le bras plongé dans un seau d'eau glacé, et ceux du second dans un seau d'eau tiède. Les premiers ont répondu que rester assis dans une chambre froide serait plus douloureux à 14 % de plus que ceux dont le seau était rempli d'eau tiède. Mais quand on leur a reposé la question, dix minutes après qu'ils avaient retiré leur bras du seau, leur estimation a rejoint celle du groupe au seau d'eau tiède. Une fois le bras au sec, ne serait-ce que depuis quelques minutes, ils n'arrivaient plus à imaginer la sensation de froid. (La bonne nouvelle, c'est qu'il y a très peu de situations dans la vie où l'on se retrouve avec un bras dans un seau d'eau glacée.)

Il n'y a pas qu'une façon de faire son deuil ou d'apporter du réconfort. Ce qui aide une personne n'en aide pas forcément une autre, et ce qui aide un jour n'aide pas forcément le lendemain. En grandissant, on m'a appris à respecter une règle d'or : traiter les autres comme j'aimerais qu'ils me traitent. Mais quand quelqu'un souffre, nous devons appliquer la règle de platine plutôt que la règle d'or : traiter les autres comme *ils* veulent qu'on les traite. Observez la personne en détresse et réagissez avec compassion. Ou mieux, agissez !

Tandis que je bataillais pour m'en sortir, à la maison comme au travail, mes amis et mes collègues me demandaient souvent avec délicatesse : « Y a-t-il quoique ce soit que je puisse faire pour toi ? » Ils posaient la question sincèrement, mais je n'avais généralement aucune réponse à donner. Certaines choses auraient pu m'aider, mais j'avais du mal à les demander. Et la plupart des requêtes qui me venaient à l'esprit me semblaient trop exigeantes. *Peux-tu t'assurer que mes enfants et moi ne nous retrouvions jamais seuls les jours fériés ?* Ou impossibles à satisfaire. *Peux-tu inventer une machine à remonter le temps pour que mes enfants et moi puissions dire au revoir à Dave – ou peux-tu au moins t'arranger pour qu'il n'y ait pas de fête des Pères cette année ?*

L'auteur Bruce Feiler est convaincu que le problème vient du fait que les gens proposent de « faire quoi que ce soit ». « Bien qu'il soit bien intentionné, ce geste déplace le poids sur celui qui souffre », écrit-il. Il conseille d'agir, « plutôt que de proposer de faire quoi que ce soit ».

Bruce évoque ces amis qui, lorsque l'un d'eux a déménagé après son divorce, lui ont envoyé des cartons et du papier bulle. Ou ceux qui ont organisé une « pendaison d'incendie » – sorte de pendant de la pendaison de crémaillère – pour une proche dont la maison avait brûlé. Dan Levy, un de mes collègues, m'a raconté qu'un ami lui avait envoyé un texto alors qu'il était à l'hôpital au chevet de son fils malade. Il disait : « Qu'est-ce que tu n'aimes PAS dans le hamburger ? » Dan avait apprécié son geste. « Plutôt que de me demander si j'avais faim, il a fait le choix à ma place tout en me laissant l'impression de garder le contrôle », explique-t-il. Une autre amie lui a envoyé un message disant qu'elle passerait une heure dans le hall de l'hôpital, qu'il y descende ou non, et qu'elle était disponible pour lui faire un câlin si nécessaire.

Les actions spécifiques sont utiles, car elles s'attaquent aux dommages causés, plutôt que d'essayer de régler un problème général. « Dans la vie, il y a des choses que nous ne pouvons pas réparer. Nous devons nous contenter de les supporter », affirme la thérapeute Megan Devine. Même un geste infime, comme tenir la main de quelqu'un, peut être utile.

Des psychologues ont volontairement créé des situations de stress pour des adolescentes en leur demandant de parler spontanément en public. Quand leurs mères, qui étaient à leurs côtés, leur ont pris la main, le contact physique a fait diminuer leur angoisse. Les filles transpiraient moins et partageaient une partie de leur stress psychologique avec leurs mères.

Je connais bien ce phénomène. Quatre jours après avoir trouvé Dave sur le sol de cette salle de sport, j'ai dû prononcer un discours à son enterrement. À l'origine, je pensais en être incapable, mais mes enfants voulaient dire quelques mots eux aussi et je me disais qu'il fallait montrer l'exemple. Michelle, à côté de moi, a serré ma main. Je n'avais pas entendu parler de l'étude filles-mères à cette époque, mais sa main dans la mienne m'a redonné de la force. Et comme elle était dévastée elle aussi, cela lui en a également donné.

Dave était cette source de force – un bouton sur lequel appuyer, pas seulement pour moi, mais pour tant d'autres. Vers qui ses amis et sa famille allaient-ils désormais se tourner pour trouver du soutien ? La psychologue Susan Silk a élaboré une méthode utile qu'elle appelle « la théorie du cercle ». Sur une feuille de papier, elle nous suggère d'écrire le nom des gens au cœur du drame et de les entourer d'un cercle. Puis d'en dessiner un autre plus grand autour et d'y inscrire le nom de ceux qui sont les suivants à en être le plus affectés. Et de continuer de dessiner des cercles de plus en plus larges, en incluant les gens selon leur degré d'implication dans la crise.

Comme Susan Silk et le médiateur Barry Goldman l'écrivent dans l'exposé de leur méthode : « Quand vous avez fini, se dessine une hiérarchie du *kvetch*[1]. »

Adam a tracé les quatre premiers cercles de ce qui nous était arrivé de la manière suivante :

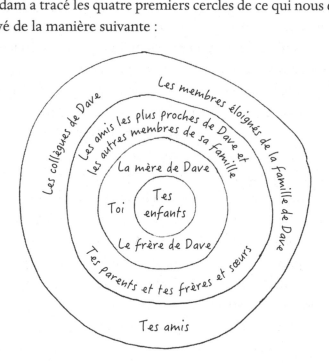

---

1. En yiddish, le mot *kvetch* signifie « se plaindre », « râler ».

Selon votre place dans ce schéma, offrez du réconfort en amont et allez en chercher en aval. Cela implique de consoler les gens qui sont plus au cœur du drame que vous, et de demander de l'aide à ceux qui en sont plus éloignés.

J'ai quelques fois cherché du réconfort auprès de ces cercles extérieurs, mais parfois j'ai eu du mal à l'accepter. Une semaine après l'enterrement, j'ai assisté à un match de flag football[1] de mon fils. J'étais toujours dans ce brouillard épais – ce n'était que le début – et j'avais du mal à concevoir qu'il existe des choses aussi improbables qu'un match de flag football entre enfants. J'ai cherché un endroit où m'asseoir, mais je ne voyais que des pères venus soutenir leur fils. *Dave n'ira plus jamais à aucun match de foot.* J'étais en train d'ajuster la visière de ma casquette pour cacher mes larmes, quand j'ai aperçu Katie et Scott Mitic sur la couverture qu'ils avaient étalée dans l'herbe, qui me faisaient signe pour que je les rejoigne. Quelques jours auparavant, ils m'avaient proposé de m'accompagner au match, mais vu qu'ils s'occupaient déjà de leurs propres enfants, je leur avais dit de ne pas venir. J'étais si reconnaissante qu'ils ne m'aient pas écoutée. Je me suis assise entre eux deux et chacun m'a tenu la main. J'étais là pour mon fils... et ils étaient là pour moi.

Bien sûr, après un drame, certains préfèrent se recroqueviller et rester tapis dans leur cercle. Une amie de Los Angeles était complètement perdue après la mort de son fils unique dans un accident de voiture. Quand des amis l'invitaient à dîner, sa première réaction était de refuser systématiquement, alors qu'elle avait été très sociable auparavant. Ils insistaient et elle se forçait à accepter. Puis, la veille, elle avait envie de tout annuler, mais se répétait : « Tu essayes juste de fuir. Vas-y. »

---

1. Sport dérivé du football américain où les plaquages sont remplacés par l'arrachage de bandes de tissu.

J'étais moi-même partagée entre des émotions contradictoires similaires. Je détestais demander de l'aide, détestais le fait d'en avoir besoin, m'inquiétais constamment d'être un lourd fardeau pour tout le monde tout en dépendant néanmoins de leur soutien. Je manquais tellement de confiance en moi dans de nombreux domaines que j'ai failli créer un groupe de soutien pour « personnes ayant peur de déranger les autres », jusqu'à me rendre compte que... personne ne serait venu aux réunions, car tous les membres potentiels auraient eu peur de s'imposer.

Avant, mes relations amicales étaient définies par ce que je pouvais offrir : conseils professionnels, soutien émotionnel, suggestions de vieilles séries télé – Dave aurait ajouté « mauvaises ». Mais tout avait changé, j'avais désormais infiniment besoin d'aide. Je n'avais pas seulement l'impression d'être un fardeau... *j'étais* un fardeau. J'ai appris que l'amitié ne se résume pas à ce que l'on a à donner, mais également à ce que l'on est capable de recevoir.

Hélas, comme de nombreuses personnes de mon entourage ayant vécu un événement tragique le soulignent tristement, certains amis ne se comportent pas forcément comme on l'aurait espéré. La plupart d'entre eux pensent souvent que c'est à eux d'expliquer à leurs proches ce qu'ils devraient faire quand ils souffrent – voire ce qu'ils devraient ressentir. Une de mes connaissances a choisi de retourner travailler au lendemain de la mort de son mari, parce qu'elle ne supportait pas l'idée d'être seule à la maison. Elle ressent aujourd'hui encore la piqûre aiguë quand certains de ses collègues lui ont dit : « Je pensais que tu serais trop bouleversée pour venir aujourd'hui. » *Tu penses, mais tu n'en sais absolument rien.*

La douleur ne communique son emploi du temps à personne, nous la traversons tous à notre façon et à notre rythme. « Cela fait trois mois, quand vas-tu t'en remettre ? », a demandé une femme à une de ses amies qui avait fait une fausse couche.

Au premier anniversaire de la mort de Dave, on m'a dit : « Tu devrais en avoir fini avec cette histoire de deuil. » *Vraiment ? Très bien, je vais me contenter de ranger cette histoire* de deuil *dans un tiroir, alors.* Ce n'est probablement pas une très bonne idée non plus de dire : « Tu es si déprimée et en colère, c'est trop difficile de te fréquenter. » On m'a clairement dit cette phrase, qui a fait ressurgir ma peur la plus profonde : que ce soit vrai !

La colère est l'une des cinq fameuses étapes du deuil définies par Elisabeth Kübler-Ross. Après la perte d'un être cher, nous sommes d'abord censés être sous le choc, puis en colère, puis nous passons en général par la phase de marchandage et de dépression. C'est seulement après avoir traversé ces quatre étapes que nous pouvons atteindre la dernière, celle de l'acceptation. Mais les experts se rendent compte aujourd'hui que cela ne se déroule pas forcément comme on l'entend. Ces étapes ne progressent pas de façon linéaire, mais au contraire vont et viennent. Le chagrin et la colère ne s'évaporent pas soudainement comme une flamme sur laquelle on aurait versé de l'eau. Elles peuvent vaciller un instant et renaître de plus belle.

J'ai lutté contre ma colère. Il suffisait qu'un ami prononce la mauvaise phrase pour que je réagisse bien trop violemment, hurlant même parfois : « Ça ne sert vraiment à rien de dire ça ! » Ou j'éclatais en sanglots. Parfois, je me reprenais et m'excusais aussitôt. Mais il m'est arrivé de n'en prendre conscience que bien plus tard, si ce n'est jamais. Être mon ami impliquait non seulement de me réconforter, mais aussi de gérer une colère que je n'avais jamais ressentie auparavant et que j'avais du mal à contrôler. Ces explosions me faisaient peur, j'avais encore plus besoin de soutien. À l'instar de ces participants à l'étude qui savaient qu'ils pouvaient appuyer sur un bouton, j'avais besoin que mes amis me montrent que même s'il était difficile d'être avec moi, ils n'avaient pas l'intention de m'abandonner.

Beaucoup de gens ont gentiment essayé de me rassurer en me disant : « Tu vas t'en sortir », mais j'avais du mal à les croire.

Ce qui m'a vraiment aidée, c'est de savoir que d'autres partageaient mon chagrin. Phil Deutch me l'a constamment rappelé en répétant sans cesse : « On va s'en sortir ». Il m'envoyait des e-mails, parfois d'une ligne : « Tu n'es pas seule. » J'ai reçu une carte postale d'une de mes amies d'enfance : « Un matin, elle s'est réveillée et a compris qu'on était tous dans le même bateau. » Cette carte est accrochée au-dessus de mon bureau depuis.

J'ai passé plus de temps avec ma famille et mes amis proches, et ils m'ont appris en me montrant l'exemple comment vivre selon la règle de platine. Au début, c'était une question de survie ; je pouvais être moi-même avec eux, ils étaient capables d'absorber une partie de l'anxiété et de la colère, de m'aider à les porter. Puis c'est devenu un choix. Dans la plupart des cas, nos relations évoluent naturellement avec le temps. Au fur et à mesure que les gens vieillissent, ils se concentrent sur un nombre réduit de relations amicales, qui deviennent plus importantes et dont la qualité est une source plus sûre de bonheur que la quantité.

Une fois que j'avais absorbé la plus grande partie du chagrin, j'ai dû rétablir un équilibre dans mes relations amicales afin qu'elles ne soient plus à ce point inégales. Environ un an après la mort de Dave, j'étais avec une amie qui semblait ailleurs et contrariée. Je lui ai demandé ce qui n'allait pas et elle a hésité à me répondre. J'ai insisté et elle m'a avoué que son mari et elle ne s'entendaient plus, mais qu'elle pensait que, vu ma situation, elle n'était pas en droit de se plaindre. J'ai ri en disant que si mes amies ne pouvaient plus se plaindre de leurs conjoints, je n'en aurais plus aucune. Je voulais que mes proches sachent que je pouvais moi aussi les aider à surmonter leurs problèmes.

Plus le temps passait, plus j'étais reconnaissante quand ma famille et mes amis prenaient de mes nouvelles et venaient me voir. À l'anniversaire des six mois de la mort de Dave, je leur ai envoyé mon poème préféré, *Des pas sur le sable*. Il s'agit à l'origine d'une parabole religieuse, mais pour moi, il exprime aussi quelque chose de profond sur l'amitié. L'auteur du poème évoque un rêve dans lequel il marche sur la plage avec Dieu. Il fait remarquer qu'il y a en général deux traces de pas distinctes dans le sable, à l'exception des jours les plus difficiles de sa vie, les jours de « plus grande angoisse, de plus grande peur et de plus grande douleur », où l'une d'elles disparaît. Se sentant délaissé, le poète s'en prend à Dieu :

Je ne peux comprendre que tu m'aies laissé seul au moment où j'avais le plus besoin de Toi.

Ce à quoi le Seigneur lui répond :

Quand tu ne voyais que deux empreintes de pas sur le sable, mon enfant, eh bien c'était moi qui te portais.

J'avais l'habitude de me dire que comme dans le poème, mes amis me portaient durant les pires jours de ma vie. Mais ces mots ont aujourd'hui un sens nouveau pour moi : si la trace est celle d'une paire d'empreintes, c'est parce qu'ils marchent dans mes pas, prêts à me rattraper si je tombe.

4

Autocompassion et confiance en soi

Faire la paix avec soi-même

À vingt-cinq ans, Catherine Hoke a participé avec son mari à un voyage en Roumanie organisé par leur paroisse, qui avait pour but d'aider des orphelins atteints du VIH. Une fois rentrée chez elle, à New York, elle était bien décidée à continuer d'aider ceux qui en avaient besoin. À l'époque, Catherine travaillait dans une entreprise de capital-risque. Quelque temps plus tard, un ami lui a proposé de participer à une mission chrétienne dans une prison du Texas. Elle a remarqué que de nombreux détenus semblaient faire preuve d'une ingéniosité et d'une motivation similaires à celles de certains grands entrepreneurs. Elle a donc commencé à se rendre au Texas le week-end, pour donner des cours de commerce en prison. Elle a appris que presque un Américain sur quatre avait un passé criminel et que un sur vingt passait par la prison. Si, à leur sortie, la plupart des anciens détenus cherchent à trouver un travail, leur casier judiciaire rend difficile l'obtention d'un emploi. Catherine était convaincue que ces hommes méritaient une seconde chance.

Elle a démissionné et investi toutes ses économies dans la création du Prison Entrepreneurship Program (« Programme d'entrepreneuriat carcéral »), une association qui a pour but d'aider des ex-détenus à trouver un emploi et à monter leur entreprise. En cinq ans, le programme s'est étendu à tout l'État et six cents étudiants en sont sortis avec un diplôme, créant soixante nouvelles entreprises. Catherine s'est même vu décerner un prix pour son action de service public par le gouverneur du Texas.

Puis la vie personnelle de Catherine s'est effondrée. Après neuf ans de mariage, son mari a soudainement demandé le divorce et est parti sans retour. « Ce fut la période la plus sombre de ma vie, nous a-t-elle raconté. Dans mon entourage, le divorce était considéré comme un péché. On me répétait : "Dieu déteste le divorce." » Elle avait peur d'expliquer sa situation. Elle savait néanmoins qu'il existait des personnes qui ne la jugeraient pas : les élèves de son programme. Comme ils sont souvent l'objet de préjugés et en souffrent, elle s'est tournée vers eux pour avoir leur soutien. Ils l'ont aidée à déménager et sont devenus ses confidents les plus proches. Durant cette période très chargée en émotions, elle a perdu toute notion des limites à ne pas franchir et a eu des relations intimes avec plusieurs de ses étudiants. Ces hommes n'étaient plus en prison, donc Catherine n'avait enfreint aucune loi, mais le département de la Justice criminelle du Texas a considéré que son comportement était inapproprié. Catherine a été bannie de toutes les prisons de l'État, et on lui a annoncé que son programme serait annulé si elle continuait de le diriger. Elle a donc démissionné et son départ a fait les gros titres des journaux nationaux, un « scandale sexuel carcéral ».

Catherine avait passé des années à encourager les employeurs et les donateurs à avoir l'esprit plus ouvert, leur demandant d'imaginer leur ressenti si la société ne voyait plus en eux que la pire erreur de leur vie. À présent, il s'agissait de sa propre vie. « J'avais trahi mes valeurs spirituelles. J'avais l'impression d'avoir enfilé un épais manteau de honte, nous a-t-elle confié. J'ai perdu mon identité de leader, j'étais fauchée financièrement. Je ne voulais plus vivre parce que j'avais l'impression d'avoir gâché le projet que Dieu avait pour moi. » Elle a tenté de se suicider.

Catherine avait employé tout son temps au service de ces gens pour les aider à obtenir une seconde chance. Elle avait encouragé la société à faire preuve de compassion envers les anciens détenus. Désormais, il fallait qu'elle trouve cette compassion pour quelqu'un d'autre – elle-même.

On ne parle pas de l'autocompassion autant qu'on le devrait, sans doute parce qu'on la confond souvent avec des sentiments similaires plus discutables, l'apitoiement sur son sort et la recherche inconsidérée de son plaisir. La psychologue Kristin Neff décrit ainsi l'autocompassion : il s'agit de faire preuve de la même bonté envers soi qu'envers un ami. Cela nous permet de considérer nos propres erreurs avec bienveillance et empathie, plutôt qu'avec honte et autocritique.

Nous commettons tous des erreurs. Certaines sont en apparence insignifiantes, mais peuvent être lourdes de conséquences. Nous tournons la tête une seconde au parc à l'instant exact où notre enfant tombe. Nous changeons de file et percutons la voiture que nous n'avions pas vue dans l'angle mort. Nous commettons également de plus grosses erreurs – ne pas bien juger une situation, ne pas aller au bout de nos engagements, ne pas faire preuve d'intégrité.

Aucun d'entre nous ne peut revenir dessus.

L'autocompassion, c'est le fait de reconnaître que nos imperfections font partie de la nature humaine. Ceux qui en sont conscients se remettent plus vite des épreuves de la vie. Selon une étude, la résilience des personnes qui traversent un divorce n'est pas liée à leur estime de soi, ni à leur optimisme, ni à leur état dépressif qui a conduit à la fin de leur mariage, ni à la durée de leur relation ou de leur séparation ; ce qui les a aidées à sortir de leur détresse et à tourner la page, c'est l'autocompassion. Parmi les soldats qui sont rentrés d'Afghanistan et d'Irak, ceux qui ont fait preuve de bonté envers eux-mêmes ont montré une baisse significative des symptômes de stress post-traumatique. L'autocompassion augmente le sentiment de bonheur et de satisfaction, limite les difficultés émotionnelles et l'anxiété. Hommes et femmes peuvent bénéficier de l'autocompassion, et elle semble avoir plus d'effet sur les femmes parce qu'elles se montrent souvent plus dures envers elles-mêmes. Comme le fait remarquer le psychologue Mark Leary, l'autocompassion « peut être un antidote à la cruauté que nous nous infligeons parfois ».

Elle cohabite souvent avec le remords. Il ne s'agit pas de nier notre responsabilité envers notre passé, mais de s'assurer qu'on ne se flagelle pas au point de compromettre notre avenir. Pour la trouver, il faut comprendre que faire quelque chose de mal ne fait pas nécessairement de nous une mauvaise personne. Plutôt que de se dire « si seulement je n'étais pas », nous devons nous dire « si seulement je n'avais pas ». C'est pour cela que la confession catholique commence par : « Pardonne-moi Seigneur, car j'ai péché » et non par : « Pardonne-moi Seigneur, car je suis un pécheur. »

Rejeter la faute sur nos actions plutôt que sur nous-mêmes permet de se sentir coupable et non honteux. L'humoriste Erma Bombeck affirme que la culpabilité est « un cadeau qui n'en finit jamais ». Même s'il est difficile de s'en défaire, elle nous pousse à constamment nous améliorer. Elle fait se sentir responsable, mais reste surmontable. Les gens peuvent y puiser la motivation pour réparer les erreurs du passé et prendre de meilleures décisions à l'avenir.

Le sentiment de honte produit l'effet inverse : il fait se sentir petit et inutile, et pousse les gens à être agressifs ou à s'apitoyer sur leur sort. Les étudiants qui se sentent honteux auront potentiellement plus de problèmes de drogue et d'alcool que ceux qui se sentent coupables. Les prisonniers qui se sentent humiliés ont 30 % plus de risques de récidiver que ceux qui se sentent coupables. Les élèves de primaire et les collégiens qui ressentent une forme de honte se montrent hostiles et agressifs, tandis que ceux qui s'estiment coupables auront plus tendance à désamorcer les conflits.

Bryan Stevenson, l'activiste en charge de l'Initiative pour l'égalité de la justice, explique que « nous avons tous été brisés par quelque chose. Nous avons tous fait souffrir quelqu'un ». Il est convaincu que « chacun d'entre nous vaut mieux que la pire chose qu'il ait faite ». C'est ce qu'a fini par comprendre Catherine Hoke. La première personne vers qui elle s'est tournée est son pasteur. Il l'a encouragée à se pardonner et à faire amende honorable. « La seule façon de faire preuve d'autocompassion était d'assumer mes erreurs », nous a-t-elle confié. Elle a écrit une lettre sincère et pleine de remords aux 7 500 bénévoles et contributeurs de son programme dans laquelle elle reconnaissait ce qu'elle avait fait. Catherine a reçu plus d'un millier de réponses. Les gens la remerciaient de son honnêteté et affirmaient qu'ils croyaient en elle. Beaucoup lui ont demandé ce qu'elle avait l'intention de faire ensuite. Certains considéraient qu'elle avait un avenir, même si elle n'arrivait pas à le voir elle-même. « C'est l'amour de ces gens qui m'a ramenée à la vie », se rappelle-t-elle. Elle a commencé à faire preuve d'autocompassion.

Écrire aux autres – et à elle-même – s'est révélé une étape clé de son rétablissement. Aussi loin qu'elle s'en souvienne, elle avait toujours tenu un journal intime. « Écrire dans un carnet n'équivaut pas vraiment à une réflexion profonde, dit-elle. Mais cela m'a aidée à retrouver mon calme et à réfléchir. J'ai pu mettre des mots sur mes émotions et les trier. »

Écrire peut-être un outil très efficace pour apprendre l'autocompassion. Au cours d'une expérience, on a demandé aux participants de se remémorer un échec ou une humiliation qui les avait fait douter de leur valeur personnelle : quand ils avaient raté un examen important, échoué lors d'une compétition sportive ou oublié leur texte alors qu'ils étaient sur scène. Ils ont dû s'écrire une lettre en se montrant aussi compréhensifs qu'ils l'auraient été avec un ami. Comparé à d'autres à qui on avait simplement demandé de lister leurs qualités, ceux qui avaient fait preuve de bonté envers eux-mêmes étaient plus heureux à 40 % et moins en colère à 24 %.

Mettre des mots sur les sentiments peut nous aider à traverser et à dépasser une épreuve. Il y a plusieurs décennies, le psychologue social Jamie Pennebaker a demandé à deux groupes d'étudiants de tenir un journal quinze minutes par jour, pendant quatre jours seulement – certains devaient écrire sur des sujets non émotionnels et d'autres sur l'expérience la plus traumatisante de leur vie, comme le viol, la tentative de suicide et la pédophilie. Après le premier jour d'écriture, le second groupe semblait moins heureux et avait une tension artérielle plus élevée, ce qu'on peut comprendre, étant donné le caractère stressant d'une confrontation à un traumatisme. Mais quand Pennebaker les a rappelés six mois plus tard, les effets s'étaient inversés et ceux qui avaient évoqué leurs traumatismes étaient en bien meilleure santé émotionnelle et physique.

Depuis, plus d'une centaine d'expériences ont confirmé les bienfaits thérapeutiques de la tenue d'un journal. Cela a aidé des étudiants en médecine, comme des patients souffrant de douleurs chroniques, des victimes de criminels, des détenus de prisons à haute sécurité ou des femmes qui venaient d'accoucher, dans des pays aussi divers que la Belgique, la Nouvelle-Zélande et le Mexique. Écrire à propos d'événements traumatiques peut diminuer l'anxiété et la colère, améliorer les résultats scolaires, réduire l'absentéisme au travail et contenir l'impact émotionnel d'une perte d'emploi. Les bénéfices sur la santé incluent une augmentation de cellules T, un meilleur fonctionnement du foie et des anticorps plus résistants. Écrire, ne serait-ce que quelques minutes pendant une courte période, peut faire la différence. « Vous n'avez pas besoin d'écrire pour le restant de votre vie, nous a dit Pennebaker. Vous pouvez commencer et arrêter au gré de vos besoins. »

Nommer nos émotions négatives nous permet de les gérer plus facilement. Plus la description est spécifique, plus l'exercice sera efficace. Dire « je me sens seule » nous aide plus qu'un vague « je me sens mal ». En formulant nos émotions, nous pouvons mieux les contrôler. Une étude a fait appel à des personnes qui avaient la phobie des araignées, puis on leur a dit qu'elles allaient devoir interagir avec l'animal en question. D'abord, on les a divisées en quatre groupes ; chaque groupe avait le choix parmi les attitudes suivantes : se distraire, envisager l'araignée comme une bête inoffensive, ne rien faire ou décrire ce qu'elles ressentaient à la vue de l'araignée. Quand l'animal a fait son entrée, ceux qui avaient décrit leur peur ont manifesté moins de signes de panique physiologique et l'ont approché plus facilement.

Il convient cependant de souligner que tenir un journal immédiatement après un drame ou une crise peut se retourner contre vous, car l'événement est encore trop récent pour être assimilé. Après une épreuve difficile, il semble que l'écriture limite le sentiment de solitude et améliore l'humeur, mais n'aide pas forcément à réduire le chagrin ou les symptômes de dépression. Néanmoins, pour beaucoup, raconter son histoire peut mettre les choses en lumière. Pour ceux qui n'aiment pas écrire, s'enregistrer à l'aide d'un magnétophone fonctionne tout aussi bien. Il semblerait que les bénéfices ne soient pas si grands lorsqu'on exprime notre traumatisme à travers d'autres moyens d'expression comme la peinture, la musique ou la danse (mais l'avantage, c'est que vous ne vexerez personne si votre tableau d'art abstrait plein de colère tombe entre de mauvaises mains).

Catherine a pu, grâce à l'écriture, identifier les pensées qu'elle réprimait, comme : « Les gens ne m'aimeront que si j'ai quelque chose à leur offrir » et « Compter sur les autres fait de moi une personne faible en manque d'affection. » Les psychologues appellent ces idées des « croyances limitantes ». Catherine a décidé de les remplacer par ce qu'elle appelle des croyances « libératrices ». Elle écrit : « Ma valeur n'est pas liée à mes actes » et « je peux autoriser les gens à prendre soin de moi, et j'ai besoin de prendre soin de moi-même ».

Après un an de thérapie, Catherine était prête à renouer avec son engagement en aidant de nouveau les gens à défier les probabilités et leur passé. À New York, elle a pris un nouveau départ en créant Defy Ventures, un programme qui forme et assiste des détenus, anciens ou pas, dans le lancement de leur entreprise. Dans l'une de ses classes, les étudiants apprennent à identifier leurs propres croyances limitantes et à les reformuler en croyances libératrices.

En six ans, le programme a aidé 1 700 personnes qui ont obtenu un diplôme, a contribué à créer et financer plus de 160 nouvelles entreprises, fixant le taux d'embauche à 95 % et celui de récidive à 3 %.

Catherine a retrouvé confiance en elle sur le plan professionnel, mais également personnel. En 2013, elle a épousé Charles Hoke. Ce dernier était si convaincu de l'intérêt de la mission de Defy Ventures que, un an après leur mariage, il a démissionné de son poste dans la finance pour venir travailler avec elle. « J'ai une seconde chance en tant qu'épouse. J'ai une seconde chance de vivre, dit Catherine. J'ai aussi une seconde chance de permettre aux autres d'en avoir une. »

La confiance en soi est l'une des clés du bonheur et du succès. Lorsque nous en manquons, nous nous appesantissons souvent sur nos défauts. Nous négligeons les nouveaux défis ou l'apprentissage de nouvelles compétences. Nous hésitons à prendre un risque, aussi petit soit-il, alors que celui-ci pourrait offrir une grande opportunité. Nous décidons de ne pas postuler pour un nouvel emploi, et cette promotion manquée est un temps mort dans notre carrière. Nous ne trouvons pas le courage d'inviter une personne à sortir, et tout à coup, le futur amour de notre vie devient celui que nous avons laissé passer.

Comme beaucoup, j'ai lutté contre le doute au cours de ma vie. Pendant mes études, chaque fois que je passais un examen, j'avais peur d'avoir échoué. Et chaque fois que je m'en sortais, voire que je m'en sortais très bien, j'avais l'impression d'avoir trompé mes professeurs. J'ai appris plus tard que ce phénomène avait un nom – le syndrome de l'imposteur – et que s'il peut frapper tout le monde, les femmes ont tendance à en souffrir davantage. Près de deux décennies plus tard, après avoir vu le doute empêcher tant de femmes d'évoluer sur le marché du travail, j'ai donné une conférence TED en encourageant les femmes à « s'asseoir à la table ». Cette intervention a servi de fondement à mon livre *En avant toutes*. Faire des recherches et reconnaître avoir souvent bataillé contre mon manque d'assurance m'a aidée à renforcer ma confiance en moi. Encourager les femmes à croire en elles et à agir comme elles le feraient si elles n'avaient pas peur m'a servi de leçon à moi aussi.

Et puis j'ai perdu Dave. Après la mort d'un être cher, nous nous attendons à être tristes. Nous nous attendons à être en colère. Ce que nous n'anticipons pas – du moins dans mon cas –, c'est la capacité de ce traumatisme à nous faire douter de nous dans *tous* les domaines de notre vie. Cette perte de confiance est un autre symptôme de la perméabilité, nous bataillons dans un domaine et soudain nous remettons en cause nos capacités dans d'autres. Une première perte engendre des pertes secondaires. En ce qui me concerne, ma confiance en moi s'est effondrée du jour au lendemain. Comme ce jour où j'avais assisté à la démolition en quelques minutes d'une maison de mon quartier dont la construction avait pris des années. Boum ! Rasée.

Le premier jour de mon retour au travail après la mort de Dave, Mark et moi étions en réunion avec l'équipe de publicité. Pour illustrer ce que je disais, je me suis tournée vers Boz, notre chef de produit, et j'ai dit : « Tu t'en souviens, nous avons vu ça quand nous travaillions ensemble chez Google. » Ma phrase n'aurait dû poser aucun problème… sauf que Boz n'a jamais travaillé avec moi chez Google. Il a commencé sa carrière chez son rival de l'époque, Microsoft.

Lors de la réunion suivante, j'ai absolument voulu participer. *De n'importe quelle façon.* Quelqu'un a posé une question à un collègue, mais je suis intervenue pour répondre à sa place… et je me suis lancée dans un monologue interminable. À mi-chemin, je me suis rendu compte que je divaguais, mais j'ai continué, incapable de m'arrêter. Plus tard dans la soirée, j'ai téléphoné à Mark pour lui dire que j'avais conscience de m'être complètement ridiculisée. Encore une fois. Que je n'étais pas près *d'oublier.* « Ne t'en fais pas, a répondu Mark. Croire que Boz travaillait chez Google est le genre d'erreur que tu aurais pu commettre avant. » Extrêmement réconfortant…

À vrai dire, *c'était* réconfortant. Mais j'avais beau avoir commis ce genre d'erreurs par le passé, désormais elles m'obsédaient. Puis Mark a énuméré certains points que j'avais soulevés en réunion qu'il avait trouvés très pertinents. Je ne me souvenais d'aucun d'entre eux. Il a ajouté que personne ne s'attendait que je sois opérationnelle en permanence. Cette remarque m'a aidée à me fixer des objectifs plus raisonnables et à ne plus être aussi dure envers moi-même. La compassion de Mark m'a montré le chemin de la compassion envers moi-même. J'étais reconnaissante d'avoir un patron qui me soutenait à ce point, et je sais que ce n'est pas le cas de tout le monde. Beaucoup d'entreprises ne donnent pas de congé à leurs employés en deuil ou à ceux qui ont besoin de s'occuper de leurs familles. La compassion au travail ne devrait pas être un luxe ; il est important de développer des politiques qui permettent aux gens de prendre le temps et de trouver le soutien dont ils ont besoin, afin de ne pas être exclusivement dépendants de la bonté de leurs patrons.

Encouragée par Mark et une conversation que j'ai eue avec mon père ce soir-là, je suis retournée travailler le lendemain. Et le jour d'après. Et tous les jours suivants. Mais de nombreuses fois mon chagrin m'a empêchée de penser clairement. Au milieu d'une réunion, l'image du corps de Dave sur le sol de cette salle de sport me traversait l'esprit. C'était comme une réalité augmentée – je savais que j'étais dans la salle de conférence de Facebook, mais j'avais l'impression que le corps de Dave y était également. Même quand cette image ne revenait pas me hanter, je pleurais constamment. En avant toute ? J'arrivais à peine à tenir debout…

Tenir un journal a été l'une des clés de mon rétablissement. J'ai commencé le matin de l'enterrement de Dave, quatre jours après sa mort. « Aujourd'hui, je vais enterrer mon mari. » C'est la première ligne que j'ai écrite. « C'est impensable. Je n'ai pas la moindre idée de la raison pour laquelle j'écris tout ça – comme si j'étais capable d'oublier le moindre détail. »

J'essaie de tenir un journal depuis l'enfance. Jusqu'alors, j'en commençais un tous les deux ou trois ans, pour arrêter quelques jours plus tard. Mais dans les cinq mois qui ont suivi l'enterrement de Dave, j'ai déversé un torrent de mots – 106 338, pour être exacte. J'avais l'impression de ne pas pouvoir respirer avant d'avoir tout écrit, du plus petit détail de la matinée aux questions sans réponse de l'existence. Si je passais quelques jours sans le faire, les émotions s'emmagasinaient en moi jusqu'à me donner l'impression d'être un barrage sur le point de se rompre. À l'époque, je ne comprenais pas pourquoi écrire sur un clavier d'ordinateur inanimé était si important. Ne ferais-je pas mieux de parler avec ma famille et mes amis qui pouvaient me répondre ? N'était-ce pas une meilleure idée de m'éloigner de la colère et du chagrin, que de passer le peu temps que j'avais pour moi tous les jours à les faire remonter à la surface ?

Je sais aujourd'hui que ma compulsion d'écriture me guidait dans la bonne direction. Tenir un journal m'a aidée à assimiler mes émotions envahissantes et mes regrets sans fin. Je me répétais que si j'avais su que Dave et moi n'avions que onze ans à vivre ensemble, j'aurais tout fait pour passer plus de temps avec lui. J'aurais voulu, durant les moments de crise de notre mariage, que l'on cherche à mieux se comprendre au lieu de se disputer. J'aurais aimé, le jour de ce qui s'est révélé notre dernier anniversaire de mariage, être restée à la maison plutôt que d'avoir pris l'avion avec nos enfants pour les emmener à une bar-mitsva. Et j'aurais préféré marcher à côté de lui et lui tenir la main, lors de notre randonnée ce dernier matin au Mexique, plutôt que d'avancer en discutant avec Marne tandis qu'il était avec Phil. En écrivant tout cela, j'ai senti ma colère et mes regrets commencer à diminuer.

Søren Kierkegaard a écrit qu'on ne peut comprendre la vie qu'en regardant vers le passé, mais qu'on ne peut la vivre qu'en regardant vers l'avenir. En m'aidant à prendre du recul, écrire m'a permis de donner un sens à mon passé et de reconstruire ma confiance en moi pour mener à bien mon présent comme mon avenir. Adam m'a ensuite suggéré de noter tous les soirs trois choses que j'estimais avoir bien faites dans la journée. Au début, j'étais sceptique. J'arrivais à peine à survivre, alors quel genre de satisfaction aurais-je bien pu mettre en avant ? *Je me suis habillée aujourd'hui. Une médaille, s'il vous plaît !* Mais il est prouvé que ces listes peuvent être utiles, car elles nous obligent à nous concentrer sur ce que les psychologues appellent des « petites victoires ». Lors d'une expérience, les participants ont dû écrire trois choses qui s'étaient bien passées, en expliquant pourquoi, tous les jours pendant une semaine. Au cours des six mois qui ont suivi, ils sont devenus plus heureux qu'un autre groupe à qui on avait demandé de raconter ses souvenirs d'enfance. Dans une étude encore plus récente, des gens ont passé cinq à dix minutes par jour à noter ce qui s'était « très bien passé », et pourquoi. Au bout de trois semaines, leur niveau de stress avait diminué, et ils se plaignaient moins de leur santé, mentale comme physique.

Pendant six mois, presque tous les soirs avant d'aller me coucher, j'ai dressé ma liste. Comme la plus simple des tâches du quotidien était devenue compliquée, j'ai commencé par ça : *Ai fait du thé. Ai lu tous mes e-mails. Suis allée au bureau et suis restée concentrée pendant presque toute la réunion.* Aucun de ces accomplissements n'avait quoi que ce soit d'héroïque, mais ce petit carnet près de mon lit servait une cause importante. Il m'aidait à me rendre compte que durant toute ma vie, j'étais allée me coucher en pensant à tout ce que j'avais fait de travers pendant la journée, tout ce que j'avais raté, tout ce qui ne fonctionnait pas. Le simple fait de me remémorer ce qui s'était bien passé était un changement bienvenu.

Dresser des listes pour exprimer ma gratitude m'avait aidée par le passé, mais cette liste-là avait un autre objectif. Adam et sa collègue Jane Dutton ont découvert que compter ce que nous avons la chance d'avoir ne favorise pas nécessairement la confiance en soi ou l'effort, alors que mettre en avant nos contributions, si. Ils pensent que cela est dû au fait que la gratitude est un sentiment passif : nous sommes reconnaissants de ce que nous avons reçu. Tandis qu'apporter sa contribution permet d'agir, cela renforce la confiance en soi en nous rappelant que nous pouvons faire la différence. J'encourage désormais mes amis et collègues à écrire ce qu'ils ont fait de bien. Les gens qui s'y essaient disent tous la même chose, qu'ils auraient aimé commencer plus tôt. Petit à petit, j'ai commencé à retrouver confiance en moi au travail. Je me suis dit ce que je disais aux autres quand ils doutaient d'eux : pas besoin de viser la perfection. Je n'avais pas à croire en moi en permanence. Je devais juste croire que je pouvais contribuer un petit peu, et puis un petit peu plus. J'ai fait l'expérience de ce phénomène de progrès croissant lorsque je suis allée skier pour la première fois, à seize ans. Dire que je ne suis pas une sportive née serait l'euphémisme de l'année. Le quatrième jour de notre séjour, ma mère et moi nous sommes trompées de chemin et nous sommes retrouvées en haut d'une piste noire. J'ai regardé vers le bas, paniquée, et me suis assise dans la neige. Je savais que j'étais incapable d'arriver en vie. Ma mère m'a dit d'arrêter de regarder vers le bas et de me contenter de faire des virages. Elle m'a rassurée jusqu'à ce que je me lève, puis m'a aidée à compter dix virages à haute voix. Après ces dix virages, j'en ai fait dix de plus. Puis dix de plus. Je suis finalement arrivée au bas de la piste. J'ai retenu la leçon et me la remémore dès que je me sens dépassée. *Que ferais-tu si tu n'avais pas peur ?* Je prendrais un virage. Puis un autre.

Quand mes collègues me voyaient en difficulté, certains essayaient de m'aider en diminuant la pression. Quand je me trompais ou que je n'avais rien à dire, ils se contentaient de remarquer : « Comment pourrais-tu avoir les idées claires, avec tout ce que tu traverses ? » Par le passé, j'avais prononcé les mêmes mots pour réconforter ceux qui parmi eux traversaient une épreuve, mais quand j'en ai été l'objet, je me suis rendu compte que cette expression d'empathie affectait en fait un peu plus ma confiance en moi. Ce qui m'a aidée a été : « J'ai trouvé ta remarque pertinente pendant cette réunion et tu nous as aidés à prendre une meilleure décision. » *Que Dieu te bénisse.* L'empathie est appréciable, mais l'encouragement l'est davantage. Même ceux qui connaissent pourtant bien le phénomène peuvent douter d'eux. Quand on a diagnostiqué un cancer du sein métastasé à Jenessa Shapiro, une amie et collègue psychologue d'Adam, alors qu'elle n'avait qu'une trentaine d'années, elle a d'abord eu peur de mourir, puis peur de perdre son emploi.

Elle travaillait sur un article qu'elle avait du mal à terminer, et s'est aussitôt demandé : « La chimio et le cancer anéantissent-ils ma capacité à réfléchir ? » Quand sa productivité a diminué, elle a été terrifiée à l'idée de ne pas être titularisée et de se retrouver au chômage. En tant qu'experte de la stigmatisation, elle craignait que les autres doutent de ses capacités à cause de son cancer. Jenessa et plusieurs de ses collègues se sont réunis pour vérifier cette hypothèse. Bien évidemment, les personnes ayant survécu à un cancer avaient moins de chances d'être rappelées pour un entretien d'embauche. Quand on ne l'a pas invitée à participer à une conférence, elle s'est demandé : « Les gens savent-ils que je suis malade ? Veulent-ils éviter de me déranger, ou pensent-ils que je ne suis pas à la hauteur de la tâche ? »

Le mari de Jenessa l'a aidée à envisager la situation avec plus d'autocompassion, en lui rappelant qu'elle « n'écrivait pas non plus un article par jour avant d'être atteinte d'un cancer ». Ses collègues l'ont également soutenue. Comme Jenessa nous l'a raconté : « En général, on me traite comme une personne compétente – quelqu'un dont les interventions sont encore pertinentes. D'un autre côté, je stresse à l'idée que les gens s'attendent que je fasse tout ce que je faisais avant. Je suppose qu'il doit être difficile pour eux de trouver un équilibre entre espérer trop et pas assez. » L'histoire de Jenessa et ma propre expérience ont changé ma façon de travailler avec ceux de mes collègues qui traversaient une épreuve personnelle difficile. Je commence toujours par leur proposer un congé. Mais désormais, je sais que les traiter comme un membre ordinaire de l'équipe et les féliciter pour leur travail a son importance.

Jenessa a été soulagée d'être titularisée au bout du compte, mais cette peur du chômage est fréquente. En 2015, près de 24 millions de gens étaient au chômage dans l'Unions européenne. Quiconque a déjà été licencié ou obligé de démissionner sait combien cela peut être dévastateur. Non seulement la perte d'un salaire met une pression financière incroyable sur les épaules des gens, mais elle peut avoir des effets secondaires tels la dépression, l'anxiété et d'autres problèmes de santé. Perdre son emploi est un coup dur pour la confiance et l'estime de soi, et peut nous conduire à remettre violemment en cause notre identité. Voir disparaître une source de revenus peut engendrer un sentiment de perte de contrôle et même diminuer la tolérance à la douleur physique. Le stress peut s'immiscer dans les relations personnelles, et donner lieu à des conflits et des tensions croissantes au sein du foyer.

Afin d'aider ceux qui souffrent de dépression après avoir perdu leur emploi, des psychologues de l'université du Michigan ont tenu des ateliers d'une semaine dans des églises, des écoles, des bibliothèques et des mairies. Quatre heures durant, tous les matins, des centaines de chômeurs ont participé à un programme qui avait pour objectif de leur redonner confiance en eux dans leur recherche d'emploi. On les a aidés à identifier leurs compétences professionnelles et donné des pistes. Ils se sont entraînés à passer des entretiens. Ils ont dressé la liste des obstacles qu'ils devraient éventuellement surmonter et des stratégies pour rester motivés. Il y a eu des petites victoires : deux mois après, ils avaient 20 % de chances de plus d'obtenir un emploi. Et durant les deux ans qui ont suivi, ils avaient plus confiance en eux, et donc plus de chances de garder l'emploi obtenu. Soyons clairs, personne n'affirme que la confiance en soi est la solution ultime pour éradiquer le chômage ; nous devons former et soutenir les gens pour qu'ils trouvent du travail, et obtiennent des avantages sociaux susceptibles de les aider quand ils ne peuvent pas le faire eux-mêmes. Des programmes comme celui-ci peuvent changer les choses.

La confiance en soi au travail est une chose importante dont on parle souvent, mais elle est tout aussi cruciale au sein du foyer, et pourtant souvent laissée de côté. Être parent célibataire était une terre inconnue pour moi. Dave et moi avons toujours discuté ensemble du moindre aspect de l'éducation de nos enfants. J'ai souvent repensé au fait que le jour de sa mort, j'avais refusé de prendre sans lui une décision au sujet des baskets déchirées de mon fils. Nos conversations parentales, qui duraient depuis dix ans, s'étaient arrêtées brutalement.

Quand j'ai écrit *En avant toutes*, certains m'ont reproché de ne pas avoir suffisamment évoqué les difficultés auxquelles les femmes célibataires devaient faire face. Ils avaient raison. *Je ne comprenais pas*. Je ne comprenais pas combien il est difficile de réussir sa carrière alors qu'on se sent dépassée à la maison. J'ai écrit un chapitre intitulé « Faire de son partenaire un partenaire à part entière », à propos de l'importance du partage des tâches ménagères et éducatives au sein du couple. Je me rends compte aujourd'hui combien c'était insensible de ma part, et d'aucun secours pour les si nombreuses mères célibataires qui doivent gérer l'intégralité des tâches quotidiennes. Ma vision de la famille est désormais plus proche de la réalité. Depuis le début des années 1970, le nombre de mères célibataires aux États-Unis a presque doublé. Dans le monde, 15 % des enfants vivent dans une famille monoparentale et dans 85 % de ces cas, avec leur mère. En France, plus de 20 % des enfants vivent dans un foyer monoparental, en grande majorité tenu par une femme.

Je ne connaîtrai ni ne comprendrai jamais totalement les obstacles que la majorité des mères célibataires doivent franchir. Malgré toutes ces difficultés, elles font leur possible pour élever des enfants incroyables. Afin de joindre les deux bouts, beaucoup d'entre elles cumulent les emplois – sans compter le travail que représente l'éducation des enfants. Faire garder un enfant est souvent hors de prix. Aux États-Unis, placer un enfant de quatre ans à la crèche ou chez une nounou coûte plus cher par an qu'un loyer moyen, et ce dans *tous* les États du pays.

Même en travaillant dur, les mères célibataires sont plus pauvres que les pères célibataires dans la plupart des pays, y compris la France et les États-Unis – où près d'un tiers des mères célibataires et leurs enfants ne mangent pas toujours à leur faim. Et les familles monoparentales de mères noires ou hispaniques doivent affronter encore plus d'obstacles, avec un taux de pauvreté avoisinant les 40 %. Même si nous nous battons pour prendre des mesures politiques en faveur de ces familles, nous devons faire tout notre possible pour les secourir dans l'immédiat. Aussi choquant que ce soit, une famille sur trois dans la région de San Francisco a besoin d'une aide alimentaire. J'ai commencé à faire du bénévolat il y a des années au sein de la banque alimentaire de ma commune, Second Harvest. Puis j'ai aidé à lancer la campagne Stand Up For Kids, qui fournit aujourd'hui des repas à 90 000 enfants chaque mois. Quand nous avons commencé à distribuer de la nourriture dans une école privée locale, les problèmes de discipline ont diminué. « Les gens pensaient que ces enfants étaient mal élevés, nous a confié le principal, alors qu'ils étaient en réalité affamés. » Un autre établissement nous a signalé que cette action avait réduit l'absentéisme et les problèmes de santé dont se plaignaient les élèves, tout en améliorant leurs performances scolaires.

Les mères qui travaillent, a fortiori quand elles sont célibataires, ont un désavantage au départ. Les États-Unis sont un des seuls pays développés au monde à ne pas leur octroyer de congé maternité. En France, les femmes ont droit à seize semaines de congé – six semaines avant la naissance et dix semaines après. Beaucoup d'hommes et de femmes n'ont pas accès au congé de maladie ou de convenance familiale dont ils ont besoin pour traverser une période difficile, ce qui peut contribuer à transformer les difficultés personnelles en difficultés professionnelles. Les recherches d'Adam montrent que c'est la traduction d'une vision à court terme : offrir un soutien durant une épreuve personnelle aide les employés à être plus investis dans leur entreprise. Nous devons repenser nos politiques publiques et privées afin d'assurer aux femmes et aux hommes des congés quand ils ont besoin de prendre soin d'eux et de leur famille.

Nous devons également balayer notre vision obsolète de la famille où les enfants vivent avec des parents mariés et hétérosexuels. Quand Dave est mort, le monde n'a eu de cesse de nous rappeler, à mes enfants et moi, ce que nous avions perdu. Du bal père-fille aux réunions de parents à l'école, en passant par les activités père-enfants… nous étions *cernés*.

Mon frère David m'a dit s'être lui aussi rendu compte du nombre d'événements qui impliquaient les pères dans l'école publique de ses enfants à Houston, et combien cela devait être difficile pour ceux qui n'en avaient pas.

La moindre décision devenait problématique, je me sentais de plus en plus incapable. *Qu'aurait fait Dave ?* Jour après jour, j'aurais voulu répondre à cette question ou, mieux encore, qu'il soit là pour y répondre lui-même. Mais, comme au travail, tout était plus simple quand je me contentais de faire des petits pas. J'ai compris que je n'étais pas obligée de savoir comment aider mes enfants dans toutes les situations. Je n'aurais pas à les consoler éternellement chaque fois qu'ils se mettraient à pleurer. Je devais juste les aider à franchir l'obstacle qu'ils affrontaient à ce moment-là. Pas besoin de faire dix virages. Juste un virage à la fois.

J'ai commencé par prendre des petites décisions… que j'ai aussitôt remises en cause. Tout ce qui semblait aller à l'encontre des préférences de Dave, même des détails minuscules, me déchirait. Dave était convaincu que le sommeil était fondamental pour les enfants et s'était donc toujours catégoriquement opposé à ce qu'ils aillent dormir chez un ami, ou inversement. Mais après sa mort, j'ai découvert qu'aller dormir chez un copain ou une copine était pour mes enfants une source de réconfort et de distraction. Je savais que ce changement était anecdotique, mais il me semblait symbolique de la difficulté que j'avais à vivre sans Dave tout en honorant ses anciennes décisions. Amy, ma belle-sœur, m'a fait remarquer qu'il n'avait jamais eu l'occasion de me dire comment il aurait réagi face à la perte tragique d'un parent. Je l'imaginais alors déclarer : « Mais bien sûr, si ça les rend heureux, qu'ils aillent dormir chez un copain. » Certes, je ne saurai jamais ce qu'il aurait pensé de petites décisions quotidiennes, comme déterminer si des préadolescents peuvent regarder *Pretty Little Liars* ou jouer à Pokémon GO, mais je sais qu'il voulait plus pour nos enfants qu'une bonne nuit de sommeil. L'intégrité. La curiosité. La bonté. L'amour.

Sans son gouvernail, je m'en suis remise à ma famille et mes amis. À l'instar de mes collègues qui soulignaient les choses positives au bureau, cela m'aidait quand mes amis remarquaient que je gérais bien une situation à la maison ou quand ils me disaient avec honnêteté comment je pouvais améliorer certaines choses, en suggérant par exemple que je sois plus patiente avec mes deux enfants et moi-même, et un peu plus flexible concernant nos anciennes règles.

Au fur et à mesure que le traumatisme s'estompait et que j'apprenais à vivre sans Dave, j'ai moins écrit dans mon journal. Je n'avais plus l'impression d'être sur le point d'exploser sans cet exutoire.

Au lendemain de ce qui aurait été le quarante-huitième anniversaire de Dave, le 2 octobre, j'ai décidé qu'il était temps de laisser derrière moi cette phase de deuil. Je me suis assise, et voici ce que j'ai écrit :

3 octobre 2015.

C'est la dernière fois que j'écris dans ce journal. Les vingt-deux semaines et demie – cent-cinquante-six jours – les plus longues de ma vie. Je me force à aller de l'avant et à m'élever au-dessus de tout ça, et ne plus tenir ce journal fait partie du processus. Je crois que je suis prête. Depuis la mort de Dave, je craignais la journée d'hier. Je savais que c'était un jour symbolique – celui de sa fête d'anniversaire qui n'aurait pas lieu. Chaque fois que quelqu'un parlait de cet anniversaire à venir, je le corrigeais dans ma tête, voire parfois à haute voix. Non, ce ne sera pas son anniversaire. Il faut être vivant pour célébrer son anniversaire. Ce n'est pas le cas. Le 2 octobre 2015 aurait été le jour de ses quarante-huit ans. Quarante-huit ans. La moitié seulement d'une vie.

Je me suis rendue sur sa tombe avec Paula, Rob, maman, papa, David et Michelle. Elle m'a semblé tellement plus petite que dans mon souvenir…

Juste avant de repartir, je me suis assise devant sa tombe, seule. Je lui ai parlé à voix haute. Je lui ai dit que je l'aimais et qu'il me manquait chaque minute de chaque jour. Je lui ai dit combien le monde semblait vide sans lui. Et puis je me suis contentée de pleurer, car il était hélas évident qu'il ne pouvait pas m'entendre.

David et Michelle m'ont laissée seule quelques minutes encore, avant de me rejoindre et de s'asseoir avec moi, chacun d'un côté. Cela avait quelque chose de très réconfortant – j'ai pris conscience que mon frère et ma sœur avaient fait partie de ma vie bien avant Dave. Nous nous sommes dit que nous aurions sans doute la chance de vivre suffisamment longtemps pour enterrer nos parents – et que nous le ferions ici ensemble. Et la vie continue donc avec eux. Pas avec Dave, mais avec eux. Je peux vieillir avec David et Michelle à mes côtés, où ils sont depuis toujours.

En regardant la tombe de Dave, j'ai compris qu'il n'y avait rien d'autre à faire ni à ajouter. Je n'aurai plus jamais l'occasion de lui dire que je l'aime. Je n'aurai plus jamais la chance de le prendre dans mes bras ni de l'embrasser. J'ai appris à parler constamment de lui, pour que mes enfants ne l'oublient pas, mais je ne parlerai plus jamais d'eux avec lui. J'aurai beau pleurer toute la journée, tous les jours, cela ne le ramènera pas. Rien ne le ramènera.

Nous avançons tous vers l'endroit où Dave se trouve. Indubitablement. En regardant toutes ces rangées de pierres tombales, il m'est apparu clairement que nous finirons tous six pieds sous terre. Alors chaque jour doit compter. Je ne sais pas combien il m'en reste, mais je veux recommencer à vivre.

Je ne suis pas encore heureuse. Mais j'ai conscience de tout ce que j'ai accompli ces cinq derniers mois. Je sais que je peux survivre. Je sais que je peux élever mes enfants. Je sais que j'ai besoin d'une tonne de soutien – et j'ai appris à en demander – et je suis de plus en plus convaincue que mes proches sont embarqués avec moi dans cette histoire jusqu'au bout. J'ai encore peur, mais un peu moins, puisqu'ils n'ont tous de cesse de me répéter que je ne suis pas seule. Nous avons tous besoin des autres, et pour ma part, aujourd'hui plus que jamais. Mais au bout du compte, la seule personne qui puisse me faire avancer, me rendre heureuse et construire une nouvelle vie pour mes enfants, c'est moi.

Cent cinquante-six jours ont passé. Avec de la chance, il m'en reste beaucoup plus encore devant moi. Alors aujourd'hui, je mets fin à ce journal. Et j'essaie de redémarrer le reste de ma vie.

5

Rebondir et aller de l'avant

Celle que je deviendrai me rattrapera

*« Au milieu de l'hiver,
j'ai découvert en moi un invincible été. »*
ALBERT CAMUS

Joe Kasper a passé la majeure partie de sa carrière de médecin à soigner des patients atteints de maladies mortelles. Ça ne l'a pas empêché d'être complètement désemparé quand on a diagnostiqué à son fils adolescent une forme rare et fatale d'épilepsie. « En quelques minutes, on m'a annoncé que mon fils était condamné et que je ne pouvais rien y faire, qu'il n'existait aucun traitement, écrit-il. C'était comme de le voir ligoté à des rails alors qu'un train fonçait droit sur lui, et être obligé d'assister à la scène, impuissant, frustré et désespéré. »

Une expérience traumatique est un séisme qui vient anéantir notre foi en un monde juste, notre sentiment de pouvoir contrôler, prédire et donner un sens à notre vie. Mais Joe n'avait pas l'intention de se laisser aspirer par le néant. « Quand nous ne sommes plus en mesure de changer la situation, observe le psychiatre et survivant de la Shoah Viktor Frankl, c'est nous-mêmes que nous devons changer. »

Après le diagnostic, Joe a voulu en apprendre le plus possible sur la façon de se remettre d'un traumatisme. Ses recherches l'ont conduit jusqu'aux travaux de Richard Tedeschi et Lawrence Calhoun, deux professeurs de l'université de Charlotte. En s'occupant de parents en deuil, les deux psychologues s'attendaient à déceler chez eux des signes de dépression et de stress post-traumatique. Ce fut le cas. Mais ils ont également découvert une chose surprenante. Même si ces parents souffraient et auraient donné n'importe quoi pour que leurs enfants soient toujours en vie, nombre d'entre eux ont évoqué les conséquences positives que cet événement tragique avait eues sur leurs vies. Cela semblait difficile à croire, mais au fur et à mesure que le temps passait, ils subissaient un phénomène non pas de stress, mais de *croissance* post-traumatique.

Les psychologues ont donc continué leurs recherches en étudiant des centaines de personnes qui avaient enduré toutes sortes d'épreuves : des victimes d'agressions ou d'abus sexuels, des réfugiés et des prisonniers de guerre, des rescapés d'accidents, de catastrophes naturelles, des gens ayant souffert de graves blessures et maladies. Beaucoup d'entre eux ont dû faire face à des problèmes récurrents d'anxiété et de dépression. Malgré cela, des changements positifs ont réussi à s'installer parmi ces émotions négatives. Jusqu'ici, les psychologues s'étaient principalement concentrés sur deux conséquences du traumatisme. Certains individus étaient affectés par un syndrome de stress post-traumatique, affrontaient une dépression et une angoisse débilitantes ou avaient du mal à affronter le quotidien. D'autres personnes se montraient plus résilientes et redevenaient celles qu'elles étaient avant le traumatisme. Mais il y avait désormais une troisième possibilité : les gens qui souffraient pouvaient rebondir et *aller de l'avant*.

Adam m'a parlé pour la première fois de la croissance post-traumatique quatre mois après la mort de Dave. Son discours m'a semblé surréaliste. On aurait dit un slogan. Le phénomène me paraissait bien trop improbable. Il existait sûrement des gens qui sortaient grandis d'une tragédie – ce qui aurait pu redonner espoir à quelqu'un qui venait de perdre son mari – mais cela n'allait certainement pas m'arriver.

Adam comprenait mon scepticisme et admettait ne pas avoir mentionné cette théorie plus tôt car il savait que je l'aurais balayée d'un revers de la main. Mais il pensait que j'étais désormais prête. Il m'a expliqué que plus de la moitié des personnes qui ont vécu une expérience traumatique ont admis avoir connu au moins un changement positif, alors que moins de 15 % d'entre elles développent un syndrome de stress post-traumatique. Puis il a fait ce truc très agaçant, il a cité une de mes propres phrases. « Tu dis souvent que les gens ne peuvent pas être ce qu'ils ne voient pas, m'a-t-il rappelé. Que les filles n'étudient pas l'informatique parce qu'elles ne voient pas de femmes informaticiennes. Que les femmes ne briguent pas de postes de dirigeantes parce qu'elles ne voient pas de femmes dirigeantes. C'est la même chose. Si tu ne vois pas qu'une croissance est possible, tu ne la connaîtras pas. » J'étais d'accord pour essayer de la voir. Je devais bien admettre qu'une croissance post-traumatique m'attirait plus qu'une vie de tristesse et de colère.

C'est à cette époque que j'ai entendu parler de Joe Kasper. Hélas, son fils Ryan est mort trois ans après le diagnostic. Joe a alors sombré dans ce qu'il appelle « le tsunami émotionnel de la mort. S'il existe quelque chose de plus douloureux au monde, j'espère ne jamais le découvrir ». Il s'est juré de ne pas se laisser emporter par ce tsunami. Il a décidé d'étudier la psychologie positive à l'université de Pennsylvanie, où Adam fut l'un de ses professeurs. Joe a appris que la croissance post-traumatique pouvait se manifester de cinq manières différentes : découvrir la force qu'on a en soi, mieux apprécier la vie, tisser des liens plus profonds, donner plus de sens à sa vie et identifier les opportunités que celle-ci nous offre. Mais Joe ne voulait pas se contenter d'étudier les découvertes de Tesdechi et Calhoun, il voulait en faire l'expérience.

Dans cet aphorisme célèbre, Nietzsche définit ainsi la force de l'individu : « Ce qui ne me tue pas me rend plus fort. » Tedeschi et Calhoun en ont une vision légèrement plus modérée, ou en tout cas moins nietzschéenne : « Je suis plus vulnérable que je ne le pensais, mais bien plus fort que je l'aurais jamais imaginé. » Les coups et revers de la vie nous blessent et nous devons vivre avec ces cicatrices. Mais nous pouvons développer une plus grande détermination inté-rieure.

Je ne peux pas imaginer. Les gens n'ont cessé de me répéter cette phrase et j'étais d'accord avec eux. C'était tout ce que je pouvais faire pour surmonter ces moments où j'avais trop mal. Dans les périodes les plus sombres, je n'imaginais pas pouvoir devenir plus forte. Mais quand ces jours insoute-nables sont devenus des semaines, puis des mois, je me suis rendu compte que je *pouvais* l'imaginer, puisque je le vivais. Le simple fait de survivre m'avait rendue plus forte. Comme le dit le vieil adage : « Laissez-moi tomber s'il le faut. Celui que je deviendrai me rattrapera. »

Lentement, très lentement, j'ai commencé à changer de

perspective, notamment dans mon quotidien. Par le passé, quand mes enfants devaient faire face à certains défis, je m'inquiétais et Dave me rassurait. Désormais, je ne peux compter que sur moi pour rester calme. Avant, si ma fille rentrait contrariée de ne pas avoir été sélectionnée dans l'équipe de foot, je l'encourageais à continuer de s'entraîner tout en étant secrètement inquiète qu'elle soit déçue. Désormais, je me dis : « Génial. Un problème d'enfant normal. Quel soulagement d'avoir des problèmes normaux. » *Note pour moi-même : penser ces choses-là, mais ne pas les dire tout haut.*

Brooke Pallot, mon amie d'enfance, a suivi un parcours d'adoption compliqué semé de grandes déceptions, qu'elle a complètement oubliées le jour où elle a enfin tenu son bébé dans les bras. Dans les mois heureux qui ont suivi, Brooke a fait la connaissance de Meredith, une autre jeune maman. Meredith avait eu des difficultés à tomber enceinte et les deux femmes se sont liées d'amitié grâce à leurs « bébés miracles ». Leurs petites se sont tout de suite bien entendues elles aussi, et sont devenues, comme le dit Brooke, des bébés *best friends forever*. Puis, un jour, Meredith a décelé une petite boule sous son aisselle. Elle n'avait que trente-quatre ans et se sentait en parfaite santé, mais a quand même consulté un médecin. Un TEP (PET scan) a révélé qu'elle avait un cancer du sein de stade 4 – métastatique. Brooke, qui soutenait Meredith par tous les moyens, s'est sentie obligée de passer elle aussi une mammographie. Quand elle a voulu prendre rendez-vous, on lui a conseillé d'attendre six mois, jusqu'à ses quarante ans, afin que la procédure soit couverte par son assurance. Mais Brooke a insisté, et l'examen a révélé qu'elle était elle aussi atteinte d'un cancer du sein métastatique.

Les deux amies ont traversé ensemble la chimiothérapie. Brooke a bien réagi au traitement, mais le cancer de Meredith s'était déjà étendu au foie. Elle est morte trois ans plus tard. « Je répète sans cesse à ses parents, à son mari et à sa fille qu'elle a été mon ange gardien, dit Brooke aujourd'hui. Ce qui m'a sauvée, c'est qu'on ait décelé mon cancer avant qu'il n'ait atteint l'un de mes organes vitaux. Et ça, c'est grâce à Meredith. »

Brooke est en rémission depuis sept ans, et elle a non seulement gagné en force physique, mais également en force émotionnelle. « J'ai survécu à la chimio et enterré ma jeune amie. Ça vous fait prendre un certain recul, que vous le vouliez ou non. Je ne stresse plus au sujet de petits détails. Je suis bien plus forte aujourd'hui, bien plus centrée et raisonnable. Quelque chose qui m'aurait mise hors de moi auparavant est désormais envisagé à la lumière de ce qui aurait pu se passer, et je finis par me dire : "Ah, mais ce n'est rien. Je suis en vie." »

C'est une manifestation de la deuxième forme de croissance post-traumatique identifiée par Tedeschi et Calhoun : mieux apprécier la vie. Dans le mois qui a suivi la mort de Dave, j'ai reçu un coup de fil de Kevin Krim qui m'a incroyablement réconfortée. Kevin et moi ne nous connaissions que de loin, mais nous avions des amis proches communs et je savais qu'il avait vécu la plus inimaginable des tragédies. En 2012, après une leçon de natation avec Nessie, leur fille de trois ans, Marina, l'épouse de Kevin, est rentrée chez eux à New York et a découvert que leur baby-sitter avait poignardé à mort Lulu et Leo, leurs fille et fils de six et deux ans.

Quand j'ai croisé Kevin, des mois après le drame, j'étais à peine capable de parler. Je ne savais pas quoi dire, ni même si je devais dire quoi que ce soit. Et désormais, c'était lui qui m'appelait pour me réconforter. Il m'a raconté que, le jour de l'enterrement de ses enfants, il a expliqué dans son discours : « Je m'inquiète de ce que nous soyons tentés, face à ces ténèbres aveuglantes, de nous retirer du monde, mais… j'ai entendu une phrase que je trouve très importante : "Celui qui vit guidé par un *pourquoi* peut supporter tous les *comment*." Marina et Nessie, vous êtes mon *pourquoi*. » Kevin m'a dit combien il était reconnaissant que sa fille ait survécu et que son mariage soit solide. Marina et lui ont décidé d'avoir d'autres enfants, et ils ont eu la chance que ce soit possible. Puisque Lulu et Leo aimaient les arts, le couple a créé le site ChooseCreativity.org, une organisation non gouvernementale qui enseigne les arts créatifs aux enfants défavorisés. Kevin et Marina font l'expérience d'une croissance post-traumatique en rendant le monde plus beau et plus aimant. Ce qui est en soi un acte de beauté et d'amour.

N'est-ce pas le comble de l'ironie que de vivre une tragédie et d'en ressortir plus reconnaissant qu'avant ? Depuis que j'ai perdu Dave, j'ai cet immense réservoir à tristesse à portée de main. Il est là, juste à côté de moi, je peux même le toucher, il fait partie de mon quotidien. Mais j'apprécie beaucoup plus ce que je tenais auparavant pour acquis : ma famille, mes amis, et le simple fait d'être en vie. Ma mère a fait une comparaison qui m'a aidée. Pendant soixante-six ans, elle n'a jamais eu à se poser de questions sur sa capacité à marcher, mais à mesure qu'elle a vieilli, sa hanche s'est détériorée et se déplacer lui est devenu douloureux. Depuis son opération de la hanche, il y a quatre ans, elle est reconnaissante pour chaque pas qu'elle fait sans souffrir. Ce qu'elle ressent physiquement, je le ressens émotionnellement. Les jours où je vais à peu près bien, j'apprécie désormais de marcher sans souffrir.

Il m'est arrivé d'avoir ce genre de prise de conscience, auparavant. Après mes études universitaires, j'ai travaillé au département santé pour l'Inde du Groupe Banque mondiale, dont le but est l'éradication de la lèpre. J'ai visité des dispensaires et des hôpitaux partout en Inde, rencontré des centaines de patients dont beaucoup avaient été bannis de leur village et vivaient dans une pauvreté et un isolement abjects. Mon premier voyage a duré un mois. Chaque jour, j'essayais de rester professionnelle, mais je pleurais tous les soirs jusqu'à m'endormir. J'ai remis tous mes problèmes en perspective. Je me souviens de m'être dit que je ne me plaindrais plus jamais de quoi que ce soit dans ma vie, que j'apprécierais ma chance d'être née dans une communauté qui a suffisamment de ressources pour me garder en bonne santé. Mais avec les années, cette perspective s'est envolée et la vie est redevenue ce qu'elle était.

Je suis désormais bien décidée à m'accrocher à ce sentiment de gratitude. Quand j'ai demandé à Brooke comment elle faisait pour tenir, elle m'a expliqué qu'elle se rappelait régulièrement de tout ce qu'elle aurait pu perdre. « Je vois la fille de Meredith grandir et j'essaie de faire partie de sa vie par tous les moyens. Chaque fois que je regarde ma fille, je me rappelle que ma meilleure amie n'est plus là pour élever la sienne. Je sais combien j'ai de la chance. » Brooke met un point d'honneur à honorer toutes les dates importantes. « Tous les ans, je célèbre le fait d'avoir passé une année de plus avec ma fille. Il y a sept ans, je ne pensais pas assister à son deuxième anniversaire. »

Après la perte d'un être cher, le vide émotionnel qu'impliquent les anniversaires et les fêtes peut se révéler particulièrement douloureux. Brooke m'a encouragée à considérer ces jalons comme des moments à chérir. J'avais l'habitude de fêter mon anniversaire tous les cinq ans, parce que j'avais l'impression que seuls ceux qui se terminaient par cinq ou zéro avaient de l'importance. Désormais je les célèbre tous, parce que je ne tiens plus pour acquis que je fêterai le suivant. Fini également de plaisanter sur le fait de ne pas vouloir vieillir et de travailler pour un patron qui a quinze ans de moins que moi, cette blague-là, je la faisais souvent… Depuis la mort de Dave, mon amie Katie Mitic envoie des cartes d'anniversaire à ses amis, pour leur dire combien ils comptent pour elle. Certains ont suivi son exemple, manifestant ainsi une forme de croissance post-traumatique. Ils ont appris de la vie des leçons que je n'ai apprises que de la mort.

L'automne dernier, Malala Yousazafi et son père Ziauddin sont venus chez moi discuter du combat de Malala pour l'accès à l'éducation des petites filles du monde entier. Ils sont restés dîner avec Katie, son mari Scott et mes enfants. Comme le veut la tradition familiale, nous avons, chacun notre tour, fait part de notre meilleur moment de la journée, ainsi que du pire et de celui pour lequel nous étions le plus reconnaissants. Scott nous a raconté qu'il s'était inquiété toute la semaine de savoir comment un de ses enfants s'intégrait dans sa nouvelle école. Mais les propos de Malala lui ont rappelé combien il devait être reconnaissant que ses enfants puissent être scolarisés. Malala nous a elle aussi fait part de son moment de gratitude. Elle nous a raconté que, depuis la tentative d'assassinat par les talibans dont elle a été victime, les cartes d'anniversaire que lui envoyait sa mère étaient datées à partir de son rétablissement. Par exemple, quand elle a eu dix-neuf ans, la carte disait « Joyeux anniversaire. Quatre ans déjà ! » La mère de Malala voulait que sa fille se souvienne de la chance qu'elle avait d'être en vie.

Il n'est pas nécessaire d'attendre une occasion particulière pour éprouver et faire preuve de gratitude. Au cours de l'une de mes études préférées, on a demandé aux participants d'écrire et de remettre un mot de remerciement à une personne qui avait fait preuve d'une bonté rare envers eux.

Ce geste a bien évidemment ému les destinataires, mais les auteurs se sont également sentis nettement moins déprimés. Et ce sentiment de bien-être provoqué par la gratitude les a habités pendant au moins un mois. Quand Adam m'a fait part de cette étude, j'ai compris pourquoi cela fonctionnait : chaque fois que j'ai remercié ma famille et mes amis, ma tristesse est devenue secondaire.

Mon ami Steven Levitt a perdu son fils de un an, Andrew, victime d'une méningite en 1999. Seize ans plus tard, il m'a expliqué qu'avec les années, la balance penchait plus en faveur de ce qu'il avait eu que de la perte dévastatrice. Avec le temps, j'apprécie plus, moi aussi, les moments que j'ai partagés avec Dave et ceux que je vis désormais.

Onze jours avant l'anniversaire de sa mort, j'ai éclaté en sanglots alors que j'étais avec une amie. Nous étions assises sur le carrelage de la salle de bains. « Onze jours. Il y a un an, il lui restait onze jours à vivre. Et il n'en avait pas la moindre idée », ai-je dit. Nous nous sommes regardées à travers nos larmes et nous sommes demandé ce qu'il aurait fait s'il avait su qu'il ne lui restait que ce temps-là à vivre – et si nous aurions été capables d'aller de l'avant, de comprendre combien chaque jour était précieux.

Le drame ne nous conduit pas forcément à apprécier les gens qui font partie de notre vie. Un traumatisme peut nous rendre méfiants et avoir des effets négatifs durables sur notre capacité à créer des liens. Beaucoup de victimes de crimes sexuels expliquent qu'elles n'arrivent pas à retrouver leur foi en la bonté et qu'elles ont du mal à refaire confiance. Après avoir perdu un enfant, les parents ont plus de mal à s'entendre avec leur famille et leurs proches. Et après la mort d'une épouse ou d'un mari, il est fréquent que les gens se disputent avec leurs amis et se sentent insultés par eux.

Mais le drame peut nous encourager à développer de nouvelles relations, plus profondes. C'est la troisième forme de croissance post-traumatique. Par exemple, les soldats qui ont subi de lourdes pertes pendant une guerre ont plus de chances d'avoir encore quarante ans plus tard des amis issus de leur bataillon. Après un combat difficile, ils apprécient mieux la vie et préfèrent passer du temps avec des gens qui partagent ce sentiment. De nombreuses rescapées du cancer du sein racontent avoir désormais une relation plus intime avec leur famille et leurs amis.

Quand des gens traversent une épreuve ensemble, ou vivent la même simultanément, cela peut renforcer leurs liens. Ils apprennent à se faire confiance, à se montrer vulnérables, à dépendre l'un de l'autre. Comme dit le proverbe : « En période de prospérité, nos amis savent qui nous sommes. En période de crise, nous savons qui sont nos amis. »

L'un des exemples les plus marquants est celui de Stephen Thompson. Pendant leur enfance, avec ses quatre jeunes frères et sœurs, ils se sont fréquemment retrouvés sans logement et ont dû dormir dans des refuges ou des voitures. Leur mère avait de graves problèmes de drogue et d'alcool et la famille ne mangeait que rarement à sa faim, allant jusqu'à voler de la nourriture dans les épiceries voisines. Stephen devait s'occuper de ses frères et sœurs et a si souvent manqué l'école qu'il a pris un énorme retard dans sa scolarité. Ses professeurs ont cru qu'il avait des difficultés d'apprentissage et lui ont fait intégrer une classe spécifique.

Un jour, alors qu'il vivait chez sa grand-mère, une équipe du SWAT[1] est venue chercher sa mère qui se cachait. Un policier leur a par la suite expliqué qu'elle et son petit ami avaient fait sauter un pont lors d'une manifestation. Il avait neuf ans

---

1. L'équivalent du RAID français.

quand sa mère les a abandonnés, lui et ses frères et sœurs, dans une chambre d'hôtel. Il a fallu trois jours aux services sociaux pour les retrouver. Mais cet événement a aussi permis à Stephen de rebondir et de remonter à la surface. « Notre vie d'avant étaient incroyablement stressantes, explique-t-il. Quand elle nous a abandonnés dans cet hôtel, ce fut presque un cadeau, un nouveau départ pour nous tous. »

Stephen pense que sa résilience vient du fait qu'il a appris très jeune à considérer ce traumatisme extrême comme une opportunité de créer de nouvelles relations. Il a passé quelques mois dans une famille d'accueil qui habitait la même rue que là où ses frères et sœurs avaient été relogés, avant d'être envoyé dans une résidence d'État pour enfants. Une fois qu'il est allé à l'école régulièrement, il a été en mesure de tisser des liens d'amitié durable.

Ses nouveaux amis l'invitaient chez eux à Thanksgiving et Noël, pour célébrer les fêtes avec leur famille. Puis, tout a changé quand la mère d'un de ses meilleurs amis lui a proposé de venir vivre avec eux de façon permanente. « Ce fut l'un des enseignements les plus importants de ma vie, car elle m'a vraiment montré la bonté dont certains peuvent faire preuve, nous a-t-il raconté. J'ai compris que mes amis pouvaient devenir ma famille ». Il s'est juré d'être toujours là pour ses amis, « d'appeler dans les moments difficiles, de vraiment chercher à se lier amitié avec les gens et d'apprendre à les connaître. » J'ai fait sa connaissance quand nous travaillions ensemble chez Google, où il a fait de son incroyable capacité à se lier aux autres un atout pour sa carrière de recruteur.

La quatrième forme de croissance post-traumatique, c'est lorsque nous donnons plus de sens à notre vie. Une plus forte raison d'être, fondée sur la conviction que notre existence a de l'importance. Pour reprendre les mots de Viktor Frankl : « D'une certaine façon, la souffrance cesse d'être une souffrance dès l'instant où on lui trouve un sens. »

Nombreux sont ceux qui trouvent ce sens au travers de la religion ou d'une forme de spiritualité. Les expériences traumatiques peuvent conduire à développer une foi plus grande ; les personnes aux croyances religieuses et spirituelles fortes se montrent plus résilientes et connaissent une croissance post-traumatique plus développée.

Le rabbin Jay Moses qui nous a mariés, Dave et moi, m'a dit que « trouver Dieu ou une puissance supérieure nous rappelle que nous ne sommes pas le centre de l'Univers. Il y a beaucoup de choses que nous ne comprenons pas de l'existence humaine, mais elle a quand même un sens et un ordre. Cela nous aide à comprendre que notre souffrance n'est pas arbitraire ou vide de sens. »

Pourtant, souffrir peut également mettre à l'épreuve notre foi en la bienveillance de Dieu. Laverne Williams, une diacre de Montclair dans le New Jersey, nous a expliqué avoir douté de Dieu à l'époque où elle traversait une dépression et où sa sœur venait d'apprendre qu'elle avait un cancer. « Il m'est arrivé d'être en colère contre Dieu. Comment peut-il laisser arriver une chose pareille ? », dit-elle. Mais elle s'est souvenue ensuite qu'il « ne s'agit pas de prier Dieu pour qu'il arrange tout. Ce n'est pas un gentil génie à qui l'on ne peut demander que des bonnes choses ». Sa foi l'a aidée à ne pas tomber dans le piège de la permanence. « Même dans les moments les plus sombres, on peut garder espoir. C'est ça, la foi… cela vous aide à savoir que tôt ou tard, tout finit par passer. »

Au printemps dernier, j'ai lu la lettre ouverte que Vernon Turner, un ancien joueur de NFL, avait publiée. Cette lettre, qu'il adressait à une version plus jeune de lui-même, décrivait de façon très imagée comment il avait été conçu. Sa mère était une athlète prometteuse de dix-huit ans quand un groupe d'hommes l'a attaquée en pleine rue, lui a injecté de force de l'héroïne et l'a violée à tour de rôle. À onze ans, Vernon a surpris sa mère en train de se piquer à l'héroïne dans la salle de bains. Plutôt que de lui ordonner de sortir, elle lui a dit : « Je veux que tu me voies faire, parce que je veux que ça ne t'arrive jamais… Parce que ce que je suis en train de faire va me tuer. »

Quatre ans plus tard, cette prévision s'est malheureusement avérée. Vernon et ses quatre frères et sœurs cadets sont d'abord allés vivre chez l'un de leurs beaux-pères, mais ce dernier est décédé quand Vernon était en première année à l'université. Il n'avait pas vingt ans et devenait l'unique responsable de sa famille.

Sa lettre m'a tellement émue que j'ai contacté Vernon. Il m'a raconté qu'à cette époque, il avait vraiment touché le fond. « J'avais l'impression qu'on me punissait. D'abord, Dieu m'avait pris ma mère, puis mon père. Désormais, j'allais perdre ma famille. Je suis tombé à genoux et j'ai prié. J'ai demandé au Seigneur de me montrer comment aider ma famille. » Vernon s'est dit que la seule façon de gagner suffisamment d'argent pour subvenir aux besoins des siens, c'était de jouer en NFL. Il était la star de son équipe universitaire de deuxième division, mais on lui avait répété à maintes reprises qu'il n'était pas assez grand, ni assez fort ni talentueux pour passer professionnel. « Je devais réussir, sinon mes frères et mes sœurs seraient placés en familles d'accueil. Je refusais d'être le produit de mon ADN. Je voulais être le produit de mes actes », écrivait-il.

Vernon avait un but précis. Il se réveillait à 2 heures du matin pour s'entraîner. Il a renforcé sa masse musculaire en attachant un pneu à une corde passée autour de sa taille, qu'il traînait jusqu'en haut d'une colline. « J'ai repoussé mes limites mentales et physiques. Je me suis fait vivre un enfer brutal, afin d'être prêt pour la NFL. J'ai suivi des entraînements que je ne souhaiterais pas à mon pire ennemi, j'étais prêt à mourir sur le terrain de football. » Il a finalement intégré la ligue en tant que *return specialist*[1].

« Ce qui m'a poussé à être résilient, dit-il, c'était la force que me donnait Dieu et ce que m'avait dit ma mère juste avant de mourir : peu importe ce qu'il se passerait, je devais tout faire pour que notre famille ne soit pas séparée. Je me suis tourné vers le football pour la sauver. La première fois qu'ils ont pris mes mensurations, ils ont oublié de mesurer la taille de mon cœur. »

Pour beaucoup, la famille et la religion sont ce qui apporte le plus de sens. Mais le travail peut également le faire, notamment quand il a pour but d'aider les autres. Les métiers d'infirmière, membre du clergé, pompier, conseiller en addiction et instituteur peuvent se révéler stressants. Mais nous comptons sur ces professionnels, souvent sous-payés, pour nous garder en bonne santé et en sécurité, pour nous éduquer et nous aider à grandir.

Adam a publié cinq études différentes qui montrent qu'un emploi qui a du sens fait souvent barrage à l'épuisement émotionnel. Au sein d'entreprises, d'œuvres caritatives, du gouvernement et de l'armée, il a découvert que plus les gens étaient convaincus de l'importance de leur travail pour la société, moins ils étaient épuisés émotionnellement par leurs tâches et déprimés dans leur vie personnelle. Les jours où ils pensaient, par exemple, avoir eu un impact important dans

---

1. Joueur de football américain dont la tâche est d'intercepter le coup d'envoi de l'équipe adverse.

la vie de quelqu'un au travail, ils se sentaient plus dynamiques à la maison et plus à même de gérer des situations difficiles.

Après la mort de Dave, mon travail a pris encore plus de sens. Je me suis sentie plus investie que jamais dans la mission première de Facebook, qui est d'aider les gens à partager. En 2009, le frère de mon amie Kim Jabal s'est suicidé le jour de ses quarante ans. Sous le choc, sa famille ne pensait pas pouvoir supporter une longue cérémonie d'enterrement. Mais « les gens voulaient partager leurs histoires, nous soutenir et se soutenir entre eux, m'a-t-elle raconté à l'époque. Ils l'ont fait via Facebook, ce fut un véritable déluge d'amour et d'entraide – tous les jours nous lisions de nouvelles histoires, découvrions d'autres photos, rencontrions une personne qui l'avait connu et aimé ».

Il m'est arrivé la même chose. Je n'avais pas compris à quel point Facebook pouvait être un outil important pour les personnes en deuil avant d'en faire moi-même l'expérience. Durant son discours à l'enterrement, notre ami Zander Lurie était en train d'évoquer la générosité de Dave quand il s'est arrêté au milieu d'une phrase et a demandé aux gens présents – du jamais-vu lors d'un enterrement –, de « lever la main si Dave Goldberg a fait quelque chose qui vous a rendu la vie meilleure, donné un conseil perspicace, permis de faire des rencontres intéressantes, apporté de l'aide quand vous n'alliez pas bien ». Je me suis retournée et j'ai vu des centaines de bras levés. Il aurait été impossible d'écouter toutes ces histoires ce jour-là, et même si cela avait été le cas, je n'étais absolument pas en état de les entendre.

Mais nombre d'entre elles figurent désormais sur la page Facebook de Dave. Certaines personnes dont le nom m'était inconnu ont raconté comment Dave les avait aidées à trouver un emploi, à monter leur entreprise, à soutenir une cause.

Notre ami Steve Fieler a mis en ligne une vidéo de Dave en train d'applaudir à un match de base-ball et a écrit : « Dave m'a rappelé combien il était agréable d'encourager les autres... et de se sentir encouragé. Il m'a fait prendre conscience du plaisir de vivre l'instant. Dans la Silicon Valley où demain l'emporte toujours sur aujourd'hui, il est rare de croiser des personnes aussi chaleureuses et présentes que lui. »

Avoir un travail qui a du sens peut aider à se remettre d'un traumatisme. Quand mon ami Jeff Huber a perdu son épouse d'un cancer du côlon, je lui ai dit ce qu'on m'avait répété tant de fois : ne prends aucune décision au début de la période aiguë du deuil. Heureusement, Jeff a ignoré mon conseil. Il a démissionné pour prendre la direction de GRAIL, une entreprise qui a pour objectif de détecter les cancers à un stade précoce. « C'est comme franchir le point de non-retour, m'a-t-il raconté. Vous ne pouvez pas revenir en arrière. Vous allez changer. La seule question, c'est de savoir comment. »

Comme Joe Kasper qui n'a pas pu sauver son fils Ryan, Jeff sait qu'il n'était alors pas en mesure de sauver celle qui comptait le plus à ses yeux, mais il espère qu'un diagnostic précoce du cancer permettra de sauver des millions de vie dans la décennie à venir. Il explique que désormais il se lève le matin plus facilement, et avec plus d'énergie que jamais auparavant.

Jeff a trouvé une raison de vivre dans la cinquième forme de la croissance post-traumatique, qui implique d'identifier les nouvelles opportunités que la vie nous offre. Tedeschi et Calhoun ont découvert qu'après une épreuve, certains changeaient le cours de leur vie d'une façon qu'ils n'auraient jamais envisagée auparavant.

Après les attaques terroristes du 11-Septembre, beaucoup d'Américains ont radicalement repensé leur carrière. Ils ont rejoint une caserne de pompiers ou l'armée, se sont lancés dans une profession médicale. Les candidatures pour Teach for America, une association d'enseignants de milieux défavorisés, ont triplé. La plupart des candidats disaient avoir été inspirés par le 11-Septembre. Ils voulaient utiliser leur temps précieux pour contribuer à quelque chose de plus grand. Avant les attentats, leur emploi n'était sans doute qu'un travail alimentaire. Après, certains voulaient avoir une vocation.

Les gens ont également plus de chances de chercher un sens à leur existence après avoir survécu à une tornade, une tuerie massive, un accident d'avion, particulièrement s'ils étaient convaincus qu'ils allaient mourir quand cela s'est produit. Avec une telle conscience de leur mortalité, les survivants sont souvent amenés à réexaminer leurs priorités, ce qui donne parfois lieu à un phénomène de croissance. Frôler la mort peut conduire à une nouvelle vie.

Ce n'est pas un tournant simple à prendre. Le traumatisme rend souvent difficile la poursuite de nouvelles opportunités. S'occuper de proches malades peut obliger une personne à moins travailler, voire plus du tout. Près de trois millions d'Américains prennent soin d'un adulte atteint d'un cancer, ce qui demande, en moyenne, trente-trois heures par semaine. Si l'on ajoute à la suppression de leur salaire des frais médicaux élevés, certains foyers voient leur budget décimé. La maladie est le facteur de plus de 40 % des banqueroutes aux États-Unis. Il est prouvé que les personnes atteintes d'un cancer ont deux fois et demie plus de risques d'être interdites bancaires. Même une dépense moyenne imprévue peut avoir des conséquences désastreuses : 46 % des Américains ne sont pas en mesure de régler une facture urgente de 400 dollars. Des congés payés pour raisons familiales, une assurance-maladie de qualité incluant les affections mentales peuvent empêcher de sombrer tous ceux qui vivent à la limite du seuil de pauvreté et leur permettre de s'en sortir.

Le drame fait bien plus que détruire notre vie quotidienne, il anéantit tous nos espoirs d'avenir. Les accidents brisent le rêve de certains de pouvoir subvenir aux besoins de leur famille. Les maladies graves les empêchent de trouver un travail ou l'amour. Le divorce sonne le glas de toute célébration future d'anniversaires de mariage. (Mais une de mes amies fête chaque année l'anniversaire de sa séparation.) Ces bouleversements profonds de l'image que les gens ont d'eux-mêmes sont un autre dommage collatéral et un risque de dépression. Notre identité potentielle, ce que l'on espère devenir, peut être affectée elle aussi.

Même si c'est difficile à envisager, la disparition de l'une de nos identités potentielles peut nous libérer et nous permettre d'en envisager une autre. Après un drame, nous passons parfois à côté de ces opportunités parce que nous dépensons toute notre énergie émotionnelle à regretter notre ancienne vie. Comme le disait Helen Keller : « Quand une des portes du bonheur se referme, une autre s'ouvre. Mais nous passons souvent tellement de temps les yeux rivés sur cette porte fermée que nous ne voyons pas celle qui nous attend grande ouverte. »

Pour Joe Kasper, cette prise de conscience a eu lieu quand il a compris que ses actes pouvaient honorer la mémoire de son fils. Tout en préparant son master, Joe a travaillé sur un processus thérapeutique appelé le « codestin », qui encourage les parents endeuillés à considérer la vie de leur enfant à une plus grande échelle afin qu'elle ne se résume pas à sa mort.

Les parents qui cherchent à donner un sens et de l'importance à l'épreuve qu'ils ont traversée ont plus de chances de faire le bien ensuite, ce qui participe de l'impact de leur enfant sur le monde. Comme l'explique Joe : « Je me suis rendu compte que mon destin était de vivre ma vie d'une façon dont mon fils aurait été fier. Avoir conscience que je peux donner plus d'importance à sa vie en faisant le bien en son nom me motive jour après jour. »

Il n'est donc pas surprenant que tant de personnes ayant survécu à un traumatisme finissent par aider les autres à surmonter le leur. « Il n'y a rien de plus gratifiant que d'aider quelqu'un à sortir du bourbier de son désespoir, nous a dit Joe. Je sais que ma passion est une forme de croissance personnelle liée à mon traumatisme. Aider les autres à sortir grandis du leur met en avant, rétroactivement, la vie de mon fils. » Forts de ce qu'ils ont traversé, les gens ont de nouvelles connaissances à partager avec ceux qui endurent une épreuve similaire. C'est une source unique de réconfort parce qu'elle ne se contente pas de donner un sens à notre vie : elle donne un sens à notre *souffrance*. Les gens puisent dans leurs blessures, pour que celles-ci n'existent pas en vain.

Au cœur du désespoir, il peut être difficile de distinguer de nouvelles opportunités à travers la douleur ou de trouver du sens. Quand ma mère est rentrée chez elle après avoir passé un mois à la maison, j'étais terrifiée. Elle m'a prise dans ses bras pour me dire au revoir et m'a raconté la conversation qu'elle avait eue avec Scott Pearson, un ami de la famille. « La semaine de la mort de Dave, Scott a affirmé : "C'est la fin d'un chapitre et le début d'un suivant." Je ne te l'ai pas dit sur le coup parce que je ne pensais pas que tu l'entendrais. Mais j'ai toujours su qu'il avait raison… et tu devrais le savoir toi aussi. » Je ne suis pas sûre que j'aurais pu comprendre cette phrase un mois plus tôt, mais ce jour-là, elle m'a redonné espoir. Pour reprendre les mots du philosophe romain Sénèque : « Chaque nouveau commencement vient de la fin d'un ancien commencement. »

Il y a quelques années, Dave et moi avons emmené nos enfants voir la comédie musicale *Wicked*. À la sortie, l'un d'entre nous a crié avec enthousiasme : « C'est ma nouvelle comédie musicale préférée ! » Vous pensez sans doute qu'il s'agissait de notre préadolescente ? Eh bien non, c'était Dave ! Et son morceau préféré, c'était *For Good*, quand les deux personnages principaux se disent au revoir en ayant conscience qu'ils ne se reverront peut-être jamais. Alors, ils chantent ensemble :

I do believe I have been changed for the better.
And because I knew you…
I have been changed
For good[1]*…*

Dave sera toujours, comme le dit la chanson, une « main sur mon cœur ». Sa présence m'a profondément changée. Et son absence aussi.

Mon plus grand souhait est que quelque chose de bon naisse de l'horreur de sa mort. Quand on me dit que ce que j'ai partagé a pu apporter du réconfort ou de la force à quelqu'un, cela honore la vie que Dave a vécue. Il a tant fait pour aider les autres. J'espère que ce livre touchera les gens et deviendra une part de son héritage. C'est peut-être ça, notre « codestin » à tous deux.

---

1. « Je sais que j'ai changé en mieux / Et parce que je t'ai connu, j'ai changé… pour de bon. »

6

Retrouver la joie

Une semaine après notre entrée en sixième, ma meilleure amie m'a annoncé que je n'étais pas suffisamment cool pour qu'on reste copines. Cette rupture douloureuse fut en fait une bénédiction. Peu de temps après que j'ai été larguée sans ménagement, trois filles m'ont prise sous leur aile et nous sommes devenues les meilleures amies du monde. En arrivant au lycée, trois autres filles ont rejoint notre clique. Mindy, Eve, Jami, Elise, Pam et Beth – « les filles », comme nous nous appelons encore entre nous. Elles m'ont toujours conseillée en tout, de ma robe pour le bal de promo au travail que je devais choisir, en passant par ce qu'il fallait faire quand un bébé se réveillait à minuit... puis à 3 heures du matin.

À l'automne 2015, la fille de Beth a fêté sa bat-mitsvah. Une partie de moi ne voulait pas y aller. Quelques jours à peine avant sa mort, Dave et moi avions arrêté une date pour la bar-mitsvah de notre fils. L'idée qu'il n'assisterait pas à la cérémonie de passage à l'âge adulte de notre enfant m'avait laissé un goût amer. Mais durant les jours sombres de cet été-là, les filles avaient pris de mes nouvelles quotidiennement et m'avaient rendu visite à tour de rôle en Californie. En étant présentes, jour après jour, elles m'avaient montré que je n'étais pas seule. Je voulais donc être là pour elles dans les moments heureux, tout comme elles l'avaient été pour moi dans les malheureux.

Passer du temps avec les filles et leurs familles à la bat-mitsvah m'a réconfortée. J'avais presque l'impression que nous étions de nouveau des adolescentes et de retrouver le temps de l'innocence, quand une coupe de cheveux ratée est un problème existentiel. La fille de Beth a lu à merveille le passage de la Torah et nous avons toutes versé une larme de fierté. La cérémonie s'est terminée par la récitation traditionnelle du kaddish, la prière pour les morts. Aussitôt, six mains se sont tendues vers moi de tous les côtés. Mes amies me serraient fort et, comme elles me l'avaient promis, nous avons traversé cela ensemble.

À la fête qui a suivi ce soir-là, nos enfants couraient partout et s'amusaient comme des fous. J'ai regardé mon fils et ma fille bavarder pendant des heures avec leurs « presque cousins » et me suis dit qu'on devrait inventer un mot pour décrire la joie qu'on ressent quand ses enfants sont amis avec les enfants de ses amis. Plusieurs personnes que j'avais connues à Miami pendant notre adolescence étaient là, en particulier le garçon le plus mignon de la classe, Brook Rose. Même son nom était parfait. À l'époque, aucune de nous ne pensait avoir sa chance avec lui, ce qu'il nous a confirmé quelques années plus tard quand il nous a annoncé qu'il était gay.

Le DJ a lancé « September », d'Earth, Wind & Fire, et Brook m'a tendu la main. « Viens », m'a-t-il dit avec son superbe sourire. Il m'a entraînée sur la piste et nous nous sommes lâchés, comme au lycée, en dansant et en chantant à tue-tête. Et puis j'ai explosé en sanglots.

Brook m'a aussitôt emmenée dehors sur la terrasse pour me demander ce qui n'allait pas. Au début, j'ai cru que Dave me manquait, sauf que je connaissais *par cœur* ce sentiment et que là, c'était différent d'une certaine façon. Puis j'ai compris. Danser sur un air entraînant de mon enfance m'avait ramenée à une époque où tout n'était pas que solitude et manque. Je ne m'étais pas seulement sentie bien. Je m'étais sentie heureuse. Et ce bonheur avait aussitôt été remplacé par un déluge de culpabilité. Comment pouvais-je être heureuse alors que Dave n'était plus là ?

Le lendemain, mes enfants et moi nous sommes rendus à Philadelphie pour rendre visite à Adam et sa famille. J'ai raconté à Adam comment je m'étais effondrée sur la piste de danse. Il n'était pas surpris. « Évidemment que c'était la première fois que tu étais heureuse, m'a-t-il dit. Tu n'as rien fait qui puisse t'apporter de la joie depuis la mort de Dave. »

Adam avait raison. Pendant plus de quatre mois, je m'étais concentrée sur mes enfants, mon travail et le simple fait de survivre jour après jour. J'avais cessé toutes les activités que Dave et moi faisions pour nous amuser : voir des films, sortir dîner avec des amis, regarder *Game of Thrones*, jouer à Catane ou au Scrabble. Jouer à Catane m'aurait bouleversée, puisque c'était ce qui avait occupé nos derniers instants ensemble.

J'avais tout un tas de raisons de me terrer chez moi. Je ne voulais pas laisser mes enfants avec une baby-sitter, même après les avoir couchés, au cas où ils se réveilleraient. J'avais peur de sortir et de me mettre à pleurer en public, d'être embarrassée de gâcher la soirée à tout le monde. J'avais essayé d'être sociable, quelques semaines avant la bat-mitsvah, en invitant quelques amis à venir voir un film à la maison. Nous avions commencé la soirée autour d'une glace au yaourt dans la cuisine. Je me répétais sans cesse : *Tu peux le faire. Tu n'as qu'à faire comme si tout était normal.* Un ami m'avait recommandé un film censément drôle et léger. Nous avons lancé le DVD. Tout allait bien, jusqu'à ce que l'épouse du personnage principal meure au bout de quelques minutes. J'étais à deux doigts de vomir mon yaourt. Tout n'était pas normal.

Dans le statut Facebook que j'ai publié le trentième jour de mon veuvage, j'ai écrit que je ne vivrais plus jamais un autre moment de joie absolue. Quand des amis qui avaient perdu leur conjoint(e) m'ont assuré que ce n'était pas vrai, et qu'un jour je serais de nouveau heureuse, j'en ai douté. Puis Earth, Wind & Fire m'a prouvé que j'avais tort. Mais cet instant de joie sur la piste de danse n'avait duré qu'une seconde, il avait à peine montré le bout de son nez que la culpabilité l'avait renvoyé au fond de sa tanière.

La culpabilité du survivant est une voleuse de joie – un autre dommage collatéral de la mort. Quand les gens perdent un être cher, ils sont non seulement dévastés par le chagrin, mais aussi par le remords. Encore un piège de la personnalisation : « Pourquoi suis-je toujours en vie, moi ? » Même après la période aiguë du deuil, la culpabilité perdure. « Je n'ai pas passé assez de temps avec lui. »

La mort n'est pas la seule à engendrer la culpabilité. Quand une entreprise renvoie des employés, ceux qui conservent leur emploi luttent souvent avec la culpabilité du survivant. On commence par se dire « Ça aurait dû être moi. » Puis on éprouve de la gratitude – « Je suis content que ça ne soit pas moi » – aussitôt balayée par la honte : « Je suis une mauvaise personne parce que je suis heureuse, alors que mes amis ont perdu leur emploi. »

Une existence dédiée uniquement à la recherche du plaisir sans quête de sens serait vaine. Pourtant, une vie pleine de sens sans joie serait déprimante. Jusqu'à cet épisode sur la piste de danse, je ne m'étais pas rendu compte que je me retenais d'être heureuse. Et même ce bref instant a été gâché par la culpabilité, comme pour venir confirmer ma prédiction que je n'éprouverais plus jamais de bonheur. Mais un jour, lors d'une conversation téléphonique avec Rob, le frère de Dave, celui-ci m'a fait un cadeau extraordinaire. « Depuis le jour où Dave t'as rencontrée, tout ce qui comptait pour lui c'était de te rendre heureuse, m'a-t-il dit la voix tremblante. Il voudrait que tu le sois, même aujourd'hui. Ne lui enlève pas ça. » Ma belle-sœur, Amy, m'a aidée elle aussi en me faisant remarquer combien mon humeur affectait mes enfants. Ils lui avaient confié qu'ils se sentaient mieux parce que « maman avait arrêté de pleurer tout le temps ».

Quand nous nous concentrons sur les autres, nous trouvons une motivation personnelle que nous avons souvent du mal à trouver seuls. En 2015, Lisa Jaster, lieutenant de l'armée américaine, a voulu suivre la formation d'élite de l'école des rangers. Ayant combattu en Afghanistan et en Irak, elle estimait pouvoir terminer leur programme exténuant en neuf semaines. Mais pour réussir des épreuves aussi variées que la navigation terrestre, l'alpinisme, la course d'obstacles, la survie dans l'eau, les assauts simulés et les pièges, elle a mis vingt-six semaines. L'épreuve finale était une marche de 20 kilomètres avec un sac à dos de 18 kilos, auquel il fallait ajouter 9 litres d'eau et un fusil. Après avoir parcouru 17 kilomètres, Lisa a eu la nausée, ses pieds étaient couverts d'ampoules et elle a pensé qu'elle n'arriverait jamais au bout. Mais une image lui a alors traversé l'esprit – une photo d'elle avec ses enfants, qu'elle affectionne tout particulièrement. Son fils porte un t-shirt de Batman, et sa fille, de Wonder Woman. Sur le cliché, Lisa avait écrit: « Je veux être leur super-héros. » Elle a parcouru les trois derniers kilomètres en courant et elle a réalisé un temps final d'une minute et demie de moins que celui qu'elle s'était fixé. Elle est aussi entrée dans l'Histoire en devenant l'une des trois premières femmes rangers de l'armée. Quand j'ai rencontré Lisa, je lui ai dit qu'elle n'était pas seulement le super-héros de ses enfants, mais également des miens, depuis que je leur avais raconté son histoire un soir pendant le dîner.

Ayant toujours les paroles de Rob et d'Amy à l'esprit, j'ai décidé d'essayer de m'amuser pour, et avec mes enfants. Dave adorait jouer à Catane avec eux parce que cela leur apprenait à réfléchir en amont et à anticiper les coups de leurs adversaires. Un après-midi, j'ai sorti le jeu du placard. D'un air détaché, j'ai demandé à mes enfants s'ils voulaient jouer. Ils le voulaient. Jusqu'alors, j'avais toujours eu les pions orange, ma fille les bleus, mon fils les rouges, et Dave les gris. Quand nous nous sommes assis ce jour-là, juste tous les trois, ma fille s'est emparée de tous les pions gris. Mon fils s'est énervé en tentant de les lui arracher. « C'était la couleur de papa ! Tu ne peux pas être gris ! », a-t-il insisté. J'ai levé la main et j'ai dit : « Elle a le droit d'avoir les pièces grises. On recommence. »

« On recommence » est devenu notre mantra. Plutôt que de laisser de côté les choses qui nous rappelaient Dave, nous les avons adoptées et intégrées à notre quotidien. Nous avons recommencé le football et le basket-ball en encourageant les équipes dont il était fan : les Vikings du Minnesota et les Golden State Warriors. Nous avons recommencé le poker, auquel Dave jouait avec nos enfants depuis qu'ils étaient petits. Ils ont ri quand je leur ai raconté qu'un soir, Dave était rentré du travail et les avait surpris en pleine partie, alors qu'ils n'avaient que cinq et sept ans, et qu'il avait déclaré ne jamais s'être senti plus fier de sa vie. Chamath Palihapitiya, un ami qui jouait au poker avec Dave, souvent et avec plaisir, a repris le flambeau et enseigne désormais le Texas Hold'em à nos enfants. J'aurais pu essayer de le faire, mais je crois que Dave n'aurait pas voulu qu'ils apprennent d'une « joueuse médiocre ». Ce sont ses mots, pas les miens. Et Dieu sait que Chamath s'est montré partant, *souvent et avec plaisir*.

De mon côté, j'ai recommencé à regarder *Game of Thrones*. C'était loin d'être aussi amusant qu'avec Dave, qui, lui, avait lu tous les livres et arrivait à comprendre qui complotait contre qui. Mais je me suis concentrée, j'ai rattrapé mon retard et j'ai terminé la saison en soutenant Khaleesi et ses dragons, comme Dave et moi l'aurions fait. J'ai de nouveau invité des amis à voir un film, en prenant soin d'en choisir un dans lequel aucun conjoint ne mourait. Mais mon meilleur recommencement, c'est d'avoir trouvé l'adversaire parfait pour jouer au Scrabble en ligne. Dave et moi y jouions ensemble. Dave et Rob y jouaient ensemble. Et désormais je joue avec Rob. Je ne suis qu'un piètre substitut, vu que les deux frères avaient à peu près le même niveau. En cent parties, j'ai battu Rob une incroyable et unique fois. Mais désormais, durant quelques minutes tous les jours, par l'intermédiaire de nos téléphones, Rob et moi sommes connectés l'un à l'autre... et à Dave.

Nous voulons tous que les autres soient heureux. Nous autoriser à l'être, nous aussi. Accepter d'avoir le droit de dépasser la culpabilité pour retrouver la joie est une victoire sur la permanence. S'amuser est une forme d'autocompassion. Si nous devons faire preuve de bonté envers nous-mêmes quand nous commettons des erreurs, nous devons également le faire en profitant de la vie dès que nous en avons l'occasion. Le drame entre chez nous par effraction et nous y retient prisonniers. S'échapper demande des efforts et de l'énergie. Chercher la joie après avoir traversé une épreuve, c'est reprendre ce que l'on nous a volé. Comme Bono, le chanteur de U2, l'a dit : « La joie est l'acte de rébellion par excellence. »

Sous mon statut Facebook du trentième jour, l'un des commentaires qui m'ont le plus émue venait d'une femme nommée Virginia Schimpf Nacy. Virginia était heureuse en ménage quand son mari, alors âgé de cinquante-trois ans, est soudainement décédé dans son sommeil. Six ans et demi plus tard, son fils est mort lui aussi, d'une overdose d'héroïne, la veille du mariage de sa fille. Virginia a insisté pour que le mariage ait lieu puis, le lendemain, elle a organisé les obsèques de son fils. Peu de temps après, Virginia a travaillé sur un programme de prévention anti-drogue, avec le concours du département d'éducation de sa région ; au côté de parents et de professionnels, elle a créé un groupe de soutien et encouragé les lois qui permettraient de combattre l'addiction. Elle a également cherché des façons d'atténuer son chagrin. Elle a regardé les vieilles émissions de Carol Burnett par plaisir, et a traversé le pays en compagnie de son labrador chocolat pour rendre visite à sa fille et son gendre. « Ces deux morts font partie intégrante du tissu de ma vie, mais elles ne me définissent pas, explique-t-elle. La joie a une grande importance pour moi. Et je ne peux compter ni sur ma fille ni sur le reste du monde pour m'en procurer. Cela doit venir de moi. Il est temps pour moi de choisir l'option C et de tout déchirer. »

Quand nous pensons à la joie, nous nous concentrons souvent sur les grands moments de la vie : une remise de diplôme, la naissance d'un enfant, un nouvel emploi, une réunion de famille. Mais le bonheur est dû à la fréquence de nos expériences positives et non à leur intensité. Au terme d'une étude australienne sur le veuvage qui a duré douze ans, 26 % des personnes sondées ont affirmé vivre autant de moments de joie qu'avant la perte de leur conjoint(e). Ce qui les différenciait des autres, c'est qu'elles s'étaient de nouveau investies dans des activités et des interactions quotidiennes.

« La façon dont nous passons nos journées, écrit l'auteur Annie Dillard, n'est rien d'autre que la façon dont nous passons notre vie. » Plutôt que d'attendre d'être heureux pour profiter des petites choses, nous devrions faire les petites choses qui nous rendent heureux. Après un divorce déprimant, une de mes amies a dressé la liste de ce qu'elle aimait faire – écouter des comédies musicales, passer du temps avec ses neveux et nièces, feuilleter des livres d'art, manger un flan – et s'est juré de pratiquer une activité de sa liste tous les jours après le travail. Comme l'écrit le blogueur Tim Urban : « Le bonheur, c'est la joie qu'on éprouve dans des centaines de moments anodins du quotidien. »

Ma résolution pour l'année 2016 était fondée sur cette idée. J'essayais toujours d'écrire trois choses que j'avais bien faites tous les soirs ; mais en reprenant confiance en moi, cela m'a semblé moins nécessaire. Puis Adam m'a suggéré d'écrire trois moments de joie. De toutes les résolutions du nouvel an que j'ai prises dans ma vie, c'est de loin celle que j'ai tenue le plus longtemps. Désormais, presque tous les soirs avant d'aller dormir, je note trois moments heureux dans mon carnet. Cela me force à remarquer et apprécier ces instants de joie. Quand quelque chose de positif m'arrive, je me dis : *Ça, ça va aller dans le carnet.* Cette habitude illumine ma journée.

Il y a de nombreuses années, Larry Brilliant, un de mes mentors, a essayé de me faire comprendre que le bonheur demandait du travail. Nous étions devenus proches après avoir développé ensemble l'initiative philanthropique de Google. J'ai donc eu le cœur brisé en apprenant que Jon, son fils de vingt-quatre ans, souffrait d'un cancer du poumon. Jon était soigné à Stanford et dormait souvent chez nous, puisque nous vivions plus près de l'hôpital. Il apportait sa précieuse boîte de Lego pour jouer avec mes enfants et, aujourd'hui encore, je pense à lui chaque fois que je les vois y jouer.

Pendant quelques mois, Jon a semblé s'être miraculeusement remis. Sa famille a donc été d'autant plus bouleversée quand il est mort un an et demi plus tard. La profonde spiritualité qui guide Larry l'a aidé à développer sa résilience. Lui et sa femme Girija avaient vécu dix ans en Inde, où ils avaient étudié avec un gourou hindou et pratiqué la méditation bouddhiste. À la mort de leur fils, ils ont concentré leur énergie spirituelle sur la transformation de leur chagrin en gratitude, pour toutes ces années où Jon avait été en bonne santé. À l'enterrement de Dave, Larry et moi avons pleuré ensemble. Il m'a dit qu'il ne s'attendait pas à porter si tôt le deuil d'un autre être cher. Puis, les mains sur mes épaules, comme pour m'aider à tenir debout, il a dit qu'il allait s'assurer que je ne me noie pas dans mon chagrin. « Une journée remplie de joie semble durer quinze minutes. Une journée de chagrin, quinze ans, a-t-il dit. Personne ne prétend que c'est facile, mais notre travail, dans la vie, c'est de transformer ces quinze minutes en quinze ans, et ces quinze ans en quinze minutes. »

Prêter attention à ces instants de joie demande des efforts, car nous sommes programmés pour nous concentrer davantage sur le négatif que sur le positif. Les mauvais moments ont tendance à avoir plus d'effet sur nous que les bons. Cela avait un sens à l'époque préhistorique : si l'on n'était pas hanté par le jour où un proche avait mangé ces baies vénéneuses, on aurait été tenté de les manger nous-mêmes. Mais de nos jours, nous accordons cette même attention aux ennuis ordinaires et aux petits tracas du quotidien. Nous nous laissons démoraliser par un essuie-glace cassé ou une tache de café.

Nous sommes obsédés par les menaces qui nous entourent et passons souvent à côté d'une occasion de sourire.

Si nommer ses émotions négatives peut aider à mieux les gérer, nommer ses émotions positives est également une méthode efficace. Écrire les moments de joie, ne serait-ce que trois jours durant, peut améliorer l'humeur et, trois mois plus tard, avoir diminué la fréquence à laquelle nous consultons des médecins. Le plus petit détail de notre quotidien peut être source de plaisir : la douceur d'une brise tiède ou le goût délicieux des frites (a fortiori si on les chipe dans l'assiette de quelqu'un d'autre). Ma mère est l'une des personnes les plus optimistes que je connaisse. Tous les soirs en se couchant, elle se montre reconnaissante du confort de l'oreiller qu'elle a sous la tête.

Avec l'âge, nous définissons moins le bonheur en termes d'excitation que de sérénité. Le révérend Veronica Goines le résume ainsi : « La sérénité, c'est la joie au repos, et la joie, c'est la sérénité en action. » Le simple fait de parler de moments joyeux avec quelqu'un peut faire augmenter leur nombre dans les jours qui suivent. Pour reprendre les mots de Shannon Sedgwick, une militante des droits de l'homme qui est confrontée quotidiennement à des atrocités, « la joie demande de la discipline ».

Un de mes amis, qui a perdu son épouse juste après son soixante-dixième anniversaire – ils étaient mariés depuis quarante-huit ans –, m'a expliqué que, pour combattre le désespoir, il avait dû chambouler son quotidien. Car continuer les activités qu'il partageait avec son épouse le poussait à regretter son ancienne vie. Il s'est donc efforcé d'en trouver de nouvelles. Et il m'a conseillé d'en faire autant. En plus de *recommencer*, j'ai cherché à aller de l'avant. J'ai commencé par des petites choses, comme jouer à la Dame de pique avec mes enfants, un jeu de carte que mon grand-père m'avait appris (et auquel je suis nettement plus douée qu'au poker). Nous sommes partis faire des balades à vélo le week-end, une activité impossible pour Dave à cause de ses problèmes de dos. J'ai repris le piano, instrument que je n'avais pas touché depuis trente ans. J'en joue assez mal à cause d'un manque cruel de talent, doublé d'un manque cruel de pratique. Malgré tout, pianoter une chanson me réconforte. Pour paraphraser une chanson de Billy Joel, que je joue très mal et chante très faux : cela me rend heureuse d'oublier la vie, l'espace d'un instant.

Jouer un morceau dont on ne maîtrise pas bien la partition est ce que les psychologues appellent une « difficulté surmontable avec effort », en ce sens que cela requiert toute notre attention, et ne nous laisse aucun espace pour penser à quoi que ce soit d'autre. Beaucoup affirment que leurs plus grands moments de bonheur étaient des moments de flow, cet état mental que l'on atteint quand on est entièrement plongé dans une activité : être en grande conversation avec un ami sans s'apercevoir que deux heures ont passé, faire un long voyage en voiture et avancer au rythme des lignes pointillées au sol, être plongé dans la lecture de *Harry Potter* et oublier que Poudlard n'existe pas – *quelle erreur de moldu*. Mais il convient de préciser un point important. Mihaly Csikszentmihalyi, l'homme à l'origine de cette étude, a expliqué que les gens ne déclaraient jamais être heureux pendant cet état de flow. Ils sont si absorbés par l'instant qu'ils ne le qualifient de joyeux qu'a posteriori. Quand on a essayé de les sonder alors qu'ils étaient en état de flow, ils en sortaient aussitôt. *Bien joué, les psychologues*.

Beaucoup de gens se tournent vers le sport pour atteindre le flow. Après avoir perdu son épouse, le comédien Patton Oswalt a remarqué que des comics comme Batman avaient une façon bien à eux de peindre le deuil. Dans la vraie vie, « si Bruce Wayne avait assisté au meurtre de ses parents à neuf ans, il ne serait pas devenu ce héros musclé, dit Oswalt. Franchement, quand quelqu'un meurt, on n'aurait pas plutôt tendance à grossir, se mettre en colère et être complètement perdu ? Mais non, lui, il va direct à la salle de sport ». À vrai dire, aller à la salle de sport, ou même sortir faire une petite marche, peut générer de grands bénéfices. Les effets de l'exercice sur notre santé physique sont connus : moins de risques de maladies cardiaques, de pression artérielle, d'infarctus, de diabète et d'arthrite. De nombreux médecins et thérapeutes considèrent l'exercice comme une des meilleures façons d'améliorer le bien-être psychologique. Chez les adultes de plus de cinquante ans qui souffrent de dépression grave, faire du sport peut se révéler aussi efficace que prendre des antidépresseurs.

Le flow peut sembler un luxe, mais c'est parfois essentiel après un drame. Quand son mari a été arrêté par la police syrienne, il y a quatre ans, Wafaa (dont je ne citerai pas le nom de famille pour ne pas compromettre la sécurité des siens) a sombré dans le désespoir. Personne ne l'a revu ni n'a entendu parler de lui depuis. Quelques mois auparavant, leur fils de seize ans avait été tué alors qu'il jouait au football juste en bas de leur immeuble. Wafaa ne supportait plus la douleur et elle a songé à mettre fin à ses jours. Ce qui l'a retenue de le faire, c'est qu'elle était enceinte de son sixième enfant. Elle et son frère ont fui à Istanbul avec ses deux plus jeunes enfants, tandis que les trois aînés sont restés en Syrie. Peu de temps après, elle a reçu un coup de fil de sa fille, qui avait elle-même un fils. Celui-ci venait de se faire tuer par un sniper, une semaine avant son second anniversaire. Cela va au-delà de l'inimaginable. C'est inconcevable.

L'expérience de Wafaa est horriblement commune. Il n'y a jamais eu autant de réfugiés depuis la Seconde Guerre mondiale. La vie de plus de soixante-cinq millions de personnes a été détruite dans des conditions atroces. Si, pour moi, l'option B signifie gérer la perte d'un époux, pour les réfugiés, elle signifie gérer perte après perte : celle d'êtres chers, d'une maison, d'un pays et de tout ce qui leur est familier. Quand j'ai lu l'histoire de Wafaa, j'ai été frappée par son incroyable capacité de résilience et l'ai contactée. Elle nous en a dit plus sur ce qu'elle a enduré. « Quand mon fils a été assassiné, j'ai cru mourir, nous a-t-elle raconté avec l'aide d'un traducteur. Être mère m'a sauvée. Il faut que je sourie pour mes autres enfants. »

Quand Wafaa est arrivée en Turquie, elle passait la majeure partie de la journée seule avec ses enfants, tandis que son frère cherchait du travail. Elle ne parlait pas la langue, ne connaissait pour ainsi dire personne et se sentait extrêmement seule. Puis, elle a découvert un foyer pour Syriens et a rencontré d'autres femmes qui luttaient elles aussi pour s'en sortir. Peu à peu, des moments de joie sont réapparus dans sa vie. « Prier me rend heureuse, dit-elle. Ma relation avec Dieu est plus solide. Je le comprends mieux et je sais qu'il continuera à me donner de la force. »

En plus de la prière, elle trouve du réconfort et une forme de flow en cuisinant pour sa famille et ses amis. « Certaines journées passent lentement et je réfléchis trop. Cuisiner me donne un objectif. En Syrie, on cuisine comme on respire. C'est mon oxygène. Je ne suis pas peintre, mais j'aime créer. Les odeurs... la texture de la viande. Peu importe où je suis, je peux essayer de recréer l'atmosphère de la maison. Cuisiner me réconforte et m'aide à me concentrer, quand je m'y abandonne. Alors le temps passe plus vite et mon esprit s'apaise enfin. »

Quand l'une de ses voisines à Istanbul est tombée malade, Wafaa lui a préparé ses repas pendant une semaine. « Cela m'a remplie de joie de savoir que je pouvais l'aider grâce à la nourriture – et de la nourriture syrienne ! C'était ma façon de lui dire : "Prends, cela vient de mon pays. C'est tout ce que j'ai à t'offrir." » S'occuper de ses enfants est une autre source de joie pour Wafaa. Comme elle nous l'a expliqué : « Quand mes enfants sourient, je ressens de la joie. J'ai l'impression d'être encore là pour une raison. Je vais guérir en les guérissant. »

Que vous considériez la joie comme une discipline, un acte de rébellion, un luxe ou une nécessité, tout le monde la mérite. La joie nous permet de continuer à vivre, à aimer et être présents pour les autres.

Même quand nous sommes dans une immense détresse, la joie peut émaner des moments que nous saisissons ou créons. Cuisiner. Danser. Marcher. Prier. Conduire. Chanter Billy Joel faux et à tue-tête. Tout cela peut soulager notre douleur. Et quand ces instants s'additionnent, nous découvrons qu'ils nous donnent plus que de la joie : ils nous donnent de la force.

7

Élever des enfants résilients

C e tableau, extrêmement détaillé, de deux enfants de Caroline du Sud est l'œuvre de Timothy Chambers, un peintre américain reconnu qui, depuis plus de trente ans, reproduit des portraits et des paysages incroyablement vivants, tant à la peinture à l'huile qu'au fusain ou au pastel.

Tim est sourd à 70 %. Il est aussi considéré comme aveugle aux yeux de la loi.

Quand vous posez pour lui et qu'il vous regarde dans les yeux, il n'est pas en mesure de voir votre bouche. Donc, au lieu d'enregistrer la scène en entier, il analyse son modèle morceau par morceau, en mémorisant le plus de détails possible. Il utilise ensuite sa mémoire pour combler les lacunes de ses yeux. « Une bonne peinture, c'est une suite de bonnes décisions », explique-t-il.

La maladie de Tim est génétique ; il souffre du syndrome d'Usher. Chez lui, les symptômes se sont manifestés dès son plus jeune âge. À cinq ans, il portait un appareil auditif en permanence. Au lycée, quand il se promenait le soir, un ami devait lui crier « baisse-toi » pour lui éviter de percuter les branches qu'ils croisaient sur leur chemin. Quand Tim a eu trente ans, un ophtalmologue l'a envoyé chez un spécialiste qui a enfin su diagnostiquer sa maladie. Ce dernier lui a également annoncé qu'il n'existait aucun traitement. Sa recommandation était sans appel : « Vous feriez mieux de changer de métier. »

Après ce conseil pour le moins décourageant, Tim a connu une période d'angoisse paralysante et de cauchemars récurrents. Un jour, alors qu'il venait de passer deux heures sur un portrait au fusain, son fils est entré dans son atelier et lui a demandé : « C'est quoi tout ce violet ? » Tim ne distinguait plus le violet du gris. Il a donc cherché d'autres façons d'exploiter son talent et a donné des cours de peinture en ligne. Il a reçu tant de commentaires favorables que des élèves du monde entier se levaient à 2 heures du matin pour suivre ses enseignements. Avec l'aide de Kim, son épouse, Tim est allé encore plus loin en lançant une école en ligne. Un jour, Kim est tombée sur la vidéo d'une conférence sur la résilience que donnait Adam et a eu l'impression qu'il décrivait son mari. Elle a donc envoyé un e-mail à Adam pour lui expliquer que Tim était la personne la plus persévérante qu'elle avait eu le privilège de rencontrer dans sa vie.

Adam s'est demandé où Tim avait puisé sa résilience. Celui-ci lui a répondu que tout avait commencé avec ses parents. Son père avait le don de mettre de la légèreté dans n'importe quel événement douloureux. Un jour, Tim était rentré de l'école très contrarié parce que des enfants l'avaient dévisagé en lui demandant ce qu'il portait dans l'oreille. Si la situation se reproduisait, son père lui conseillait de poser un doigt sur son appareil auditif, de brandir le poing et de crier : « Yes ! Les Cubs mènent deux à un dans la neuvième manche ! » Tim a mis ce conseil en pratique. Les autres enfants étaient désormais jaloux qu'il puisse écouter un match de base-ball pendant un cours ennuyeux. Un soir, lorsqu'il était au lycée, l'appareil de Tim a émis des bips très forts alors qu'il se penchait pour embrasser une fille. Son père lui a dit de ne pas s'inquiéter : « À cette heure-ci elle est probablement en train de raconter à sa mère : "J'ai déjà vu des étincelles en embrassant un garçon, mais je n'avais encore jamais entendu de sirène." »

Grâce à son père, Tim a appris à faire preuve d'humour dans les moments embarrassants. Il a découvert que sa réaction face à son handicap influençait celle des autres. Ce qui signifiait qu'il pouvait influer sur la façon dont les autres le percevaient. Transformer ces situations est devenu pour lui une seconde nature. « J'ai eu la chance inouïe d'avoir un père qui a su me montrer que je pouvais me servir de ces moments où je me sentais stupide pour devenir plus fort, en m'obligeant à trouver des solutions à ce que je considérais comme des obstacles ou des impasses », a-t-il expliqué.

Quand Dave est mort, ma plus grande peur était que mes enfants ne soient plus jamais heureux. Mon amie d'enfance Mindy Levy avait treize ans le jour où sa mère s'est suicidée. Le soir même, j'ai dormi chez Mindy et l'ai tenue dans mes bras pendant qu'elle pleurait. Plus de trente ans après, c'est la première personne que j'ai appelée depuis l'hôpital au Mexique. Dès qu'elle a décroché, j'ai hurlé de façon hystérique au téléphone : « Dis-moi que je vais m'en sortir ! Dis-moi que mes enfants vont s'en sortir. Dis-moi qu'ils vont s'en sortir ! » Au début, Mindy ne comprenait pas ce qu'il s'était passé, puis elle m'a dit ce dont elle était convaincue : mes enfants s'en sortiraient. À cet instant-là, rien n'aurait pu me réconforter. Mais je savais que Mindy était une femme heureuse et aimante, et l'avoir vue surmonter une telle épreuve m'a aidée à croire que ma fille et mon fils le pouvaient eux aussi.

Après le vol retour – dont je me souviens à peine – ma mère et ma sœur sont venues me chercher à l'aéroport. En larmes, elles m'ont soutenue, littéralement, jusqu'à la voiture. Même dans mes pires cauchemars, je n'avais jamais envisagé la conversation que j'étais sur le point d'avoir. Comment annoncer à des enfants de sept et dix ans qu'ils ne reverraient jamais leur père ?

Dans l'avion, Marne m'avait rappelé que Carole Geithner, une de nos amies proches, travaillait comme assistante sociale avec des enfants qui vivaient un deuil. Je l'ai appelée durant l'insoutenable trajet en voiture pour rentrer à la maison. Elle m'a suggéré de commencer par annoncer à mes enfants que j'avais une mauvaise nouvelle puis de leur dire ce qui s'était passé, simplement et sans détour. Elle m'a dit qu'il était important de les rassurer, en leur expliquant que leur vie ne changerait pas entièrement : ils avaient une famille et iraient toujours à l'école avec leurs amis. Je devais les écouter et répondre à leurs questions. Elle m'a également prévenue qu'ils me demanderaient probablement si j'allais mourir, moi aussi. J'étais reconnaissante qu'elle m'ait préparée à tout ça parce que ce fut en effet l'une des premières questions que ma fille m'a posées. Carole m'a conseillé de ne pas leur faire de fausse promesse, en prétendant que j'allais vivre éternellement, mais plutôt de leur expliquer qu'il était très rare que quelqu'un meure aussi jeune. Et elle a insisté pour que je leur répète que je les aimais et que nous traverserions tout ça ensemble.

Quand je suis arrivée à la maison, ma fille m'a accueillie comme si de rien n'était. « Salut, maman », a-t-elle dit avant de monter dans sa chambre. J'étais figée sur place. Mon fils a immédiatement compris que quelque chose n'allait pas. « Qu'est-ce que tu fais à la maison ? a-t-il demandé. Et où est Papa ? » Nous sommes allés nous asseoir dans le salon, avec mes parents et ma sœur. Mon cœur battait si fort que j'avais du mal à entendre ma propre voix. Mon père m'entourait avec force, son bras sur mes épaules, essayant de me protéger, comme il l'a toujours fait, et j'ai trouvé le courage de prendre la parole : « J'ai une horrible nouvelle à vous annoncer. Horrible. Papa est mort. »

Les hurlements et les pleurs qui ont suivi me hantent encore aujourd'hui – des cris primitifs, qui faisaient écho à ceux qui résonnaient dans mon cœur. Rien ne pourra jamais surpasser la douleur que j'ai ressentie à cet instant. Aujourd'hui encore, je tremble, et ma gorge se serre dès que j'y repense. Mais aussi terrible que cela ait été, nous nous en sommes sortis. Je ne souhaite à personne de pouvoir prendre ainsi du recul – mais c'est du recul.

Même s'ils ont souffert d'une perte irréparable, mes enfants ont de la chance. Rien ne ramènera leur père, mais notre mode de vie a certainement permis d'atténuer le choc. Beaucoup d'enfants frappés par la tragédie n'ont pas cette chance. En Hollande, un enfant sur seize vit en dessous du seuil de pauvreté ; ce taux est d'un sur douze en Allemagne, un sur onze en France et un sur cinq au Royaume-Uni. Au sein des communautés noires et latinos des États-Unis, il est d'un sur trois. 43 % des enfants qui vivent avec leur mère seule vivent dans la pauvreté. Plus de deux millions et demi d'enfants américains ont un parent en prison. Beaucoup d'entre eux sont victimes de maladies, de négligence, d'abus, ou sont sans abri. Ces ravages et privations extrêmes freinent leur développement intellectuel, social, émotionnel et scolaire.

Il est de notre devoir d'apporter aux enfants la sécurité, le soutien, et les opportunités qu'ils méritent, ainsi que de les aider à trouver leur voie, notamment dans les situations les plus difficiles. Il est primordial d'intervenir tôt et sur tous les plans. Certaines écoles sont spécialisées dans la gestion des traumatismes. C'est notamment le cas de l'école primaire d'East Palo Alto, dont le personnel est formé à reconnaître les effets toxiques que le stress peut avoir sur les enfants. Quand un enfant se comporte mal, plutôt que de le réprimander, de l'humilier ou de le punir sévèrement, on le met en confiance, afin qu'il puisse apprendre. Ces écoles offrent également un soutien psychologique à leurs élèves, notamment en cas de crise, et des stages de formation pour leurs parents.

Une éducation de qualité dès la maternelle améliore le développement cognitif des enfants, et les soutenir dès le plus jeune âge peut les aider de manière significative. Le Nurse-Family Partnership, un programme qui veille à la santé des femmes enceintes et des jeunes enfants, a mené des études à travers tout le pays montrant combien il était important d'investir dans le présent et l'avenir de nos enfants. En suivant à domicile des familles issues de milieux défavorisés, et en les accompagnant du début de la grossesse jusqu'au deuxième anniversaire de l'enfant, les cas d'abus et de négligence diminuent de 79 % dans les quinze années qui suivent. Les enfants qui ont été suivis sont, à l'âge de quinze ans, deux fois moins arrêtés par la police que les autres, et leur mère cesse de percevoir une aide financière trente mois plus tôt que les autres.

Ce genre de programme aide les familles à développer leur résilience. Outre le fait d'être le choix moral approprié, il est sensé sur le plan économique : chaque dollar investi dans ces visites de suivi permet d'en économiser 5,70 par la suite.

Nous voulons tous élever des enfants résilients afin qu'ils aient les moyens de surmonter les épreuves de la vie, petites ou grandes. La résilience procure le bonheur, le succès, et la santé. Comme Adam me l'a appris – et comme le savait instinctivement le père de Tim –, ce n'est pas un trait de caractère déterminé. La résilience, c'est le travail d'une vie.

La résilience d'un enfant dépend des opportunités qui s'offrent à lui, mais aussi de la relation qu'il entretient avec ses parents, ceux qui s'occupent de lui, ses enseignants et ses amis. Nous pouvons commencer en l'aidant à cultiver quatre convictions fondamentales : 1. il a, dans une certaine mesure, le contrôle de sa vie ; 2. il peut apprendre de ses erreurs ; 3. il compte en tant qu'être humain ; 4. il a en lui des forces qu'il peut mobiliser et qu'il peut partager.

Ces quatre convictions ont un impact réel. Une étude s'est penchée sur le cas de centaines d'enfants « à risques » sur trois décennies. Tous avaient grandi soit dans un contexte d'extrême pauvreté, soit avec des parents alcooliques ou souffrant de maladies mentales. Parmi eux, deux sur trois ont eu des problèmes sérieux dès l'adolescence ou à l'âge adulte. Mais malgré ces terribles épreuves, un tiers de ces enfants sont devenus des « adultes compétents, épanouis et investis », sans casier judiciaire et ne présentant aucun signe de maladie mentale. Ces enfants résilients avaient quelque chose en commun : ils avaient tous le sentiment d'être maîtres de leur vie. Ils étaient convaincus de contrôler leur destin et n'envisageaient pas les événements négatifs comme des menaces mais comme des défis à relever, voire des opportunités à saisir. Il en va de même pour les enfants issus de milieux moins difficiles : les plus résilients sont ceux qui sont conscients de leur capacité à construire leur vie. En leur donnant une vision claire et précise de ce qu'ils attendent d'eux, leurs parents créent un environnement structuré et défini qui favorise leur sentiment de contrôle.

Kathy Andersen m'a montré à quel point celui-ci pouvait être puissant. J'ai rencontré Kathy par le biais du travail héroïque qu'elle effectue auprès d'adolescentes de Miami victimes d'abus et d'esclavage sexuels. Elle a créé le programme Change Your Shoes pour aider ces jeunes femmes à comprendre que les traumatismes qu'elles ont pu subir par le passé ne déterminent pas leur futur. « Elles ont l'impression que leur choix est limité. Comme moi, la plupart d'entre elles ont été victimes d'abus sexuels et ces abus vous donnent le sentiment de n'avoir aucun contrôle sur votre vie. Mon objectif est de leur montrer qu'elles peuvent se débarrasser de leurs chaussures – se débarrasser de tout ce qui les retient. Tous les jours, elles peuvent faire un petit pas en direction d'une vie meilleure. J'essaie de les encourager à enfiler les chaussures dans lesquelles elles aimeraient marcher et à se rendre compte qu'elles ont encore des choix à faire. »

Au cours de l'une des réunions organisées par Kathy dans un centre d'accueil, j'ai fait la connaissance de Johanacheka « Jay » François, une mère de quinze ans qui tenait son nouveau-né dans ses bras. Jay a décrit l'horreur de ce qu'elle avait enduré : victime d'abus chez elle, elle s'est enfuie et est devenue la victime d'un réseau de trafic sexuel. En réaction à ce témoignage, Kathy a, à son tour, raconté son histoire – le viol par son père adoptif, sa fugue et sa tentative de suicide. Elle a expliqué aux filles qu'elle avait repris le contrôle de sa vie le jour où elle s'était rendu compte que sa seule issue était de poursuivre ses études.

Elle leur a demandé de lui faire part de leurs rêves. L'une d'entre elles a dit qu'elle voulait devenir artiste. Une autre, qu'elle voulait devenir avocate pour aider les filles comme elle. Une troisième voulait monter une association pour héberger les adolescentes dans le besoin. Jay a raconté que son rêve, c'était d'être une bonne mère. Kathy leur a demandé d'écrire ce qu'elles pensaient devoir faire pour atteindre leurs rêves. Toutes ont écrit la même chose : elles devaient finir leurs études. Ensuite, Kathy leur a demandé ce qu'elles devaient faire aujourd'hui – et demain, et après-demain – pour atteindre leur but. Deux d'entre elles ont affirmé : « améliorer mes notes » et « trouver un lycée où m'inscrire ». Jay, quant à elle, s'est engagée « à étudier ». Depuis, elle a défié toutes les probabilités : elle a obtenu son baccalauréat et est entrée à l'université. « Aujourd'hui, j'ai l'impression que mon avenir est entre mes mains. Tout ça, c'est parce que je veux être une bonne mère et assurer un bel avenir à ma fille. »

La deuxième conviction qui améliore la résilience des enfants, c'est qu'ils peuvent apprendre de leurs erreurs. La psychologue Carol Dweck a prouvé que les enfants traversaient plus facilement une épreuve en ayant une « mentalité de croissance » plutôt qu'une mentalité figée. Une mentalité figée signifie que l'on considère nos capacités comme innées : « Je suis un génie en maths, mais je n'ai aucune fibre artistique. » À l'inverse, une mentalité de croissance nous fait envisager nos capacités comme des compétences que l'on peut acquérir et développer. Nous pouvons travailler pour nous améliorer. « Je ne suis peut-être pas un acteur né, mais si je répète suffisamment je pourrai briller sur scène. »

Cela est rendu possible en partie grâce aux compliments qu'un enfant reçoit de la part de ses parents et de ses professeurs. Après un contrôle, l'équipe de Dweck a fait des compliments aux enfants de manière totalement aléatoire. Ceux à qui on a dit qu'ils étaient intelligents ont eu de moins bons résultats aux contrôles suivants, parce qu'ils considéraient leur intelligence comme un attribut figé. Dès lors, si une question posait problème à ces « intelligents », ceux-ci décidaient qu'ils n'avaient simplement pas les connaissances suffisantes pour y répondre. Quand on leur soumettait un contrôle plus difficile, ils préféraient renoncer plutôt que de s'efforcer à le terminer. Quant aux autres, ceux qu'on a félicités parce qu'ils avaient fait de leur mieux, ils ont davantage étudié en vue du contrôle difficile et se sont efforcés de répondre à toutes les questions.

Dweck et ses collaborateurs ont démontré qu'une mentalité de croissance pouvait être enseignée relativement vite et avoir des effets remarquables. Après qu'on a demandé à des élèves sur le point d'abandonner le lycée de faire un exercice en ligne, en insistant sur le fait que tout le monde pouvait développer ses capacités intellectuelles, leurs résultats scolaires se sont améliorés. En donnant ce même exercice à des étudiants de première année à l'université, le jour de la rentrée, le risque d'abandon parmi les Noirs, les Latinos et ceux qui étaient les premiers de leurs familles à poursuivre des études secondaires a diminué de 46 %. Leurs difficultés scolaires devenaient moins personnelles et permanentes, et leurs chances de terminer leurs études étaient désormais les mêmes que celles d'étudiants d'autres milieux. Lié à une éducation de qualité et à un soutien sur le long terme, ce genre de programme peut avoir un impact durable.

De nos jours, la nécessité d'aider les enfants à développer une mentalité de croissance est une idée largement répandue mais peu mise en pratique. Il y a un fossé entre savoir et faire : de nombreux parents et enseignants comprennent ce concept mais ne réussissent pas toujours à l'appliquer. Malgré tous mes efforts, cela m'arrive à moi aussi. Quand ma fille a une bonne note, je me surprends encore à lui dire parfois : « Bravo » plutôt que : « Je suis contente que tu aies si bien travaillé. » Dans son livre *How to Raise an Adult*[1], Julie Lythcott-Haims, l'ancienne doyenne de l'université de Stanford, conseille aux parents d'expliquer à leurs enfants que les difficultés contribuent à les faire grandir. Elle appelle cela « normaliser l'effort ». Quand un parent considère l'échec comme une occasion d'apprendre plus que comme un moment embarrassant à éviter, l'enfant a plus de chances de relever des défis. Si un enfant a des difficultés en mathématiques, plutôt que de lui dire : « Les maths, ce n'est pas ton fort », il vaut mieux affirmer : « Si tu souffres en faisant des maths, c'est parce que ton cerveau grossit. »

La troisième conviction qui favorise la résilience des enfants, c'est de savoir qu'ils comptent – que les autres les remarquent, qu'ils se soucient de leur bien-être et ont besoin d'eux. La plupart des parents communiquent naturellement ces sentiments. Ils sont à l'écoute, montrent à leurs enfants que leur opinion a de l'importance, et les aident à créer des liens forts et durables avec les autres. Une étude menée sur plus de deux mille adolescents entre onze et dix-huit ans, dont un grand nombre avait traversé des épreuves difficiles, a montré que ceux qui étaient convaincus d'être importants pour les autres

---

1. « Comment élever un adulte ».

avaient moins de risques de souffrir de dépression, d'avoir une faible estime d'eux-mêmes ou des tendances suicidaires.

Se sentir valorisé est souvent bien difficile pour ceux qui appartiennent à des communautés stigmatisées. Les jeunes LGBTQ sont souvent harcelés et brutalisés, et beaucoup d'entre eux ne sont pas soutenus comme ils devraient l'être, à l'école ou au sein de leur foyer. Les jeunes homosexuels ou bisexuels ont quatre fois plus de risques de faire une tentative de suicide que leurs camarades, et un quart des jeunes trans-genres affirment être passés à l'acte. Le Trevor Project donne aux adolescents LGBTQ accès à une ligne d'entraide, 24 heures sur 24, par téléphone et SMS. Mat Herman, l'un des bénévoles qualifiés, souligne que le simple fait de savoir que quelqu'un se fait du souci pour vous – même s'il s'agit d'un inconnu – est une véritable bouée de sauvetage. « Nous recevons des appels d'adolescents de quatorze ans qui ont peur et simplement besoin de savoir qu'il y a quelqu'un pour les écouter, qu'ils ne sont pas seuls. C'est un cliché, mais c'est la réalité. » Durant les quatre ans où Mat a travaillé au standard, il est souvent arrivé que la personne au bout du fil raccroche avant même d'avoir dit un mot. À l'instar de l'expérience où les gens savaient qu'ils pouvaient faire cesser un bruit intempestif en appuyant sur un bouton, quand les jeunes appelaient et raccrochaient, c'était comme vérifier que le bouton fonctionnait. Avec le temps, la voix réconfortante qui décrochait leur donnait le courage d'entamer la conversation. « Nous avons énormément de correspondants réguliers – à force, ils vous considèrent comme un ami. »

Les enfants ont souvent besoin qu'un adulte souligne leur valeur. Un ami de mon fils souffrait de crises d'angoisse et de dépression depuis son plus jeune âge. Un jour, en colonie, il a fabriqué un robot. Le lendemain matin, il s'est rendu compte que certains de ses camarades malintentionnés l'avaient détruit. « Tu sers à rien », lui a lancé l'un d'entre eux. Le message était clair : son travail n'avait aucune importance, tout comme lui. À l'école, il refusait de jouer au base-ball ou avec les autres car il avait l'impression qu'ils se moquaient de lui. « Il enfilait sa capuche et s'asseyait au fond de la classe, plongé dans son monde », m'a raconté sa mère.

Mais tout a changé quand l'une de ses anciennes institutrices a décidé de passer un peu de temps avec lui, toutes les semaines. Elle l'a encouragé à aller vers les autres enfants et à se faire des amis et, petit à petit, il y a eu quelques progrès. Elle lui a donné des conseils concrets : rejoindre un groupe d'enfants qui jouaient pendant l'heure du déjeuner, envoyer des e-mails à ses camarades pour les inviter chez lui ou à aller voir un film. L'institutrice a ensuite pris régulièrement de ses nouvelles, soutenant chacune de ces initiatives. Elle lui a laissé le contrôle de la situation, tout en lui montrant clairement qu'elle était là pour l'épauler. Elle était investie, il comptait à ses yeux. Quand un nouvel élève est arrivé dans leur école, elle a encouragé les deux garçons à passer du temps ensemble, et ils se sont liés d'amitié en jouant aux cartes.

« À la maison, c'était comme si le soleil avait enfin percé derrière les nuages, m'a raconté sa mère. Il n'existe pas de solution simple. Je suis heureuse que nous ayons trouvé une combinaison de choses qui l'ont aidé, y compris un traitement. Mais ce qui a vraiment fait la différence, c'est que son enseignante se soit intéressée à lui et qu'il se soit fait un véritable ami. » Compter aux yeux de quelqu'un a pu compenser l'effet néfaste des brutalités et de l'angoisse qu'il ressentait.

Au Danemark, apprendre sa valeur fait partie intégrante du programme scolaire. Chaque semaine, durant une heure qu'on appelle « *Klassen Time* », les élèves se réunissent pour discuter de leurs problèmes et savoir comment s'entraider. Les petits Danois participent à ces réunions hebdomadaires du CP à la terminale. Et la cerise sur le gâteau, c'est qu'un élève apporte... un gâteau. Quand les enfants exposent leurs problèmes, ils se sentent écoutés, et quand leurs camarades demandent des conseils, ils ont l'impression de pouvoir les aider. Entendre le point de vue des autres et réfléchir à la façon dont ils peuvent les soutenir leur permet de développer de l'empathie. On leur apprend à se demander : « Comment se sentent les autres ? Et quel est l'impact de mes actes sur eux ? »

La quatrième conviction des enfants résilients, c'est qu'ils ont en eux une force qu'ils peuvent mobiliser et dont ils peuvent faire profiter les autres. Dans certains des endroits les plus pauvres de l'Inde, un programme de résilience appelé Girls First a amélioré la santé physique et mentale d'un grand nombre d'adolescentes. Girls First a été lancé en 2009, dans l'État du Bihar, où 95 % des femmes suivent une scolarité pendant moins de douze ans et où presque 70 % des filles tombent enceintes avant l'âge de dix-huit ans. Le programme leur montre comment identifier et cultiver leurs différentes forces de caractère : du courage à la créativité en passant par le sens de la justice, la bonté, l'humilité et la gratitude. Les adolescentes qui y ont participé, ne serait-ce qu'une heure par semaine pendant six mois, ont amélioré leur capacité de résilience émotionnelle. Lors d'une réunion, une élève de CE2 du nom de Ritu a découvert que le courage était l'une de ses qualités principales. Peu de temps après, elle est intervenue pour qu'un garçon arrête de harceler ses amies et, quand son père a voulu marier sa sœur qui était en CM1, Ritu l'a convaincu d'attendre.

Steve Leventhal, le directeur de Girls First, est sorti indemne d'un grave accident de voiture alors que son épouse était enceinte de leur premier enfant. « J'ai vécu une de ces expériences aux frontières de la mort dont on entend parfois parler, nous a-t-il raconté. Je me suis rendu compte que je pouvais mourir avant même que ma fille vienne au monde et cela m'a profondément changé. » Après la naissance de sa fille, Steve a été si reconnaissant qu'il a voulu aider d'autres enfants. Il a donc pris la direction de CorStone, une association dont la mission est de développer des programmes comme Girls First. La première année, il s'était fixé comme objectif de venir en aide à une centaine de petites Indiennes. Six ans plus tard, le programme en a aidé 50 000. « Notre travail est de créer une étincelle. Les filles affirment souvent que personne, jusqu'alors, ne leur avait dit qu'elles avaient de la force. »

Aider les enfants à identifier leurs ressources est fondamental après un événement traumatique. Kayvon Asemani, l'un des étudiants d'Adam à l'université de Wharton, avait neuf ans quand son père a violemment agressé sa mère, qui est tombée dans un état de mort cérébrale. De façon remarquable, Kayvon s'est accroché. « Même si j'ai perdu ma mère, je n'ai jamais perdu la foi qu'elle avait en moi. » Elle avait su montrer à son fils qu'il comptait. Le père d'un ami de Kayvon a renforcé cette conviction en l'aidant à s'inscrire dans une école qui a changé sa vie. La mission de la Milton Hershey School est de donner aux enfants la meilleure éducation possible, quelle que soit leur situation financière. Là-bas, Kayvon a appris auprès d'enseignants de qualité. En outre, il pouvait désormais envisager de suivre des études après le lycée : l'école s'engageait à payer tous les frais de scolarité universitaire qu'une bourse n'aurait pas couverts.

Les professeurs de Kayvon l'ont aidé à reconnaître et à cultiver ses talents. L'un d'entre eux l'a encouragé à apprendre à jouer du trombone. La musique est devenue son salut, et lui a donné l'espoir de pouvoir mener une existence dont sa mère aurait été fière. Au collège, Kayvon était considéré comme l'un des meilleurs joueurs de trombone de la région. Mais en arrivant au lycée, il a été régulièrement brutalisé. Il était l'un des plus petits garçons de sa classe, ce qui faisait de lui une cible facile. Des garçons plus âgés le passaient à tabac, se moquaient de lui quand ils le croisaient dans les couloirs et lançaient des rumeurs à son sujet. Un jour, il a pris le micro pour rapper avant un match et ils l'ont humilié publiquement jusqu'à ce qu'il quitte la scène.

En arrivant en classe de première, Kayvon a trouvé la force de se défendre et de défendre ceux qui venaient d'entrer en seconde. Il a soutenu ceux qui, comme lui, étaient victimes de harcèlement. Il leur a fait écouter ses morceaux de rap. À son entrée en terminale, la plupart des élèves connaissaient ses chansons par cœur. Il a été élu président de l'association étudiante du lycée et est sorti major de sa promotion. « La musique m'a davantage appris à rebondir après une épreuve que n'importe quoi d'autre au monde, nous a-t-il expliqué. Qu'il s'agisse du drame qui a déchiré ma famille, des brutalités à l'école, ou de quelque chose d'aussi insignifiant qu'une peine de cœur de lycée, elle m'a permis de recentrer mon énergie sur quelque chose de positif. La musique atténue l'obscurité. »

Tout comme leurs élèves, les enseignants peuvent eux aussi bénéficier d'une mentalité de croissance. Depuis les années 1960, des chercheurs ont démontré que, quand on affirmait à des enseignants que certains de leurs élèves de groupes stigmatisés avaient un véritable potentiel, ceux-ci se mettaient à les traiter différemment. Ils les aidaient à apprendre de leurs erreurs. Ils mettaient la barre un peu plus haut, leur accordaient une attention particulière, et les encourageaient à développer leurs atouts. Ce qui aidait leurs élèves à avoir confiance en eux, à travailler plus dur et à obtenir de meilleures notes.

Avec le soutien adéquat, ces convictions engendrent l'action ; c'est ce qu'on appelle l'effet Pygmalion. Être convaincu que l'on peut apprendre de ses échecs nous rend moins agressifs et plus ouverts. Croire que l'on est important nous encourage à passer plus de temps avec les autres, ce qui nous donne l'impression d'être plus important. Croire que l'on a de la force nous permet de saisir les occasions de nous en servir. Mais si l'on croit être un sorcier qui peut traverser le continuum espace-temps, c'est qu'on est peut-être allé trop loin.

Ces convictions aidant à développer la résilience sont encore plus fondamentales quand un enfant doit faire face à une épreuve. Plus de 1,8 million d'enfants américains ont perdu l'un de leurs parents. Une enquête nationale montre que près des trois quarts d'entre eux ont affirmé que leur vie aurait été « bien meilleure » si ce parent était toujours là. Quand on leur a demandé s'ils accepteraient d'échanger un an de leur vie pour passer une seule journée avec leur mère ou leur père décédé, plus de la moitié d'entre eux ont répondu oui.

À la maison, nous connaissons bien ce sentiment. Après la mort de leur père, mes enfants avaient le cœur brisé. J'avais le cœur brisé – et j'avais le cœur brisé à l'idée que le leur le soit. Mais même durant ces heures sombres où mes enfants ont compris que leur vie avait changé pour toujours, il y a eu quelques étincelles d'espoir. À un moment, mon fils s'est arrêté de pleurer pour me remercier d'être rentrée à la maison, et il a également remercié ma sœur et mes parents d'être venus. *Incroyable.* Plus tard ce soir-là, alors que je bordais ma fille, celle-ci m'a dit : « Je ne suis pas seulement triste pour nous, maman. Je suis triste pour grand-mère Paula et oncle

Rob, parce qu'ils l'ont perdu eux aussi. » *Incroyable*. Je me suis souvenu que le soir où la mère de Mindy est morte, quand elle m'avait demandé de venir dormir chez elle, elle s'était ensuite inquiétée à l'idée que le reste de nos amies se sente exclu. Même dans le pire moment de leur vie, mes enfants – tout comme Mindy – ont eu la capacité de penser aux autres. Et cela m'a redonné espoir.

Quelques jours plus tard, mes enfants et moi nous sommes installés à table avec une grande feuille de papier et des feutres. Nous avions pour habitude d'accrocher des mots et leur emploi du temps sur les casiers dans lesquels ils rangeaient leurs cartables. Carole m'avait expliqué qu'il était crucial de donner un sentiment de stabilité à mes enfants, parce que leur vie venait d'être complètement chamboulée. Je me suis dit qu'il pouvait être utile de créer des nouvelles « règles de famille » que l'on pourrait afficher, pour nous rappeler comment s'en sortir si nécessaire. Nous nous sommes donc assis pour les rédiger tous ensemble.

! Family   Rules !

① Respect our feelings
- Sad moments / break
- it's ok to be jealous
- it's ok to be angry
- it's ok to be happy
- it's ok to laugh
- it's ok to ask for help
- Don't blame yourself
- we did not deserve this
- I'd rather not talk about it now.

② Sleep
- go to bed on time
- rest in bed
- medation
- no ipad before 7
- don't worri if you can't fall asleep
- ask for help

③ Forgiveness
- dobble sorry
- mirrowing
- forgive yourself
- forgive others
- ask for help

④ Teamwork
- There's no I in team
- we get though this together
- ask for help
- ask any question
- say anything

RÈGLES DE FAMILLE !

1. **RESPECTER NOS SENTIMENTS**
   – *si on est triste, on fait une pause*
   – *on a le droit d'être jaloux*
   – *on a le droit d'être en colère*
   – *on a le droit d'être heureux*
   – *on a le droit de rire*
   – *on a le droit de demander de l'aide*
   – *ce n'est pas notre faute*
   – *nous n'avons pas mérité ce qui s'est passé*
   – *je n'ai pas envie d'en parler pour le moment*

2. **LE SOMMEIL**
   – *se coucher à l'heure*
   – *se reposer dans son lit*
   – *méditatation*
   – *pas d'iPad avant 7h*
   – *c'est pas grave si on n'arrive pas à dormir*
   – *demander de l'aide*

3. **PARDONNER**
   – *doubble pardon*
   – *technique du miroir*
   – *se pardonner à soi-même*
   – *pardonner aux autres*
   – *demander de l'aide*

4. **TRAVAIL D'ÉQUIPE**
   – *on la joue pas solo*
   – *nous traversons tout ça ensemble*
   – *demander de l'aide*
   – *poser toutes les questions qu'on veut*
   – *dire tout ce qu'on veut*

Je voulais qu'ils comprennent qu'ils devaient respecter leurs émotions plutôt que d'essayer de les réprimer. Nous avons écrit qu'on avait le droit d'être triste et qu'on pouvait prendre une pause, peu importe ce qu'on était en train de faire, pour pleurer. Qu'on avait le droit d'être en colère et jaloux de ses amis ou de ses cousins qui, eux, avaient encore leur papa. Qu'on avait le droit de ne pas avoir envie d'en parler pour l'instant. Nous avons également noté qu'ils n'avaient rien fait pour mériter ça. Je voulais m'assurer que la culpabilité ne viendrait entraver aucun des instants où mes enfants oublieraient leur chagrin, alors nous avons ajouté qu'on avait le droit d'être heureux et de rire.

Les gens s'émerveillent souvent de voir combien les enfants peuvent se montrer résilients. Il y a une explication neurologique à cela : la plasticité cérébrale des enfants est plus importante que chez les adultes, ce qui permet à leur cerveau de mieux s'adapter en cas de stress. J'ai appris de Carole que les enfants n'avaient pas la capacité de gérer autant d'émotions intenses à la fois que les adultes. Leur « espace émotionnel » est plus restreint, leur chagrin arrive par petits sursauts plutôt qu'en continu. Il leur arrive également d'exprimer leur tristesse à travers des changements de comportement, ou de centres d'intérêt, plutôt qu'avec des mots. Carole m'avait prévenue : mes enfants sombraient dans le chagrin aussi vite qu'ils en ressortaient. Ils pleuraient une seconde et couraient jouer celle d'après.

Je me suis rendu compte que le sommeil serait une des clés de notre rétablissement. Lorsque j'étais enfant, mes parents insistaient constamment sur l'importance du sommeil, une activité que je trouvais personnellement *pas marrante du tout*. En devenant mère à mon tour, j'ai compris combien ils avaient raison. La fatigue nous affaiblit, physiquement et mentalement, elle nous rend plus irritables et nous empêche d'éprouver de la joie. En période difficile, le sommeil est encore plus crucial, car nous avons besoin de réunir toutes nos forces. J'ai donc fait en sorte de modifier le moins possible l'heure du coucher de mes enfants. Quand ils avaient du mal à s'endormir, je leur ai appris à inspirer et expirer six fois profondément, comme ma mère me l'avait appris.

Comme nous étions tous à fleur de peau, je savais que nous allions commettre des erreurs ; le pardon est donc devenu central au sein de la famille. L'année d'avant, ma fille et moi avions participé à un atelier appelé Girls Leadership où nous avions découvert le « double pardon immédiat » : quand deux personnes se disputent, elles s'excusent aussitôt afin de pardonner, à l'autre comme à soi. Étant donné que nous éprouvions un profond chagrin et que nous étions en colère, nous nous énervions facilement. Nous avons donc souvent fait appel au double pardon. Quand nous perdions le contrôle de nos émotions, nous nous excusions aussitôt. Puis nous mettions en pratique une technique dite de miroir : la première personne expliquait ce qui l'avait contrariée, la seconde le répétait puis s'excusait. Nous voulions ainsi montrer que les sentiments de l'autre comptaient. Un jour, ma fille a crié : « Je suis en colère parce que vous avez tous les deux vécu plus d'années avec papa que moi. » Mon fils et moi avons reconnu que c'était injuste.

J'ai essayé d'aider mes enfants à faire preuve de bonté envers eux-mêmes, à ne pas s'en vouloir d'être en colère, jaloux des autres enfants, voire de moi qui avais encore mon père à mes côtés. J'ai compris que leur enseigner l'autocompassion pouvait cultiver leur mentalité de croissance. Quand ils ne ressassaient pas leur chagrin de la veille, ils pouvaient aborder chaque journée comme un jour nouveau. Nous nous sommes promis de faire ça, comme tout le reste, en équipe.

Cela ne s'est pas toujours passé comme prévu. Bien avant la mort de Dave, j'avais compris qu'être parent était la plus grande leçon d'humilité qui soit – et je réapprenais désormais cette leçon, seule. Mes enfants et moi bataillions avec nos émotions, la moindre décision devenait compliquée. Dave et moi nous étions toujours montrés stricts en ce qui concernait l'heure du coucher – mais comment coucher un enfant à l'heure alors qu'il pleure la mort de son père ? Quand des petits riens tournent aux grandes disputes, devons-nous conserver les principes stricts établis ou devons-nous ignorer leur colère puisque nous la ressentons nous aussi ? Et si nous fermons les yeux, nos enfants vont-ils se comporter de la même façon avec leurs amis, qui eux ne sont pas assez grands pour comprendre et pardonner ? J'ai longuement hésité sur ces questions et j'ai commis beaucoup d'erreurs. Beaucoup.

Une fois encore, j'ai pu compter sur le soutien de mes amis et de ma famille. Ma mère et son amie Merle m'ont aidée à prendre les bonnes décisions en me donnant des conseils – dire les choses une fois, rester calme. Mais j'avais beau prévoir avec précaution comment j'allais gérer une situation, il m'arrivait d'échouer. Un jour, ma fille a refusé de quitter la maison pour aller se balader avec Marne, Phil, Mark et Priscilla. Tandis que tout le monde attendait dehors, j'ai essayé de la convaincre qu'elle allait s'amuser, mais elle n'a pas bougé d'un pouce. Littéralement. Elle s'est assise par terre, et impossible de la faire changer d'avis. J'étais « méga frustrée » – c'est le terme clinique consacré, il me semble. Phil est venu voir où nous en étions et nous a trouvées toutes les deux assises par terre, en train de pleurer. Avec humour, il a persuadé ma fille de se lever et de rejoindre les autres. Priscilla m'a convaincue d'en faire autant. Quelques minutes plus tard, après un « double pardon », ma fille courait le long d'un chemin de randonnée, tout sourires.

Les règles de famille sont toujours accrochées au-dessus du casier des enfants. Mais je ne me suis rendu compte que récemment que « demander de l'aide » était inscrit dans les quatre catégories. Je comprends désormais que c'est le cœur de la résilience. Si les enfants se sentent suffisamment en confiance pour demander de l'aide, c'est qu'ils savent qu'ils sont importants aux yeux des autres, qui se préoccupent d'eux et sont là en cas de besoin. Ils comprennent qu'ils ne sont pas seuls et que demander de l'aide peut leur permettre de retrouver une forme de contrôle. Ils se rendent compte que la douleur n'est pas permanente : la situation peut s'améliorer. Carole m'a fait comprendre que, même quand je me sentais désemparée parce que je ne pouvais ni soulager ni mettre fin au chagrin de mes enfants, il me suffisait de marcher à côté d'eux et de les écouter pour les aider. C'est ce qu'elle appelle le « compagnonnage ».

J'avais du mal à gérer mes émotions mais je me demandais dans quelle mesure je pouvais me permettre d'être triste devant mes enfants. Les premiers mois, nous pleurions constamment. Un jour, mon fils m'a dit que ça lui faisait de la peine de me voir pleurer, j'ai donc commencé à retenir mes larmes et je courais m'enfermer dans ma chambre dès que je les sentais monter. Mais quelques jours plus tard, mon fils m'a demandé, très en colère : « Pourquoi papa ne te manque plus ? » En l'épargnant, j'avais cessé de donner l'exemple qui me tenait à cœur. Je me suis excusée d'avoir caché mes émotions et les ai de nouveau partagées.

Je n'ai jamais cessé de parler de Dave depuis le jour de sa mort. Ça n'a pas toujours été facile, et j'ai vu certains adultes tressaillir, comme si c'était trop douloureux pour eux. Mais je mets un point d'honneur à honorer sa mémoire, et parler de lui, c'est une façon de le garder près de nous. Nos enfants étaient si jeunes quand ils l'ont perdu… je me suis rendu compte que les souvenirs qu'ils avaient de lui risquaient de s'effacer avec le temps. Cela m'a brisé le cœur. C'est donc à moi de m'assurer qu'ils le gardent en mémoire.

Une amie qui a perdu son père à l'âge de six ans m'a expliqué qu'elle avait passé sa vie d'adulte à essayer de découvrir qui il était vraiment. J'ai donc demandé à des dizaines de proches de

Dave, sa famille, ses amis et ses collègues, d'enregistrer leurs souvenirs sur une vidéo. Ma fille et mon fils n'auront plus jamais de conversation avec leur père mais, un jour, quand ils seront prêts, ils apprendront à mieux le connaître à travers les gens qui l'aimaient. J'ai également filmé mes enfants en train de raconter leurs propres anecdotes. En grandissant, ils sauront ainsi, parmi tous ces souvenirs, lesquels leur appartiennent. L'année dernière, le jour de Thanksgiving, ma fille semblait très contrariée, et quand j'ai réussi à la faire parler, elle m'a dit : « Je suis en train d'oublier papa, parce que ça fait tellement longtemps que je ne l'ai pas vu. » Je lui ai alors montré une vidéo d'elle en train de parler de lui et ça l'a soulagée.

Quand les enfants grandissent avec l'histoire de leur famille précisément en tête – où sont nés leurs grands-parents, comment s'est passée l'enfance de leurs parents… –, ils ont une meilleure capacité d'adaptation et un sentiment d'appartenance plus fort. Parler ouvertement, de souvenirs joyeux comme douloureux, favorise la résilience. Se remémorer que la famille est restée unie dans les bons et les mauvais moments est un outil efficace car cela permet aux enfants de se sentir connectés à quelque chose de plus grand qu'eux. Tout comme tenir un journal peut aider les adultes, ces conversations permettent aux enfants de donner un sens à leur passé et les encouragent à relever de nouveaux défis. Donner l'occasion à chacun des membres de la famille de raconter son histoire renforce l'estime de soi, particulièrement pour les filles. Et s'assurer qu'on n'oublie aucune facette d'une histoire renforce l'impression de contrôle, particulièrement chez les garçons.

Un ami qui a perdu sa mère quand il était jeune m'a dit avoir eu l'impression, avec le temps, qu'elle n'avait jamais existé. Les gens avaient peur de mentionner son nom, ou faisaient d'elle un portrait idéalisé. J'ai essayé de m'accrocher à la personne que Dave était vraiment : un homme aimant, généreux, brillant, drôle et, soyons francs, assez maladroit. Il renversait constamment toutes sortes de choses et s'en étonnait toujours. Désormais, quand l'émotion nous gagne mais que mon fils, lui, reste calme, je lui fais remarquer : « Tu es comme ton papa. » Quand ma fille me raconte avoir défendu un de ses camarades qu'on embêtait, je m'exclame : « Le portrait craché de ton papa. » Et je leur dis la même chose quand l'un d'eux renverse un verre.

Souvent, les parents craignent que ce genre de conversation fasse de la peine à leurs enfants, mais des études sur la nostalgie suggèrent le contraire. « Nostalgie » vient du grec *nostos* et *algos*, qui signifient respectivement « retour » et « douleur ». La nostalgie est donc, littéralement, la douleur que nous éprouvons quand nous voulons qu'une chose passée nous revienne. Pourtant, les psychologues affirment que c'est un état d'esprit assez positif. Quand les gens se remémorent un événement, ils ont ensuite tendance à se sentir plus heureux et plus connectés aux autres. Ils trouvent en général que la vie a plus de sens et ont alors envie de se battre pour un avenir meilleur. Plutôt que d'ignorer les événements douloureux du passé, nous devons essayer de les intégrer dans notre présent. Mon ami Devon Spurgeon a perdu son père très jeune, et il m'a donné une magnifique idée pour célébrer ce qui aurait été le quarante-huitième anniversaire de Dave : ce jour-là, mes enfants et moi lui avons écrit des lettres. Nous les avons ensuite accrochées à des ballons que nous avons lâchés dans le ciel.

J'ai remarqué que mes enfants trouvaient un certain réconfort à entendre les gens parler de leur père. Marc, mon beau-frère, leur a dit que Dave avait « une énergie joyeuse » et qu'il la partageait allègrement : « Il suffisait que votre papa s'amuse pour que tout le monde s'amuse. » Quant à Phil, il leur raconte souvent que Dave ne se vantait pas, qu'il n'exagérait jamais et que, au contraire, il parlait gentiment, avec une grande attention. Nous aimerions tous que Dave soit là pour leur apprendre à être heureux et humbles comme lui l'était. Mais à la place, nous essayons de profiter au mieux de l'option B.

Adam m'a parlé d'un programme de l'université de l'Arizona qui aidait les enfants à surmonter la perte d'un parent. Une des étapes clés est de créer une nouvelle identité familiale, afin que les enfants comprennent que ceux qui restent forment une entité à part entière. En regardant des photos de nous trois prises durant ces premières semaines et ces premiers mois de deuil, j'ai été surprise de constater que nous avions bien connu quelques moments de bonheur – comme ce jour où mes enfants avaient joué à chat avec leurs amis. Les photos sont importantes. Parce que le bonheur n'est pas juste une expérience, c'est également un souvenir. Perdre Dave m'a également fait prendre conscience de l'importance des vidéos : quand je regarde des photos de lui, j'ai aussitôt envie de le voir bouger et de l'entendre parler. Désormais, je filme autant que je peux. Mes enfants avaient l'habitude de se cacher dès que je braquais mon téléphone sur eux, mais depuis qu'ils regardent des vidéos pour se souvenir de leur père, ils sourient et parlent à la caméra.

Le programme de l'université de l'Arizona recommande également à ces nouvelles unités familiales de prendre le temps de s'amuser. Cela permet aux enfants de mettre leur chagrin entre parenthèses et de se sentir appartenir de nouveau à une famille à part entière. Il ne doit pas s'agir d'une activité passive, comme regarder la télévision ; il faut plutôt jouer à des jeux de société ou cuisiner. Nous appelons ça un

SMF, un « Super Moment en Famille ». Mon fils a proposé à ma fille de choisir la première activité et les SMF sont devenus une tradition hebdomadaire à laquelle nous nous sommes tenus pendant plus d'un an. Nous avons également inventé un « cri » familial. Bras dessus, bras dessous, nous hurlons à pleins poumons : « Nous sommes forts ! »

Nous nous adaptons encore tous les trois au fait de n'être plus que... tous les trois. Les doubles pardons immédiats sont toujours fréquents, car nous continuons à nous reconstruire, à apprendre, à commettre des erreurs et à grandir. Individuellement, nous sommes encore faibles certains jours. Mais en famille, nous devenons plus forts.

Près d'un an après la mort de Dave, j'ai assisté au concert que mon fils donnait à son école. J'avais beau essayer de ne pas être jalouse, voir tous ces pères qui regardaient leur enfant était une douloureuse piqûre de rappel de ce que les miens et moi avions perdu – et de ce que Dave ne pourrait plus voir. En rentrant à la maison, je suis aussitôt montée pleurer dans ma chambre. Hélas, ma journée de travail n'était pas terminée, j'organisais chez moi le dîner annuel des clients les plus importants de Facebook. Ils venaient du monde entier. Les gens ont commencé à arriver et je ne parvenais pas à me reprendre. J'étais dans ma chambre, avec mon fils, et je lui ai dit que je devais arrêter de pleurer et descendre. Il m'a pris la main et m'a dit : « Tu devrais juste y aller. Et c'est pas grave si tu pleures. Tout le monde sait ce qui nous est arrivé. » Puis il a ajouté : « Maman, eux aussi, il y a sûrement des choses qui les font pleurer, alors tu devrais simplement être toi-même. »

Ce soir-là, il m'a appris tout ce que j'essayais de lui apprendre.

8

Trouver des forces, ensemble

« Nous sommes pris dans un incontournable réseau de dépendance
mutuelle, liés par la seule et même destinée. Tout ce qui affecte
quelqu'un directement affecte tout le monde indirectement. »
MARTIN LUTHER KING JR.

En 1972, un avion allant de l'Uruguay au Chili s'est écrasé au beau milieu des Andes, avant de se scinder en deux et de dévaler une longue pente enneigée. Pour les trente-trois survivants du crash, c'était le commencement d'une épreuve hors du commun. Durant les soixante-douze jours qui ont suivi, ces hommes ont dû affronter le choc, la gelure, les avalanches et la famine. Seuls seize d'entre eux s'en sont sortis. On les appelle : *Les Survivants*.

Grâce au livre et au film à succès tirés de cette histoire, beaucoup d'entre nous connaissent les mesures extrêmes que ce groupe a dû se résoudre à prendre pour survivre. Une enquête récente de Spencer Harrison – un chercheur, alpiniste et collègue d'Adam – a montré non seulement *comment* ces hommes ont survécu mais également *pourquoi*. Spencer a retrouvé quatre de ces survivants, a parcouru minutieusement leurs journaux de bord et s'est même rendu sur le site de l'accident avec l'un d'entre eux. De leurs récits se dégageait un point commun : l'espoir a été la clé de leur résilience.

La grande majorité des passagers étaient de jeunes joueurs de rugby qui se rendaient à un match amical. La radio de l'avion avait été endommagée lors du crash ; elle recevait des messages mais ne pouvait pas en envoyer. Dans un premier temps, ils ont décidé d'attendre les secours à l'abri, dans les décombres de l'avion. « Nous étions convaincus qu'attendre les sauveteurs était notre seule chance de survie, a écrit Nando Parrado, et nous nous sommes raccrochés à cet espoir avec un zèle quasi religieux. » Au bout de neuf jours, les vivres ont commencé à manquer. Ils ont donc été forcés de se tourner vers la seule source de nourriture qui leur restait : la chair des corps gelés de leurs coéquipiers qui avaient péri dans l'accident. Le lendemain, quelques-uns ont entendu un message radio annonçant l'abandon des recherches. « Nous ne devons pas le dire aux autres, a affirmé le capitaine de l'équipe. Laissons-les au moins continuer à espérer. » Gustavo Nicolich, un autre passager, n'était pas de cet avis. « Bonne nouvelle ! a-t-il crié. Nous allons sortir d'ici par nos propres moyens. »

Nous considérons en général l'espoir comme quelque chose de personnel, dont la source est dans notre cœur et notre esprit. Mais il peut également naître au sein d'une communauté. En se créant une identité commune, les individus peuvent former un groupe qui partage un passé et un avenir meilleur.

« Certains affirment que tant qu'il y a de la vie, il y a de l'espoir, explique Roberto Canessa, l'un des survivants. Mais pour nous s'est produit le phénomène inverse : tant qu'il y avait de l'espoir, il y avait de la vie. » Au cours de ces longues journées de froid et de famine, ceux qui avaient survécu à l'accident ont souvent prié ensemble. Ils évoquaient les projets qui leur tenaient à cœur, une fois qu'ils seraient retournés à la civilisation : l'un voulait ouvrir un restaurant, un autre, s'acheter une ferme. Tous les soirs, deux d'entre eux passaient un moment à regarder la lune, en s'imaginant que leurs parents contemplaient exactement la même lune. Un autre a pris des photos, afin de documenter cette situation désespérée. Beaucoup ont écrit des lettres à leur famille, comme pour réaffirmer leur volonté de vivre. « Pour garder la foi à chaque instant, malgré les revers, nous avons dû devenir des alchimistes, nous a expliqué Javier Methol. Il fallait transformer le drame en miracle, le désespoir en espoir. »

Bien évidemment, l'espoir seul ne suffit pas. Beaucoup de passagers sont morts, malgré le fait qu'ils aient gardé espoir. Mais cela empêche de sombrer dans l'abattement. Des chercheurs ont découvert que lorsque des « communautés de personnes généraient de nouvelles possibilités », cela favorisait l'espoir et sa durabilité. Croire en de nouvelles opportunités permet aux gens de combattre l'idée de permanence et les encourage à chercher des solutions. Ils y puisent ainsi l'énergie nécessaire pour aller de l'avant. Les psychologues appellent ce phénomène « l'espoir fondateur » – l'idée que vous puissiez améliorer les choses en agissant. « Je n'ai jamais cessé de prier pour que les secours arrivent ou que Dieu intervienne, se souvient Parrado. D'un autre côté, la voix sans pitié qui m'avait sommé de sécher mes larmes continuait de murmurer dans un coin de ma tête : "Personne ne nous trouvera. Nous allons mourir ici. Il nous faut un plan. Nous allons devoir nous sauver nous-mêmes." »

Parrado, Canessa et un troisième homme sont donc partis à la recherche de la queue de l'avion. Ils ont failli mourir de froid avant de la localiser, enfin, et d'en extraire les matériaux d'isolation afin de se fabriquer des sacs de couchage. Presque deux mois après l'accident, ces sacs de couchage de fortune ont permis à Parrado et Canessa de se lancer dans une autre expédition. Ils ont parcouru 50 kilomètres, sur un terrain semé d'embûches, situé à 4 300 mètres d'altitude. Au bout de dix jours de marche, ils ont aperçu un homme à cheval. Les quatorze survivants restants furent secourus par hélicoptère.

Ces hommes sont restés proches durant les décennies qui ont suivi. Tous les ans, ils se réunissent, pour l'anniversaire de leur sauvetage, et jouent au rugby. Ensemble, ils ont écrit un livre sur ce qui leur est arrivé, *La sociedad de la nieve* – Le Cercle de la neige. Et en 2010, quand trente-trois mineurs chiliens se sont retrouvés bloqués sous terre, quatre de ces survivants sont venus depuis l'Uruguay pour s'adresser à eux, grâce à un système vidéo. « Nous sommes allés leur redonner un peu d'espoir et de foi, a expliqué Gustavo Servino à l'époque. Leur dire que nous étions là s'ils avaient besoin de quoi que ce soit. Et surtout, pour soutenir leurs familles. » Au bout de soixante-neuf jours, le premier mineur a pu être remonté à la surface, dans une capsule. Il en est sorti sous des tonnerres d'applaudissements. Cela a pris toute une journée, mais tous les mineurs ont pu être secourus et retrouver leurs familles. L'énorme chapiteau qui avait été dressé à la sortie de la mine, pour accueillir tout le monde, avait été baptisé le *Campamento Esperanza*, le camp de l'Espérance.

La résilience ne se construit pas seulement en chaque individu. Elle se construit *parmi* les individus – au sein de nos quartiers, nos écoles, nos villes et nos administrations. Quand nous renforçons ensemble notre résilience, nous devenons nous-mêmes plus fort et créons des communautés capables de surmonter les obstacles et de prévenir les drames. La résilience collective implique plus qu'un espoir commun : elle se nourrit d'une expérience, d'une histoire et d'une puissance communes.

Pour mes enfants et moi, rencontrer des gens qui avaient également perdu un parent ou un époux a été une source de réconfort, ô combien nécessaire. Dans la plupart des religions et des cultures, le deuil est une tradition collective : nous nous réunissons pour enterrer et nous souvenir de ceux que nous avons perdus. Dans les premiers temps après la mort de Dave, il y avait toujours un ami ou un membre de la famille à la maison. Nous étions soutenus 24 heures sur 24. Mais il a bien fallu que nos proches reprennent le cours de leur vie et que nous donnions une nouvelle forme de normalité à la nôtre. C'est là que la solitude nous a frappés.

Au cours de ma deuxième semaine de veuvage, un soir après avoir couché mes enfants, j'étais assise seule dans la cuisine quand une image m'a traversé l'esprit pour la première fois : une version de moi beaucoup plus âgée, assise à la même table, devant un plateau de Scrabble. Mais face à moi, à la place de Dave, il n'y avait qu'une chaise vide. Cette semaine-là, mes enfants et moi sommes allés à Kara, un centre local d'aide au deuil. Rencontrer des personnes qui étaient plus avancées que nous sur ce chemin-là nous a aidés à surmonter le piège de la permanence. Elles nous ont montré que nous ne serions pas bloqués, pour toujours, dans ce néant de la période aiguë du deuil. « Quand nous perdons un être cher, ou que nous sommes confrontés à une quelconque difficulté, chacun de nous ressent le désir intense d'être connecté aux autres, nous a expliqué Jim Santucci, le directeur de Kara, qui a lui-même perdu un enfant. Les groupes de soutien permettent cette connexion avec des gens qui comprennent vraiment ce que nous avons traversé. C'est un lien humain profond. Ce n'est pas seulement "Oh, je suis désolé pour vous" mais "Je comprends, pour de vrai." »

Mon fils et ma fille ont également participé à un « Experience Camp », un programme gratuit d'une semaine pour les enfants qui ont perdu un parent, un frère ou une sœur, ou un proche qui s'occupait d'eux. Le camp se concentre sur deux valeurs essentielles : construire une communauté et faire naître l'espoir. Une des activités consistait à se confronter, de stand en stand, à l'une des émotions associées au deuil. Par exemple, on leur demandait entre autres de gribouiller sur le bitume, à la craie, les mots qui les mettaient en colère. Certains ont écrit « harcèlement », d'autres « cancer » ou « drogue ». Puis ils comptaient jusqu'à trois et lançaient des bombes à eau sur le sol, pour effacer les mots et soulager leur colère. À un autre stand, l'enfant devait tenir une brique représentant la culpabilité. Quand la brique devenait trop lourde, un autre enfant venait l'aider à la porter. Ces exercices ont montré à mon fils et à ma fille que leurs émotions étaient normales et que d'autres les ressentaient eux aussi.

Intégrer une communauté après un événement tragique implique d'accepter notre nouvelle identité – ce qui n'est pas toujours facile. Après s'être retrouvé paralysé, l'écrivain Allen Rucker raconte : « Au début, je refusais de fréquenter des personnes en fauteuil roulant. Je ne voulais pas appartenir à ce club-là. Je me considérais déjà comme un monstre, je n'avais pas l'intention de rejoindre un cirque de surcroît. » Il n'a pas changé d'avis du jour au lendemain. « Cela m'a pris quatre ou cinq ans. C'est un peu comme si on avait dû transférer chaque cellule de mon cerveau, une par une, extrêmement lentement, avant que j'apprenne à accepter tout ça. » Au fur et à mesure de cette adaptation, Allen s'est senti plus proche de ceux qui étaient dans la même situation. Le bonus, c'est que « ces personnes sont parmi les plus drôles que j'aie rencontrées de ma vie, elles ont l'humour le plus noir qui soit », nous a-t-il raconté.

Je ne comprenais que trop bien ce dont parlait Allen. Il m'a fallu longtemps pour prononcer le mot « veuve » et il me fait encore grincer des dents aujourd'hui. Mais que je le veuille ou non, je suis veuve, et accepter cette identité m'a permis de me lier d'amitié avec de nouvelles personnes. Tous les amis que je me suis faits depuis deux ans ont vécu un drame (dans la première version de ce manuscrit, j'avais écrit « *la plupart* des amis que je me suis faits » jusqu'à me rendre compte qu'il s'agissait en fait de la totalité). Ce club auquel personne ne veut appartenir est en réalité très soudé. Sans doute cette réticence d'origine nous pousse-t-elle à nous accrocher encore plus les uns aux autres.

En entrant à l'Université de Californie de Berkeley, Steven Czifra a eu l'impression d'être un marginal – et pas seulement parce que, du haut de ses trente-huit ans, il avait deux fois l'âge de la plupart des étudiants de première année. Steven a été victime de violences quand il était enfant et il a commencé à fumer du crack à l'âge de dix ans. Des cambriolages et des vols de voitures lui ont valu plusieurs séjours en centre de détention pour mineurs, puis à la prison d'État. Après une bagarre avec un autre détenu, et après avoir craché sur un gardien, Steven a passé *quatre ans* en isolement. Depuis, il a témoigné devant les législateurs de Californie, pour expliquer que l'isolement n'était rien d'autre qu'une « salle de torture ».

À sa sortie de prison, Steven a suivi une cure de désintoxication, obtenu son diplôme d'équivalence, et rencontré Sylvia, sa compagne actuelle. Il s'est découvert une passion pour la littérature anglaise et après avoir étudié deux ans dans une petite université, il a été accepté à Berkeley. Il avait mérité sa place mais, une fois sur le campus, il s'est senti différent et déconnecté des autres. « Quand j'allais à mon cours de littérature, je ne me reconnaissais pas dans les visages qui m'entouraient », nous a-t-il expliqué. Un jour, alors qu'il se trouvait au centre des étudiants qui, comme lui, venaient d'une autre université, Danny Murillo, un jeune homme d'une trentaine d'années, l'a abordé. Par la suite, Danny racontera avoir immédiatement reconnu « l'air » de Steven. Il leur a fallu moins d'une minute pour se rendre compte qu'ils avaient tous les deux été en isolement à la prison de Pelican Bay State. « À cet instant-là, a dit Steven, j'ai enfin compris que j'étais un étudiant de Berkeley qui méritait d'être là et d'en profiter autant que les autres. »

Steve et Danny sont devenus amis et ont uni leurs forces pour dénoncer la dureté des quartiers d'isolement. Ils ont également participé au lancement de l'Underground Scholars Initiative, un groupe qui soutient les étudiants de Berkeley ayant été incarcérés. Ils ont voulu partager le poids du désespoir qu'ils avaient connu en créant une communauté. « En tant que collectif étudiant, nous faisons tout notre possible pour que chacun réussisse, nous a dit Danny. Les anciens détenus refusent souvent de demander de l'aide. Nous essayons de leur faire comprendre que reconnaître son manque de compétences dans un domaine, c'est en réalité une preuve de force – tout comme demander de l'aide. Vouloir s'améliorer n'est pas un signe de faiblesse. »

La Posse Foundation (la « Fondation de la Clique ») est une organisation qui défend la même idée : il est important que les étudiants ayant un passé commun se regroupent, afin de ne pas être isolés. La fondation tire son nom d'une remarque d'un ancien étudiant, aussi brillant que marginalisé : « Si seulement j'avais eu ma clique avec moi, je n'aurais jamais abandonné mes études. » Désormais, la Posse Foundation recrute des lycéens de milieux défavorisés qui ont un potentiel universitaire et des qualités de meneur extraordinaires, et elle leur donne la chance d'étudier dans la même université par groupe de dix, tout en leur octroyant une bourse. Depuis 1989, la Posse Foundation a aidé près de 70 000 étudiants à entrer à l'université, dont 90 % en sont ressortis diplômés. Si nous voulons vraiment créer des opportunités pour tous, nous devons fournir une aide publique et privée plus importante sur le long terme, afin d'encourager les initiatives de fondations comme celle-ci.

Tout comme l'espoir et un passé commun, une histoire commune peut également être une source de résilience. Le terme « histoire » peut sembler léger – quelle importance peut-il bien avoir ? – mais c'est la façon dont nous racontons notre passé et déterminons nos objectifs futurs. De la même manière que les histoires de famille aident les enfants à développer leur sentiment d'appartenance, les histoires collectives donnent une identité aux communautés, et celles qui mettent en avant des valeurs comme l'égalité sont fondamentales dans la quête de justice.

Ces histoires communes se créent souvent en réécrivant des récits anciens et en s'opposant à des stéréotypes injustes. Aux États-Unis et dans le monde entier, on continue de croire que les filles sont plus mauvaises en mathématiques que les garçons. Quand on a soulevé cette question du genre face à des étudiants sur le point de plancher sur un contrôle de maths, les femmes ont obtenu des résultats 43 % inférieurs à ceux des hommes. En rebaptisant le même exercice « contrôle de résolution de problèmes » plutôt que de « contrôle de mathématiques », ce fossé a disparu. Au cours d'une autre expérience, des étudiants noirs ont obtenu de moins bons résultats que les blancs après qu'on leur a annoncé que le contrôle porterait sur leurs capacités oratoires. Quand on a effacé le mot « capacités » de l'intitulé, la différence de performance entre ces deux groupes a disparu elle aussi.

Les psychologues appellent cela la « menace du stéréotype », c'est-à-dire la peur d'être réduit à un cliché péjoratif. Cette crainte devient souvent réalité, sans intervention extérieure, car l'angoisse finit par altérer notre jugement et nous conduit à nous conformer au stéréotype en question. Ce phénomène peut affecter des personnes de tous genres, religions, orientations sexuelles et origines. La Posse Foundation intervient pour réécrire ces histoires. En entrant ensemble à l'université, ses étudiants renvoient aux autres une image différente. Comme l'explique un ancien membre de la fondation : « La rumeur sur le campus, c'est que les étudiants de la Posse sont cool et intelligents. » Plutôt que de souffrir de clichés négatifs, ils sont portés par des stéréotypes positifs.

En écrivant *En avant toutes*, il y a quelques années, j'ai appris à voir avec un œil nouveau ces communautés qui se réunissent pour changer leur histoire. Quand j'ai commencé à parler aux femmes du fait d'atteindre leurs ambitions, elles me demandaient souvent : « Je veux le faire... mais *comment* ? » Les femmes sont moins soutenues par des mentors dans le milieu du travail que les hommes, mais l'aide de leurs pairs peut avoir un énorme impact. Trois femmes avec qui j'ai travaillé – Rachel Thomas, Gina Bianchini et Debi Hemmeter – ont toujours eu à cœur d'encourager la collaboration entre les femmes. Ensemble, nous avons lancé les Lean In Circles, des petits groupes de femmes qui se réunissent régulièrement pour se soutenir et s'encourager mutuellement. Aujourd'hui, il existe 32 000 cercles, à travers

150 pays. Plus de la moitié des ces femmes affirment que leur cercle les a aidées à traverser une épreuve difficile, et deux tiers d'entre elles reconnaissent avoir été plus enclines à relever de nouveaux défis après s'y être inscrites. Je me rends désormais compte que si ces communautés permettent aux femmes d'atteindre leurs objectifs individuels, c'est en partie parce qu'elles développent une forme de résilience collective.

Le Millennial Latinas Circle d'East Palo Alto met en lien des femmes et des adolescentes, afin d'aider ces dernières – dont la plupart sont des mères adolescentes – à entrer à l'université et à en sortir diplômées. Ce cercle a été fondé par Guadalupe Valencia, qui a été obligée de changer d'école quand elle est tombée enceinte, à seize ans. D'autres adultes du groupe ont été enceintes lorsqu'elles étaient adolescentes, ou une fille de leur famille l'a été. Elles connaissent les effets de ce type de grossesse et sont déterminées à écrire une nouvelle histoire pour les générations à venir. « Nous savons toutes ce que c'est de vivre dans une maison où le mot "université" n'est jamais prononcé, m'a expliqué Guadalupe. Mais nous sommes claires avec les membres du Millennial Latinas : l'université n'est pas une option. C'est une obligation. » Guadalupe est devenue un modèle pour le groupe : malgré un emploi à temps plein, elle a suivi son propre conseil et est retournée à l'école pour terminer ses études.

Souvent, ceux qui luttent contre l'injustice sont eux-mêmes victimes de discriminations. Il leur faut trouver l'espoir et la force de surmonter les épreuves d'aujourd'hui, afin de se battre pour les changements de demain. De la fin de l'apartheid au développement des vaccins, certains des plus grands accomplissements de notre histoire ont pour origine un drame personnel. En aidant les gens à traverser une période difficile, et en prenant ensuite des mesures pour changer les choses, la résilience collective peut engendrer un véritable progrès social.

Certaines épreuves sont le fruit de plusieurs siècles de discrimination – une accumulation implacable d'injustices qui menace d'anéantir même les plus résilients d'entre nous. D'autres arrivent par surprise. Quand la violence nous frappe soudainement, nous remettons souvent en cause notre foi en l'humanité. Difficile, dans ces moments-là, de se raccrocher à l'espoir. Nous nous laissons envahir par la colère, la frustration et la peur – et c'est plutôt compréhensible. C'est pourquoi j'ai été captivée en découvrant la publication Facebook du journaliste Antoine Leiris, dont l'épouse, Hélène, a été tuée à Paris dans les attentats terroristes du 13 novembre 2015. À peine deux jours plus tard, il écrivait : « Vendredi soir vous avez volé la vie d'un être d'exception, l'amour de ma vie, la mère de mon fils mais vous n'aurez pas ma haine […] Je ne vous ferai pas ce cadeau de vous haïr. » Il s'est promis de vaincre la haine, en ne la laissant pas affecter son fils de dix-sept mois. « Nous allons jouer comme tous les jours et toute sa vie ce petit garçon vous fera l'affront d'être heureux et libre. Car non, vous n'aurez pas sa haine non plus. »

En commençant à lire la publication d'Antoine, j'ai éprouvé un immense chagrin. Mais une fois ma lecture terminée, j'ai été envahie par un picotement dans la poitrine et une boule dans la gorge. Adam m'a dit qu'il existait un terme qui définissait cette émotion (les psychologues ont un terme pour tout, absolument tout) : « l'élévation morale », qui découle d'un sentiment d'exaltation provoqué par un acte d'une bonté rare. L'élévation engendre ce qu'Abraham Lincoln appelait « les meilleurs anges de notre nature ». Même face à l'atrocité, elle nous pousse à nous concentrer sur nos similarités plutôt que nos différences. Nous voyons ce qu'il y a de bon chez les autres, et nous reprenons espoir, celui de survivre et de nous reconstruire. Cela nous encourage à exprimer notre compassion et à combattre l'injustice. Comme disait Martin Luther King Jr. : « Ne laissez jamais quelqu'un vous rabaisser au point de le haïr. »

Dans le mois qui a suivi la mort de Dave, un suprémaciste blanc a ouvert le feu dans l'église méthodiste africaine Emanuel de Charleston, en Caroline du Sud, tuant le pasteur et huit paroissiens réunis pour l'étude de la Bible du mercredi. J'étais encore sous le choc de mon propre deuil, et être confrontée à une telle violence m'a fait sombrer un peu plus dans le désespoir.

Puis j'ai entendu la réponse de la congrégation. Cette semaine-là, les familles des victimes se sont rendues au tribunal pour s'adresser au tireur. Les unes après les autres, elles ont rejeté sa haine. « Vous m'avez pris quelque chose de très précieux, a dit Nadine Collier, qui avait perdu sa mère. Je n'aurai plus jamais l'occasion de parler avec elle. Je n'aurai plus jamais l'occasion de la prendre dans mes bras, mais je vous pardonne et j'ai pitié de votre âme... Vous m'avez fait souffrir. Vous avez fait souffrir beaucoup de gens. Mais si Dieu vous pardonne, alors moi aussi. » Plutôt que d'être consumés par la haine, les membres de l'église ont choisi de pardonner, ce qui leur a permis de réunir leurs forces et de dénoncer d'une seule voix le racisme et la violence. Quatre jours après la tuerie, l'église a rouvert ses portes pour accueillir la messe du dimanche, comme à son habitude. Cinq jours plus tard, le président Barack Obama a pris la parole aux funérailles du révérend Clementa C. Pinckney et s'est joint à l'assemblée pour chanter le cantique « Amazing Grace ».

« Mother Emanuel », comme on l'appelle, est la plus ancienne église épiscopale méthodiste noire du sud des États-Unis. Ses membres ont tour à tour subi les lois interdisant le culte aux Noirs, l'incendie de leur paroisse par un membre de la pègre blanche et un tremblement de terre. Après chaque épreuve, ils se sont regroupés pour se reconstruire – parfois littéralement. Comme nous l'a raconté le révérend Joseph Darby, le doyen d'un quartier voisin : « L'immensité de leur grâce vient d'un mécanisme ancien de survie. Ils en ont hérité de personnes qui n'avaient souvent qu'une seule option : pardonner et tourner la page, tout en laissant une porte ouverte pour que justice soit faite. Cela permet de dépasser le stade de la vengeance pure. Le pardon remet les idées en place et pousse à se battre pour que justice soit faite. »

Le dimanche qui a suivi la tuerie, les cloches de l'église ont retenti dans toute la ville à 10 heures du matin, et ce pendant neuf minutes – une pour chaque victime. « Ce qui nous unit est plus fort que ce qui nous divise, a proclamé Jermaine Watkins, le pasteur d'une église voisine. À la haine, nous disons non, pas aujourd'hui. À la réconciliation, nous disons oui. À la perte de l'espoir, nous disons non, pas aujourd'hui. À la guerre raciale, nous disons non, pas aujourd'hui... Charleston, tous ensemble, nous disons non, pas aujourd'hui. » Tandis que cette communauté se reconstruisait peu à peu, les églises environnantes ont commencé à organiser des conférences, afin de prévenir les violences. Quand le FBI a annoncé qu'un bug du système informatique avait permis au meurtrier d'acheter une arme, des familles qui avaient été victimes de violences armées ont uni leurs forces à celle des églises et des représentants politiques, afin de lutter pour une réglementation plus stricte concernant l'acquisition d'armes à feu.

Le militantisme social n'est pas un phénomène nouveau à Charleston. Bien avant cette tragédie, les représentants religieux avaient créé le Charleston Area Justice Ministry (le ministère de la Justice de la région de Charleston) – un réseau de congrégations de vingt-sept confessions différentes, réunissant des églises, des synagogues et même une mosquée. « Charleston n'avait pas vraiment l'habitude de voir ses lieux de culte travailler main dans la main, se souvient le révérend Darby. Mais il y a eu une intervention divine. Tous ceux qui auraient normalement affirmé "ça ne marchera jamais" ont participé aux discussions. » Depuis, tous les ans, le ministère choisit un problème auquel s'attaquer, propose des solutions et débat lors d'une grande assemblée réunissant des milliers de citoyens, ainsi que des représentants religieux et politiques. L'une de leurs premières réussites fut de convaincre les conseils d'administration scolaires d'améliorer l'éducation des plus jeunes, en finançant l'agrandissement de nombreuses écoles maternelles. Par ailleurs, grâce à leur combat, le taux d'incarcération des mineurs et le renvoi d'élèves des établissements scolaires ont diminué. S'ils venaient déjà en aide aux communautés défavorisées, les membres du ministère ont concentré leurs efforts, après le massacre de Charleston, sur la prévention de la discrimination raciale. « Avant, le ministère ne parlait pas de race, nous a raconté le révérend Darby. Mais après la tragédie d'Emanuel, c'était comme si une lumière s'était allumée dans un coin de leur tête. Ils se sont rendu compte qu'ils devaient se confronter à cette question ; que c'était fondamental vu les défis que la communauté devait relever. »

Si nous pouvons lutter pour prévenir la violence et le racisme, d'autres tragédies sont, hélas, inévitables. La mort. Les accidents. Les catastrophes naturelles. En 2010, il y a eu près de quatre cents catastrophes naturelles à travers le monde, qui ont emporté plus de 300 000 vies et en ont affecté des millions d'autres. Face à ces désastres, certaines réactions montrent qu'un espoir, une expérience et une histoire communs peuvent faire naître l'étincelle de la résilience collective. Mais pour que le feu ne s'éteigne pas, il nous faut également une puissance commune – c'est-à-dire les ressources et l'autorité suffisantes pour modeler notre propre avenir.

Les communautés résilientes ont des liens forts : les gens sont connectés, les différents groupes communiquent entre eux et les représentants locaux sont facilement accessibles. J'ai pu observer l'importance de ces liens il y a des années, quand je travaillais à la Banque mondiale sur le programme d'éradication de la lèpre, en Inde. À cause du fait qu'elles sont systématiquement rejetées, les personnes atteintes de la lèpre décident souvent de ne pas se faire soigner, laissant ainsi la maladie progresser et se propager dans leur entourage. Quand des équipes médicales visitaient des villages pour identifier les malades de la lèpre, elles étaient très souvent rejetées. Les autochtones ne faisaient aucune confiance à ces étrangers, et les femmes se montraient particulièrement réticentes à montrer à des inconnus les marques sur leur peau. Ces équipes médicales ont dû adopter une nouvelle approche. Elles ont convaincu les chefs de village de conduire eux-mêmes les programmes de détection précoce. Ces derniers ont organisé des réunions au sein de leurs communautés, au cours desquelles ils invitaient notamment des membres d'associations et des citoyens à venir jouer des saynètes. À travers ces mises en scène, ils expliquaient que ceux qui se présenteraient, souffrant des symptômes précoces de la maladie, ne seraient pas marginalisés ; bien au contraire, ils recevraient l'attention et les soins nécessaires.

Ce travail m'a fait prendre douloureusement conscience que même les exemples les plus héroïques de résilience individuelle ne peuvent souvent rien contre la pauvreté et la maladie. La résilience ne pouvait pas secourir les personnes atteintes de la lèpre une fois qu'elles avaient été bannies de leur village. Ce n'est que quand les communautés ont commencé à traiter ces malades plutôt que de les exclure que ces derniers ont pu guérir et survivre.

Les communautés valorisantes favorisent la résilience collective. Après le génocide rwandais de 1994, qui a fait des centaines de milliers de victimes civiles, des psychologues se sont rendus dans des camps de réfugiés en Tanzanie afin de leur apporter un soutien psychologique. Ils ont découvert que plutôt que de soigner chaque individu, il était plus efficace de renforcer la capacité des communautés à soutenir les groupes les plus vulnérables. Les camps dans lesquels les réfugiés faisaient le plus preuve de résilience étaient ceux qui s'organisaient comme des villages : avec un conseil, des espaces de rencontre où les adolescents pouvaient se retrouver, des terrains de foot, des lieux de spectacle et de culte. Au lieu de s'en remettre à une autorité extérieure, les Rwandais s'organisaient selon leurs traditions. Cette organisation a structuré et permis de développer une puissance commune.

Dans d'autres cas, la résilience collective sert au contraire à combattre certaines traditions culturelles injustes. En Chine, les femmes célibataires de plus de vingt-sept ans sont considérées comme des *sheng nu*, « des restes de femme ». Elles subissent une pression énorme de la part de leur famille, qui les pousse à trouver un mari, en vertu de cette croyance très répandue qui veut que, malgré son éducation et sa réussite professionnelle, une femme n'est « rien si elle n'est pas mariée ». Une professeure d'économie de trente-six ans a été rejetée par quinze hommes parce qu'elle avait un diplôme supérieur au leur. Son père a ensuite interdit à sa jeune sœur de faire un master. Plus de 80 000 femmes ont intégré un cercle Lean In en Chine, et ensemble elles travaillent à l'émergence d'une puissance commune. L'un de ces cercles a créé *Les Monologues des restes*, une pièce de théâtre dans laquelle quinze femmes et trois hommes se réapproprient le terme de « restes », tout en condamnant l'homophobie et le viol.

Quelques mois à peine après la mort de Dave, vingt membres des Lean In Circles venant de toute la Chine et moi nous sommes réunis. J'essayais de respecter autant d'engagements que possible, et suis donc partie pour Pékin donner un discours à l'école de commerce de Tsinghua, le jour de la rentrée, avec mes parents et mes enfants. C'était la première fois que je parlais en public depuis que j'étais veuve et j'étais toujours dans le brouillard. Mais passer un moment avec ces femmes courageuses, juste avant que je prenne la parole, m'a redonné des forces. Je les avais rencontrées deux ans auparavant et j'avais hâte qu'elles me fassent part de leurs progrès. Elles m'ont parlé de la compassion qu'elles avaient éprouvée envers les autres et elles-mêmes. Elles ont évoqué leurs changements de carrière et leur décision de trouver un partenaire à leur rythme, ce qu'elles ont expliqué à leurs parents. Elles ont également fait mention des actions qu'elles menaient en commun et qu'elles n'auraient jamais osé mener seules. J'ai ressenti ce picotement dans la poitrine et cette boule dans la gorge. C'était la meilleure façon de se souvenir qu'appartenir à une communauté peut nous donner la force que nous sommes parfois incapables de trouver seuls.

Notre humanité – notre volonté de vivre et notre capacité à aimer – naît de nos liens aux autres. Si les individus peuvent suivre une croissance post-traumatique et devenir plus forts, les communautés le peuvent elles aussi. On ne sait jamais quand notre communauté devra faire appel à cette force, mais on peut être sûr que cela arrivera un jour.

Quand leur avion s'est écrasé au beau milieu des Andes, les membres de l'équipe de rugby avaient déjà tissé des liens de solidarité et de confiance entre eux. Au début, ils se sont tournés vers leur capitaine pour qu'il les guide. Quand celui-ci est mort, ils ont su garder cette confiance mutuelle. « Nous avons tous nos Andes à nous », a écrit Nando Parrado bien après son expédition avec Roberto Canessa qui a conduit à leur sauvetage. Et Canessa d'ajouter : « Quand nous nous sommes écrasés contre cette montagne, notre lien avec la société s'est brisé. Mais celui que nous avions tissé entre nous s'est renforcé, jour après jour. »

9

Échouer et apprendre au travail

Durant cette année de désespoir qui a suivi la mort de Dave, observer un groupe d'hommes, adultes, en train de pleurer, a été l'un de mes rares moments de joie. Il y avait également des femmes en larmes, mais ça, je l'avais vu plus souvent.

Nous étions en avril 2016, l'année des premières fois touchait presque à sa fin. Il y aurait encore tout de même trois dates fatidiques : le premier anniversaire de mon fils sans père, mon premier anniversaire de mariage sans mari ; et un tout nouvel anniversaire, extrêmement malvenu : celui de la mort de Dave, le premier.

Mes enfants et moi avions vécu tant d'événements déprimants que j'ai voulu nous trouver une activité distrayante. Je les ai donc emmenés au siège de SpaceX, à Los Angeles. Après avoir échoué à quatre reprises, la compagnie d'aéronautique tentait, pour la cinquième fois, de faire amerrir une fusée au beau milieu de l'océan. Elon Musk, son PD-G, nous avait conviés au lancement. La première fois que j'avais croisé Elon après la mort de Dave, il m'avait dit combien il était désolé et il avait ajouté : « Je sais à quel point c'est dur. » En effet, en 2002, le premier enfant d'Elon est mort brutalement, à deux mois et demi. Nous n'avions pas dit grand-chose d'autre, nous étions restés assis en silence, liés par notre chagrin.

Le jour du lancement, mes enfants et moi nous trouvions parmi tous les employés de SpaceX, debout dans le hall de l'entreprise. Sur un immense écran, le compte à rebours a commencé et, en Floride, la fusée a décollé à l'heure. Tout le monde a applaudi. La biellette de direction de l'appareil s'est ouverte comme prévu. Une autre salve d'applaudissements. À chaque petite victoire, les employés de SpaceX tapaient dans la main de l'équipe concernée, puis tout le monde applaudissait.

Quand la fusée a commencé sa descente vers la plateforme censée l'accueillir au milieu de l'océan, la tension est montée dans la salle. Les applaudissements ont cessé et tout le monde s'est tu. Mon cœur battait très fort et mes enfants me serraient nerveusement les mains. Ma fille a murmuré : « J'espère qu'elle ne va pas exploser ! » J'ai acquiescé, j'arrivais à peine à parler. La fusée a continué sa descente et ses trois jambes se sont déployées, mais l'une d'entre elles quelques secondes après les deux autres, ce qui a légèrement fait dévier l'appareil en dehors de sa trajectoire. La salle tout entière s'est penchée d'un côté, comme pour corriger sa position. Puis la fusée s'est redressée et a amerri sans encombre. Nous avons tous explosé de joie, on se serait cru à un concert de rock. L'équipe au sol, les techniciens et les ingénieurs ont crié, pleuré, se sont serrés dans les bras. Mes enfants et moi avons pleuré, nous aussi. J'en ai encore des frissons en y repensant.

Il y a quelques années, deux spécialistes en management se sont interrogés sur les facteurs qui permettaient de prédire la réussite d'un voyage spatial. Depuis Spoutnik, en 1957, ils ont étudié cinquante ans de lancements de fusées, mis en place par plus de trente organisations – la plupart gouvernementales mais également privées. On pourrait penser qu'un lancement a plus de chances de réussir après une série de succès, mais leurs travaux ont révélé que se produisait le phénomène inverse. Plus un gouvernement ou une entreprise avait échoué, plus il ou elle avait de chances de mettre une fusée en orbite la fois suivante. Et ces chances augmentaient encore si, lors de la dernière tentative, la fusée avait explosé, au lieu d'avoir été l'objet d'une faille anodine. Non seulement nous apprenons plus de nos échecs que de nos réussites, mais nous apprenons davantage de nos échecs retentissants, parce que nous les analysons plus attentivement.

La première fois que SpaceX s'est essayé au lancement de fusée, le moteur a pris feu trente-trois secondes après le décollage et l'appareil s'est désintégré. Juste avant le lancement, Elon avait demandé quels étaient les dix plus gros risques potentiels ; la cause de l'incendie était la onzième sur la liste. *Conseil de pro : toujours envisager les onze plus gros risques.* Le deuxième lancement a échoué pour une raison assez mineure. Le troisième aurait pu réussir, s'il n'y avait pas eu un minuscule bug du logiciel. « En gros, j'étais convaincu que nous n'avions les fonds nécessaires que pour trois tentatives, se souvient Elon. Quand nous avons échoué une troisième fois, j'étais en mille morceaux. » Quand mes enfants et moi avons assisté à cet amerrissage réussi, la victoire était d'autant plus symbolique qu'elle survenait après tant de déceptions.

Tout comme n'importe quel individu, les organisations ont elles aussi besoin de résilience. Certaines ont montré qu'elles pouvaient en faire preuve, comme ces entreprises qui n'ont pas mis la clé sous la porte après la mort de centaines d'employés dans les attaques du 11-Septembre ; celles qui ont réussi à rebondir après les crises financières ; ou ces ONG qui ont su remonter en selle après avoir perdu des donateurs.

SurveyMonkey, l'entreprise que dirigeait Dave, est l'un de ces exemples : après sa mort, les employés ont su rester soudés, malgré le deuil, autour du hashtag #makedaveproud (rendons Dave fier). Après un échec, une erreur ou un drame, les décisions que prennent les organisations ont une incidence sur la rapidité et la durabilité de leur rétablissement, et déterminent souvent si elles vont faire banqueroute ou prospérer.

Pour être résilient après un échec, il faut savoir en tirer les leçons nécessaires. Nous avons beau en être conscients, ce n'est pas forcément ce que nous faisons. Nous n'avons souvent pas suffisamment confiance en nous pour reconnaître notre erreur, ou sommes trop fiers pour l'admettre devant les autres. Plutôt que d'en parler ouvertement, nous sommes sur la défensive et faisons la sourde oreille. Une entreprise résiliente aide les gens à dépasser ce genre de réactions, en créant un environnement qui les encourage à assumer leurs erreurs et leurs regrets.

Récemment, on a accroché ce tableau au beau milieu de New York :

Ces centaines de réponses avaient souvent un point commun : dans la grande majorité des cas, les gens ne regrettaient pas d'avoir agi et échoué, mais de ne pas avoir agi. Les psychologues ont découvert qu'avec le temps, nous regrettons les occasions manquées, et rarement celles que nous avons su saisir, quelle qu'en fût l'issue. Comme ma mère me l'a souvent répété en grandissant : « Ce sont les choses que l'on ne fait pas que l'on regrette, pas celles que l'on a faites. »

Chez Facebook, nous pensons que, pour encourager les gens à prendre des risques, nous devons accepter nos échecs et en tirer des leçons. Quand j'ai rejoint l'entreprise, les murs étaient recouverts d'affiches qui préconisaient : « Agir vite et casser des choses. » C'était notre philosophie. Durant l'été 2008, un stagiaire du nom de Ben Maurer tentait d'empêcher le site de planter. Espérant réparer le bug, il a décidé de provoquer lui-même une faille dans le système et a accidentellement mis Facebook hors service pendant trente minutes. Dans la Silicon Valley, ce type de panne est l'une des plus grandes avaries que peut connaître une compagnie. Plutôt que de faire des reproches à Ben, notre ingénieur en chef a annoncé que l'on devrait plus souvent provoquer délibérément des échecs-système – mais de préférence d'une façon qui ne fera pas planter le site. Il a baptisé cette pratique le « Test Ben », et nous avons engagé Ben en CDI.

Facebook est une entreprise assez jeune, notre équipe de management rend donc, tous les ans, visite à une compagnie plus installée. Nous sommes allés chez Pixar, Samsung, Procter & Gamble, Walmart et la base des Marines à Quantico. Chez ces derniers, nous avons suivi un entraînement élémentaire. Pour goûter un peu à leurs méthodes, nous avons dû courir en pleine nuit, avec notre équipement, tandis que des officiers nous hurlaient dessus. Les cris ont continué quand nous avons dû accomplir des tâches plus simples, comme faire nos lits ou ouvrir et fermer un robinet avec une précision militaire. Le lendemain, nous avons été divisés en équipes de quatre et nous avons dû faire passer des sacs incroyablement lourds par-dessus un mur, sans que ceux-ci ne touchent jamais le sol. Je vous laisse imaginer le défi que cela a représenté pour des matheux qui ont plus l'habitude de télécharger des documents numériques que de porter des charges. Très peu d'équipes ont réussi à accomplir la moindre de ces tâches. De mon côté, j'ai échoué à toutes les épreuves physiques, sans surprise. Mais je n'aurais jamais cru ne pas réussir à fermer un robinet quand on m'en donnait l'ordre.

Avant notre séjour à Quantico, je n'aurais jamais fait de compte rendu détaillé d'une performance de toute évidence désastreuse. Quand quelque chose allait de travers au bureau, je tenais à ce que les personnes responsables reconnaissent leurs torts ; mais une fois qu'elles l'avaient fait, s'asseoir pendant des heures pour discuter précisément du comment et du pourquoi de leurs erreurs m'aurait donné l'impression de frapper un homme à terre. Je craignais également que ce genre de méthode ne les encourage nullement à prendre des risques. J'ai donc été surprise en constatant que, après chaque mission – et même après chaque entraînement – les Marines font un débriefing complet de ce qu'il s'est passé. Ils archivent ensuite ces « leçons retenues » dans un dossier, accessible à tous.

Grâce aux Marines, j'ai compris combien il est important d'envisager l'échec comme une occasion d'apprendre. Ces débriefings peuvent laisser un goût amer, surtout quand ils sont faits sans délicatesse. Mais dès qu'ils sont attendus et obligatoires, ils n'ont plus rien de personnel. À l'hôpital, où la moindre décision est souvent une question de vie ou de mort, les professionnels de santé organisent des conférences sur la morbidité et la mortalité. L'objectif de ce qu'ils appellent les M & M est de passer en revue les cas où quelque chose s'est mal passé, afin de savoir comment éviter que cela se reproduise à l'avenir. Il peut s'agir d'une complication au cours d'une opération, d'un dosage incorrect d'un médicament, ou d'une erreur de diagnostic. Ces discussions sont confidentielles et il est prouvé qu'elles améliorent par la suite la prise en charge des patients.

Quand ils se sentent en confiance pour évoquer leurs erreurs, les gens sont plus enclins à le faire et ont moins de risques d'en commettre. Pourtant, dans les entreprises traditionnelles, encore aujourd'hui, on préfère mettre en avant les succès et cacher les échecs. Il suffit de prendre n'importe quel CV au hasard : je n'en ai jamais lu aucun dont l'un des paragraphes s'intitulait : « Ce que je ne sais vraiment pas faire ». La scientifique Melanie Stefan a publié un article mettant ses pairs au défi de se montrer plus honnêtes dans leurs CV. Johannes Haushofer, un professeur de Princeton, l'a prise au mot et a mis en ligne son CV d'échecs – une liste de deux pages de tous les programmes universitaires, les offres d'emploi, les journaux académiques, les postes de chercheur et les bourses qu'on lui avait refusés. Il a ensuite déclaré : « Ce maudit CV d'échecs a reçu bien plus d'attention que l'intégralité de mon travail académique. »

Convaincre les gens de parler de leurs échecs n'est pas si simple. Kim Malone Scott, qui travaillait avec moi chez Google, avait l'habitude de venir aux réunions hebdomadaires de son équipe avec un singe en peluche baptisé Oups. Elle commençait par demander à chacun de ses collègues de faire part des erreurs qu'il avait commises cette semaine-là. Puis, tous ensemble, ils votaient pour la plus grosse bourde.

Le « vainqueur » devait garder le singe sur son bureau, à la vue de tous, jusqu'à ce que cet honneur revienne à quelqu'un d'autre la semaine suivante. Rien n'aurait pu mieux leur rappeler de prendre des risques et de discuter ouvertement de leurs échecs. Le seul membre de l'équipe qui ne devait pas particulièrement apprécier cette tradition, c'était probablement Oups, symbole de l'imperfection devant l'Éternel.

Facebook collabore avec de nombreuses petites entreprises, ce qui m'a permis de me rendre compte que la résilience était nécessaire quelle que soit la taille d'une structure. Damon Redd a lancé son entreprise de vêtements d'extérieur, Kind Design, depuis sa cave du Colorado. Quand deux mètres d'eaux boueuses ont inondé sa maison, il a perdu ses croquis, ses ordinateurs et des milliers d'articles. Il n'habitait pas dans une zone inondable, son assurance n'a donc pas couvert les pertes. Afin de sauver un stock de gants endommagés, Damon les a nettoyés à haute pression avant de les faire sécher, puis il les a commercialisés comme « gants d'inondation ». Sa campagne publicitaire insistait sur le fait que ces gants ainsi que d'autres produits – chapeaux, chemises et sweats à capuche – symbolisaient la persévérance des habitants du Colorado et de son entreprise. Sa campagne est devenue virale et ses produits se sont vendus dans les cinquante États du pays, ce qui lui a permis de sauver son entreprise.

Les employés qui savent tirer les leçons de leurs échecs obtiennent de meilleurs résultats que ceux qui ne le font pas. Mais tout le monde ne travaille pas pour une organisation visionnaire. Quand Adam faisait son master, l'idée de prendre la parole en public le terrifiait. Après son premier entretien pour un poste d'enseignant, on lui a annoncé qu'on ne lui confierait jamais une classe, parce qu'il n'inspirait pas suffisamment de respect aux étudiants impitoyables des écoles de commerce. On apprend rarement aux professeurs comment enseigner. Alors pour s'entraîner et s'améliorer, Adam a proposé d'intervenir dans les classes de cinq autres enseignants. Le défi n'était pas simple : au lieu du semestre habituel pour créer un lien avec les étudiants, il avait une heure pour les séduire. À la fin de chaque intervention, Adam leur distribuait un formulaire pour recueillir leurs impressions et savoir ce qu'il devait modifier dans sa méthode pour être plus intéressant et efficace. Lire ces commentaires n'a rien eu d'amusant. Certains étudiants avaient écrit qu'Adam semblait si nerveux qu'il les avait mis mal à l'aise.

Après cette épreuve du feu, Adam a pu enseigner à son tour. Quelques semaines après le début de son cours, il a demandé aux étudiants de mettre leurs remarques par écrit anonymement. Puis il a fait une chose que la plupart de ses collègues ont qualifiée de délirante : il a envoyé par e-mail ces commentaires à toute la classe. Un professeur l'a prévenu que c'était mettre de l'huile sur le feu – mais Sue Ashford, une autre de ses pairs, lui avait expliqué que collecter les critiques négatives et en tirer les leçons était une bonne façon d'atteindre son véritable potentiel. Les études de Sue indiquaient que, si aller à la pêche aux compliments pouvait nuire à notre réputation, demander à ce que l'on nous évalue montrait que nous avions à cœur de nous améliorer.

Adam a commencé son cours suivant en analysant les principales critiques de ses élèves. Puis, il a expliqué comment il comptait y remédier, par exemple en se servant plus souvent d'anecdotes personnelles pour illustrer certains concepts. Les étudiants ont ainsi modifié leur propre méthode d'apprentissage et l'état d'esprit de la classe a évolué pour qu'Adam puisse apprendre d'eux, lui aussi. Quelques années plus tard, Adam est devenu le professeur le mieux noté de Wharton.

Chaque semestre, il continue de demander un retour à ses étudiants, puis partage ouvertement leurs commentaires et ajuste ses méthodes d'enseignement.

Nous avons tous nos angles morts – des faiblesses visibles aux yeux des autres mais pas aux nôtres. Il peut s'agir d'un déni pur et simple. Mais il arrive aussi que nous ne sachions pas ce que nous faisons de travers. Les gens qui m'ont le plus aidée au cours de ma carrière sont ceux qui ont mis en avant ce que je ne voyais pas. Chez Google, ma collègue Joan Braddi m'a expliqué que je serais bien plus persuasive en réunion si je n'étais pas aussi pressée de prendre la parole. Elle a dit que, si je parvenais à être plus patiente et à laisser les autres exprimer d'abord leurs opinions, je pourrais avoir de meilleurs arguments ensuite en prenant en compte leurs inquiétudes. David Fischer, qui s'occupe du marketing international chez Facebook, me dit souvent de ralentir et de mieux écouter.

Les critiques sont parfois difficiles à entendre. Environ quatre mois après la mort de Dave, j'ai reçu un coup de téléphone de son partenaire de poker, Chamath Palihapitiya, un ancien de Facebook. Chamath m'a annoncé qu'il passait me prendre pour une balade. J'ai donc attrapé ma laisse et me suis mise à tourner en rond devant la porte de la maison. (Bon soit, peut-être pas, mais j'étais contente de le voir.) Convaincue que Chamath venait prendre des nouvelles de la famille, je suis restée bouche bée quand il m'a dit qu'il était là pour s'assurer que je donnais toujours le meilleur de moi-même au bureau. Je l'ai regardé, choquée – et je l'avoue un peu en colère. « Tu veux que j'en fasse encore plus ? C'est une blague ? » Je lui ai expliqué que tout ce dont j'étais capable, c'était de survivre, jour après jour, sans faire trop de bêtises. Chamath a complètement rejeté cette idée. Il a dit que je pouvais lui crier dessus autant que je voulais, mais qu'il serait toujours là pour me rappeler que je devais continuer à me fixer des objectifs ambitieux. Il m'a conseillé, d'une façon dont lui seul a le secret, de « retourner dans le put★★★ de droit chemin. » Défier quelqu'un de la sorte aurait pu facilement mal tourner, mais Chamath me connaissait suffisamment pour savoir que ses encouragements brusques seraient l'électrochoc dont j'avais besoin – et me rappelle-raient que je pouvais échouer en échouant d'essayer. Il m'a également inspiré le seul paragraphe de ce livre contenant une injure.

À n'en pas douter, l'une des meilleures façons de se regarder, c'est de demander aux autres de tenir le miroir. « Les chanteurs et les athlètes de haut niveau ont tous des coachs, rappelle le chirurgien et auteur Atul Gawande. Pourquoi pas nous ? » Sous l'égide de Gregg Popovich, l'équipe de basket-ball des Spurs de San Antonio a gagné cinq fois le championnat. Après une saison où ils avaient perdu en finale, l'entraîneur a réuni son équipe pour analyser les deux derniers matchs dans les moindres détails, et comprendre ce qu'ils avaient fait de travers. « Nous prenons la mesure de ce que nous sommes dans notre façon de réagir face à l'échec, a-t-il expliqué. Il y a toujours des points à améliorer. Le jeu est fait d'erreurs. »

Les équipes sportives commencent à reconnaître à quel point il est important de recruter des joueurs qui savent apprendre de leurs échecs. En 2016, les Chicago Cubs ont gagné le championnat de base-ball après un passage à vide de cent huit ans. Theo Epstein, leur directeur général, a expliqué pourquoi : « Nous discutons toujours plus de la personne que du joueur... Aux recruteurs, on demande de nous donner trois exemples détaillés de la façon dont une recrue éventuelle a réagi face à l'adversité, en dehors du terrain. Le base-ball est un sport construit sur l'échec.

Comme le dit le vieil adage : même le meilleur des batteurs manque la balle sept fois sur dix. »

En sport, tout l'intérêt de l'entraînement est de suivre les suggestions du coach. Adam dit qu'il est ouvert à la critique depuis qu'il a été plongeur olympique junior. La critique, c'était la seule façon pour lui de s'améliorer. Le jour où Adam est entré dans une salle de classe pour la première fois, il a laissé son slip de bain à la porte, mais a adopté la même stratégie. Il a fait de ses étudiants ses entraîneurs.

Nous acceptons plus facilement les remarques quand nous ne les prenons pas personnellement, ce qui permet de mettre ces commentaires à profit pour s'améliorer. Évaluer notre façon d'y réagir peut limiter leur effet douloureux. « Après chaque mauvaise note, nous devrions nous attribuer une seconde note, conseillent les professeurs de droit Doug Stone et Sheila Heen, qui évaluerait la façon dont nous avons réagi à la première... Même quand nous méritons un F, nous pourrions obtenir un A+ pour la façon dont nous avons géré cet échec. »

Être capable de prendre en compte les critiques est un signe de résilience. Ceux qui y parviennent le mieux ont souvent appris à le faire à leurs dépens. J'ai rencontré Byron Auguste quand j'étais associée chez McKinsey, et que nous avons été désignés pour travailler sur le même projet. Premier directeur afro-américain de l'histoire de cette entreprise, Byron avait le calme nécessaire pour envisager la critique comme « purement anthropologique ». Il m'a raconté plus tard que cette attitude lui venait d'un traumatisme de son adolescence. À quinze ans, Byron se rendait à pied à un restaurant de son quartier de Phoenix, avec son cousin, son petit frère et leur père, quand un chauffard ivre, soudainement sorti de nulle part, leur a foncé dessus. Byron a eu les deux jambes cassées.

Quand il a repris conscience à l'hôpital, sa mère lui a annoncé la terrible nouvelle : son père était dans le coma et son petit frère de dix ans n'avait pas survécu.

Après cet accident, Byron s'est juré de ne jamais ajouter à la peine de ses parents en devenant pour eux une source de problèmes. Il a excellé dans ses études, jusqu'à obtenir un doctorat en économie. Ce qui l'a le plus aidé à construire sa résilience, ça a été de surmonter la perméabilité : « Le compartimentage extrême est sans doute mon plus grand superpouvoir », m'a-t-il expliqué en riant. Si un projet n'aboutit pas comme il l'aurait souhaité, Byron se rappelle que les choses pourraient toujours être pires. « Je le répète constamment, à moi comme aux autres : "Est-ce que quelqu'un est mort" C'est ça, le pire – l'échec ne me fait absolument pas peur. »

Byron m'a montré que créer des équipes et des organisations résilientes impliquait une communication ouverte et sincère. Quand une entreprise échoue, c'est souvent pour une raison que tout le monde connaît mais dont personne n'a osé parler. Quand quelqu'un prend une mauvaise décision, rares sont ceux qui ont le courage de le lui dire, surtout si la personne en question est leur patron.

L'une de mes affiches préférées, au bureau, affirme : « Chez Facebook, aucun problème n'est celui de quelqu'un d'autre. » Lors d'une réunion rassemblant la totalité de l'entreprise, j'ai demandé à tous ceux qui rencontraient des problèmes avec un ou une collègue – ce qui est bien évidemment le cas de tous les employés – de parler plus honnêtement avec cette personne. J'ai annoncé un nouvel objectif : avoir au moins une conversation difficile par mois. Pour m'assurer que ces discussions se passent bien, j'ai rappelé à chacun que la critique devait toujours être à double sens. J'ai expliqué comment une simple phrase pouvait aider les gens à accepter une critique négative : « Je te fais cette remarque parce que j'ai fondé de grands espoirs sur toi et que je sais que tu peux être à la hauteur. »

Désormais, dès que je me rends dans un de nos bureaux à l'étranger, je demande à l'équipe : « Qui a eu au moins une conversation difficile ce mois-ci ? » Au début, très peu de mains se levaient. (Et soyons honnêtes, quand je suis face à eux, mes collègues ont davantage tendance à en rajouter qu'à minimiser.) Mais à force, de plus en plus de gens ont osé jouer le jeu et certains de nos managers ont pris des mesures audacieuses pour encourager l'ouverture à la critique. Carolyn Everson, qui dirige nos équipes de vente à l'international, publie ses rapports de performance dans un groupe Facebook, en interne, qui compte 2 400 membres. Elle veut que toute son équipe voie comment elle travaille pour s'améliorer.

L'année des premières fois touchant à sa fin, j'ai dû penser à une autre conversation difficile – et pas des moindres. Tous les ans, j'organise la journée du leadership, destinée aux femmes qui travaillent chez Facebook. L'année précédente, j'avais parlé de mes craintes et de mes échecs, professionnels comme personnels. J'avais évoqué ces périodes de ma vie où je n'étais vraiment pas sûre de savoir qui j'étais. J'avais reconnu avoir pris beaucoup de mauvaises décisions, notamment m'être mariée et avoir divorcé quand j'avais une vingtaine d'années, et avoir continué, pendant un temps, à sortir avec les mauvaises personnes. Puis, j'avais raconté comment j'avais enfin trouvé en Dave un véritable partenaire. J'avais conclu en affirmant que « croire que tout va s'arranger fait que tout s'arrange ».

Un an plus tard, mon état d'esprit était bien différent. J'étais également beaucoup plus sensible à la souffrance de certaines de mes collègues. La mère de l'une d'entre elles avait un cancer en phase terminale et une autre traversait un divorce difficile. Et il ne s'agissait là que des deux dont je connaissais la situation. J'étais convaincue que beaucoup d'autres souffraient en silence, comme c'est souvent le cas au travail. J'ai donc décidé de me confier, dans l'espoir que cela aiderait celles qui traversaient des épreuves dans leur vie personnelle. J'ai parlé des trois P et décrit ce que l'on ressentait dans la période de chagrin aigu. J'ai reconnu avoir sous-estimé la difficulté, pour un parent célibataire, de rester concentré au travail quand les choses étaient compliquées à la maison. Je craignais de ne pas être capable d'aller au bout de mon discours sans pleurer... et je ne l'ai pas été. Quand bien même, j'ai été soulagée une fois celui-ci terminé. Dans les semaines qui ont suivi, certaines de mes collègues se sont à leur tour confiées aux autres. Ensemble, nous avons envoyé plusieurs éléphants se faire voir ailleurs.

Caryn Marooney a elle aussi assisté à mon discours. Nous venions de lui proposer de prendre la tête de nos équipes de communication internationale, je savais donc qu'elle avait une décision importante à prendre. Ce qui se révélait bien plus compliqué que prévu, car son médecin venait de lui annoncer qu'elle avait sans doute un cancer du sein. Elle attendait ses résultats d'examen, mais avait d'ores et déjà décidé que si le diagnostic était confirmé, elle refuserait la promotion. « Entre ma peur d'échouer à un nouveau poste et l'annonce de mon possible cancer du sein, j'étais accablée », m'a-t-elle expliqué. Caryn n'était pas à l'aise pour discuter de ses ennuis de santé au travail ; elle ne voulait pas être un fardeau pour qui que ce soit et craignait de paraître faible. Mais m'entendre parler de mes difficultés devant des milliers de collègues lui a redonné une petite lueur d'espoir.

La semaine suivante, le médecin de Caryn lui a confirmé qu'elle était bien atteinte d'un cancer et qu'elle allait devoir être opérée et suivre un long traitement. Je lui ai demandé qu'elle était sa décision concernant le poste et lui ai assuré que nous la soutiendrions quelle qu'elle soit. Elle m'a dit qu'avoir rencontré d'autres malades lui avait fait prendre conscience de la chance qu'elle avait eue de voir son cancer détecté à un stade précoce, et d'appartenir à une entreprise qui se montrait si compréhensive. Elle a avoué avoir peur, mais elle ne voulait pas renoncer à un poste pour lequel elle avait travaillé pendant des années. Ensemble, nous avons mis en place un plan pour lui permettre de prendre ses nouvelles fonctions.

« J'ai dû abandonner l'idée d'être un chef intrépide », m'a expliqué Caryn. Au lieu de ça, la première fois qu'elle s'est adressée aux deux cents personnes de l'équipe de communication, elle a parlé ouvertement de sa maladie. Elle suivait une radiothérapie quotidienne qui l'épuisait physiquement et la rendait parfois distraite. « Chaque fois que j'avais envisagé cet instant – ce fantasme de celle que je voulais être – je m'étais imaginée forte, intelligente et sûre de moi. Je voulais être un modèle, celle qui rassemble et unit. Au lieu de ça, j'ai annoncé aux membres de mon équipe que j'avais un cancer et que j'allais avoir besoin de *leur* soutien. »

Leur réaction l'a épatée. Ses collègues ont fait tout leur possible pour lui venir en aide – et ont commencé à parler publiquement de leurs difficultés personnelles comme professionnelles. Caryn est convaincue que c'est ce qui les a rendus plus efficaces. « On pense que discuter de ces choses-là va nous ralentir, mais cela prend un temps et une énergie considérables de cacher ce qui ne va pas. » Son ouverture personnelle a provoqué leur ouverture professionnelle. Au début, ses collègues discutaient des « leçons retenues » en tête à tête, mais la plupart d'entre eux semblaient plus à l'aise pour en parler en groupe. Ces « leçons retenues » font désormais partie intégrante des méthodes de l'équipe. « Avant, nous n'évoquions que ce qui s'était bien passé, a expliqué Caryn. Désormais nous analysons également ce qui s'est mal passé. »

Caryn a brillamment traversé son année de premières fois. Elle a dirigé l'équipe de communication internationale et a courageusement supporté la radiothérapie. Le premier jour de son traitement, je lui ai donné un collier avec les lettres « TVG ». Elle n'a d'abord pas compris, étant donné que ses initiales sont « CLM ». Je lui ai expliqué que c'était un symbole de la foi que j'avais en elle et que cela voulait dire « Tu vas gérer. »

« Depuis, je dis "TVG" aux membres de mon équipe à tout bout de champ, a raconté Caryn. Et ils se le disent entre eux. TVG, ça veut dire tellement de choses. »

10

Aimer et rire de nouveau

Quand nous nous sommes mariés en 2004, Dave travaillait pour Yahoo et moi pour Google. Nous avions pensé que l'humour serait une bonne façon de désamorcer la rivalité entre nos deux entreprises – et donc la majorité de nos invités. Nous avions ainsi prévu de leur donner, à leur arrivée, le choix entre deux casquettes. Ce serait notre version à nous de « Vous êtes du côté de la mariée ou du marié ? » J'ai commandé mes casquettes Google bien avant le jour J, et j'étais assez fière du résultat. Jusqu'à ce que Dave en emporte une un matin, à son bureau, en annonçant : « Débrouillez-vous pour que la nôtre soit mieux. » Ils ont réussi et, pour le plus grand plaisir des collègues de Dave, de nombreux invités Google ont porté une casquette Yahoo pendant tout le week-end.

Dans la relation que j'avais avec Dave, le rire et l'amour se sont toujours mêlés, et nous voulions que cela se reflète dans les différentes célébrations de notre mariage. Au brunch de mon enterrement de vie de jeune fille, toutes mes amies ont eu droit à une poupée Mr. Wonderful qui, quand on lui presse la main, dit des choses comme : « Et si on se contentait de se câliner, ce soir ? » ou : « Oh, ta mère ne peut-elle pas rester une semaine de plus ? » ou encore, ma préférée : « Tiens, prends la télécommande. Tant que je suis avec toi, peu m'importe ce que l'on regarde. » Au dîner de répétition, Marc, mon beau-frère, a poussé le bouchon de l'humour encore un peu plus loin en commentant un diaporama de moi en compagnie de tous mes ex-petits amis. Et, oui, la phrase : « Le type avec un piercing au téton » a bien été prononcée.

Notre mariage a eu lieu en Arizona, par une journée aussi belle que venteuse. Juste avant la cérémonie, Dave et moi nous sommes réunis dans une petite pièce avec nos familles et nos amis les plus proches, pour signer les vœux que nous avions écrits pour notre *ketouba*, le contrat de mariage juif. J'ai signé la première, puis Dave a apposé sa grosse signature illisible. Tous ensemble, nous avons rejoint le jardin où se tenait la cérémonie. La procession a commencé ; je me tenais prête au bout de l'allée, quand j'ai entendu Marc, devant moi, taquiner notre petit porteur d'alliances de trois ans : « T'inquiète, Jasper, il paraît que les pantalons sont facultatifs à ce mariage. » Ma sœur est aussitôt intervenue : « Jasper, arrête de montrer tes fesses ! » C'est donc en plein fou rire que je me suis avancée, quand un coup de vent a soulevé mon voile si haut que j'ai failli tomber. J'ai retrouvé mon équilibre, réussi à rejoindre Dave, et le rabbin a pris la parole.

Dans la tradition juive, la mariée doit tourner sept fois autour du marié. Dave et moi avons préféré tourner l'un autour de l'autre, les yeux dans les yeux. Nos amis nous ont dit plus tard que nous avions l'air de danser. Puis, entourés de nos parents et de nos frères et sœurs, nous avons récité, paragraphe par paragraphe, les vœux que nous avions écrits ensemble :

Je te prends en amour. Je promets de t'aimer délibérément, jour après jour, de ressentir ta joie et ton chagrin comme s'ils étaient les miens. Ensemble, nous construirons un foyer fait d'honneur et d'honnêteté, de réconfort et de compassion, d'apprentissage et d'amour.

Je te prends en amitié. Je promets de célébrer tout ce que tu es, de t'aider à devenir tout ce que tu aspires à être. À partir d'aujourd'hui, tes rêves sont les miens et mon unique objectif est de t'aider à tenir la promesse de ta vie.

Je te prends dans la foi. Je sais que notre engagement mutuel durera toute la vie, qu'avec toi, mon âme est enfin complète.

En ce jour de notre mariage, je sais qui je suis et qui je veux être, et je te donne mon cœur pour l'unir à jamais au tien.

Nous avons passé onze ans à mettre ces vœux en pratique, à tourner l'un autour de l'autre, à être amants et amis. Puis soudainement, *toute la vie* de Dave s'est arrêtée. Désormais, j'allais me coucher, le cœur brisé, en passant devant ces vœux encadrés, accrochés au mur de notre chambre, à côté du placard de Dave. C'était un spectacle si douloureux… surtout de voir ses vêtements rangés là. On aurait dit qu'ils attendaient son retour – tout comme moi.

Plusieurs mois après, je retenais encore mon souffle chaque fois que je passais devant ce mur. Il fallait faire quelque chose. Je n'aurais pas supporté de décrocher nos vœux – ils y sont toujours –, j'ai donc décidé de vider le placard de Dave. Il n'y a pas de mots pour décrire combien j'appréhendais cette tâche. Rien ne nous prépare à ça. Carole Greihner m'avait conseillé de le faire avec mon fils et ma fille. Nous nous sommes donc mis tous les trois au travail. Nous avons ri – ce qui m'a sincèrement étonnée – en voyant tous ces pulls gris identiques et tous ces T-shirts promotionnels de conférences auxquelles

Dave avait participé il y a des années. Nous avons pleuré en sortant son maillot adoré des Vikings. Mes enfants ont trié ce qu'ils voulaient garder et quand ma fille a serré dans ses bras l'un de ses pulls, elle a fini par dire ce que nous pensions tous : « Les habits ont l'odeur de papa. »

Plus tard dans la soirée, Paula et Rob, la mère et le frère de Dave, sont venus m'aider à finir de trier. Ils étaient déjà passés par là, il y a seize ans, quand ils avaient dû vider le placard du père de Dave après sa mort. Ils n'auraient jamais imaginé devoir le faire pour Dave ; tout cela avait quelque chose de surréaliste, et nous le savions tous les trois. Quand Paula a tenu devant elle le pull gris effiloché que Dave portait le plus souvent, je me suis effondrée. Je me suis tournée vers elle et j'ai dit : « Je n'arrive pas à croire que tu doives supporter ça *encore* une fois. Est-ce que ça va ? Comment ça *pourrait* aller ? » Elle m'a répondu : « Je ne suis pas morte. Mel et Dave le sont, mais moi je suis en vie. Et je vais continuer à vivre. » Elle a passé son bras autour de moi en poursuivant : « Et tu vas continuer à vivre, toi aussi. » Puis elle m'a prise de court en ajoutant : « Et non seulement tu vas continuer à vivre, mais un jour, tu vas te remarier – et je serai à tes côtés pour célébrer ça avec toi. »

Jusque-là, l'idée de retomber amoureuse ne m'avait jamais traversé l'esprit. Quelques mois auparavant, j'avais dit à Rob que je voulais décrocher cette photo d'une plage, la nuit, qui était dans ma chambre. Dave et moi l'avions choisie ensemble mais, désormais, son côté sombre me déprimait. J'ai expliqué à Rob que je voulais la remplacer par une photo de Dave et moi avec nos enfants. Rob a secoué la tête : « C'est ta chambre. Fini, les photos de Dave. Tu dois tourner la page. »

Plus facile à dire qu'à faire. Je ne supportais pas l'idée d'enlever mon alliance. D'un autre côté, en la voyant, je me disais que je vivais dans le déni. J'ai donc décidé de la porter à la main droite. De cette façon, j'avais l'impression d'être toujours liée à Dave sans pour autant prétendre être encore mariée. Étant donné que j'avais déjà du mal à définir mes sentiments envers un objet inanimé, j'étais loin d'envisager de sortir avec un autre homme, et encore moins d'en parler. J'avais l'impression de trahir Dave, et cela ne faisait que me rappeler combien il me manquait. Donc, quand Rob a insinué qu'il y aurait peut-être un jour quelqu'un d'autre dans ma vie, j'ai rapidement changé de sujet.

En revanche, je n'ai jamais voulu vivre seule. Mes parents ont toujours été heureux en ménage et, depuis toute petite, je voulais l'être moi aussi. Je crois d'ailleurs que c'est ce qui m'a conduite à me marier trop jeune, la première fois. Je sais désormais que si j'avais pris le temps d'être indépendante et de savoir que je pouvais m'assumer seule, cela aurait sans doute facilité mes relations. Après que mon premier mariage s'est soldé par un divorce, je faisais régulièrement un rêve angoissant, duquel je me réveillais convaincue que quelqu'un était allongé à côté de moi. Quand je voyais que ce n'était pas le cas, je me sentais inexorablement seule. Après avoir épousé Dave, ce rêve a continué, mais à mon réveil il était là, dormant – enfin, ronflant – à mon côté, et je pouvais enfin éprouver cette sensation de « Oh, ce n'était qu'un rêve. »

Désormais, ce rêve était devenu réalité. J'étais seule dans mon lit, seule quand mes enfants partaient jouer chez leurs amis. La moindre heure passée sans eux à la maison me faisait penser à ce futur proche où ils partiraient pour l'université, m'abandonnant. Serai-je donc seule pour le restant de mes jours ?

Marne m'a rappelé que vivre seule pouvait être un choix valorisant. Une enquête a étudié plus de 24 000 couples mariés sur une période de quinze ans, afin d'analyser l'évolution de leur relation. Se marier n'a augmenté leur bonheur que de façon mineure. Sur une échelle de 1 à 10, les célibataires qui étaient à 6,7 grimpaient à 6,8 une fois mariés. Cette minuscule augmentation se produisait souvent à l'époque de leurs noces et redescendait en général au bout de la première année. Quand l'un des participants perdait son mari ou son épouse et ne se remariait pas, sa note de bonheur était à 6,55 huit ans après. À vrai dire, les gens qui choisissent d'être célibataires sont souvent satisfaits de leur vie. « Les célibataires sont stéréotypés, stigmatisés et ignorés, nous explique la psychologue Bella DePaulo, mais cela ne les empêche pas de vivre heureux jusqu'à la fin de leurs jours. » Elle nous demande d'imaginer un monde où les gens mariés seraient traités comme les célibataires : « Quand vous annoncez aux gens que vous êtes mariés, ils penchent la tête en disant "Oooh" ou "Ne t'inquiète pas chérie, tu finiras bien par divorcer"... Au bureau, les célibataires partent du principe que vous pouvez travailler pendant les vacances ou sur n'importe quel dossier prenant. »

Comme tous les couples, Dave et moi avons connu des périodes où nous n'étions pas en phase, mais nous avons toujours mis un point d'honneur à régler de front tous nos problèmes. Cependant, nous n'avions jamais parlé de la situation dans laquelle je me trouve aujourd'hui. J'avais dit à Dave que si je mourais, je voulais qu'il retombe amoureux – tant qu'il n'épousait pas une vilaine marâtre qui forcerait nos enfants à porter des manteaux en peau de dalmatien. Dave m'a répondu qu'il n'avait aucune envie d'avoir cette horrible conversation et ne m'a jamais fait part du moindre de ses souhaits. Désormais, j'encourage mes amis et ma famille à exprimer leurs craintes et leurs désirs au sein du couple.

L'amour est le troisième rail du deuil – un sujet si lourd qu'il est intouchable. Après avoir perdu son compagnon, la seule perspective plus angoissante que de retrouver la joie est de retrouver l'amour. La simple idée de fréquenter quelqu'un d'autre ravive le chagrin puis la culpabilité. Si danser avec un ami d'enfance m'a fait exploser en sanglots, imaginez le reste...

Y a-t-il une date idéale pour recommencer à sortir avec des hommes ? J'ai entendu parler d'une Anglaise qui avait perdu son mari et s'était mise à fréquenter son meilleur ami quatre semaines après. Les gens ont été choqués de la vitesse à laquelle elle s'est lancée dans une autre relation. Sa belle-mère et beaucoup de ses amis ont coupé les ponts avec elle. « Accusez-moi de tous les maux si cela vous fait plaisir, a-t-elle dit, mais le chagrin nous frappe tous de façon différente, et je n'ai aucun regret. » Quand vous êtes veuf ou veuve, les gens ont de la peine pour vous et aimeraient vous voir surmonter votre tristesse. Mais si vous commencez à sortir avec quelqu'un, certains vous jugent et prétendent que, finalement, vous avez peut-être surmonté votre tristesse un peu trop tôt. Un ami d'enfance, qui est désormais rabbin, m'a expliqué que, dans la religion juive, le deuil d'un parent, d'un enfant ou d'un frère et d'une sœur durait un an, mais que le deuil d'un mari ou d'une épouse ne durait que trente jours. « Les rabbins veulent que les gens tournent la page », m'a-t-il dit.

À mon quatrième mois de veuvage, mon frère David m'a annoncé qu'il voulait me parler. « Je ne sais pas si j'ai le droit d'aborder le sujet, a-t-il dit sur un ton beaucoup moins assuré que d'habitude, mais je crois que tu devrais songer à sortir de nouveau avec un homme. » Il m'a assuré, comme Rob, que Dave n'aurait jamais voulu que je reste seule. David pensait également que cela m'aiderait à me distraire et à reprendre confiance en moi. Il a également souligné le fait que, si j'étais un homme, je n'aurais pas attendu pour le faire.

En effet, après la mort d'un conjoint ou d'une conjointe, les hommes ont plus de chances de ressortir avec quelqu'un que les femmes. Et ils le font également plus tôt. 54 % des veufs quadragénaires vivent une nouvelle relation amoureuse au bout d'un an, contre seulement 7 % des femmes. Dans beaucoup de pays européens, après la mort de l'époux ou de l'épouse, le taux d'hommes qui se remarient est bien plus élevé que celui des femmes. Par ailleurs, les hommes qui se lancent dans une nouvelle relation sont jugés moins sévèrement. On attend des femmes qu'elles portent le flambeau de l'amour et quand cette flamme s'éteint, elles sont censées pleurer sa disparition pendant plus longtemps. La veuve éplorée est une figure acceptable au sein de notre société, contrairement à la veuve qui danse et qui fréquente des hommes. Ces différences sont le reflet d'une inégalité de traitement dont les facteurs sont variés, comme le fait que les femmes se sentent plus coupables et stressées à l'aube d'une nouvelle histoire, que la société accepte plus facilement que les hommes épousent des femmes plus jeunes, ou encore que les femmes vivent plus longtemps.

Une autre réalité pesante, c'est que la responsabilité des enfants et des parents vieillissants incombe plus souvent aux femmes qu'aux hommes. Une collègue m'a raconté l'histoire de sa famille nombreuse, qui ne comptait pas moins de quatre mères célibataires. Aucune d'entre elles n'avait jamais songé à rencontrer un homme, et encore moins à se remarier. « Je suis sûre qu'il y a de nombreuses raisons à cela, dit-elle. Mais elles mentionnaient toutes la même : elles n'avaient pas assez de temps ni d'argent, pour sortir tout en élevant des enfants. » Puisque les pères ne leur versaient aucune pension alimentaire, la plupart de ces femmes ont été obligées de cumuler les emplois afin de subvenir aux besoins de leur famille. Elles rêvaient toutes de retrouver l'amour, mais elles consacraient toute leur énergie à s'assurer que leurs enfants aient un toit sous lequel dormir. Elles n'avaient pas les moyens de s'offrir les services d'une baby-sitter et vivaient loin de leur famille et de leurs amis, de tous ceux qui auraient pu les aider. Sortir avec un homme était un luxe qu'elles ne pouvaient pas se permettre.

Les veuves continuent d'être durement traitées à travers le monde. Dans certaines régions de l'Inde, elles sont marginalisées par leur propre famille, et n'ont d'autres recours pour survivre que la mendicité. Dans certains villages du Nigeria, on les déshabille de force avant de les obliger à boire l'eau qui a servi à laver le cadavre de leur mari. En Chine, 54 % de la population ont été témoins de discriminations envers les veuves ; ce taux passe à 70 % en Turquie et 81 % en Corée du Sud. Dans de nombreux pays, les femmes ne peuvent hériter les biens de leur défunt mari.

Étant donné que rien ne me motive plus qu'un sexisme flagrant, cette conversation avec mon frère m'a poussée à envisager la possibilité de fréquenter quelqu'un de nouveau. Les questions ont alors fusé dans ma tête : Essayer de tourner la page n'allait-il pas empirer la situation ? Ces premiers rendez-vous galants seraient-ils aussi horribles que ceux que j'avais connus auparavant ? J'évoquais désormais le sujet, de temps en temps, dans mon journal intime. Mais quand je faisais lire mon journal à ma famille et mes amis les plus proches – parce que c'était parfois plus simple que de parler de mes sentiments – je prenais bien soin d'effacer les paragraphes en question. Le simple fait d'y penser me faisait culpabiliser et j'avais peur de leurs réactions.

Quelques mois plus tard, j'ai raconté à Phil qu'un ami et moi échangions régulièrement des e-mails et que j'avais l'impression que notre correspondance prenait une tournure romantique. La première réaction de Phil a confirmé mes craintes : « Je suis ton ami, a-t-il dit. Mais Dave était comme un frère et je ne suis pas prêt à entendre ce genre de choses. » La tante de Phil, qui avait perdu son mari l'année précédente, était présente ce jour-là. Quand ils se sont retrouvés tous les deux un peu plus tard, Phil lui a dit qu'il pensait avoir « plutôt bien géré cette conversation embarrassante ». Elle lui a répondu qu'il avait été « horrible ».

Phil a été déconcerté. Il s'est d'abord défendu, en lui expliquant : « Je ne faisais que suivre le code d'honneur entre hommes. J'essayais de respecter la mémoire de Dave, pas de juger Sheryl. » Mais sa tante lui a dit que, même s'il n'avait pas pensé à mal, il n'avait été d'aucun soutien. Phil est revenu me voir pour s'excuser, et a ajouté qu'il espérait que je puisse à l'avenir lui parler de tout, y compris de mes fréquentations. Nous nous sommes serrés dans les bras. « Je crois que nous avons tous les deux besoin de tourner la page », a-t-il dit avec mélancolie.

D'autres se sont montrés moins compréhensifs. Quand la presse a rapporté que je fréquentais quelqu'un, un homme a commenté en disant que j'étais « une putain bonne à jeter ». Un autre s'est cru malin en affirmant que j'étais assurément « une dame avec beaucoup de classe », car l'amour de ma vie venait de mourir et que « [j'échangeais] déjà [m]a salive avec celle d'un autre homme ».

Heureusement, on peut encore trouver de la compassion sur Internet. J'ai lu le blog de l'écrivain Abel Keogh qui relatait ses tentatives pour retrouver l'amour après le suicide de son épouse. « La première fois que je suis allé dîner avec une autre femme, j'ai eu l'impression de la tromper... J'ai été envahi par un sentiment de culpabilité et de trahison. » Six mois après la mort de son épouse, il a rencontré une femme par le biais de sa paroisse. Au cours de leur premier rendez-vous, il lui a annoncé qu'il était veuf. La jeune femme a pris peur et a refusé de le revoir, jusqu'à ce que son père l'encourage à lui donner une seconde chance. Moins d'un an plus tard, ils étaient mariés. Ils ont désormais sept enfants et Abel a publié plusieurs guides destinés aux veufs. « Il y aura toujours des gens qui ne comprendront pas que vous cherchiez à retrouver l'amour, s'est-il lamenté. Ils vous mèneront la vie dure, pensant bêtement que les veufs et les veuves ne devraient jamais retomber amoureux. Leur avis n'a aucune importance. Tout ce qui compte, c'est que vous soyez prêt, vous. Vous n'avez pas à vous justifier. »

Les veufs et les veuves éprouvent déjà suffisamment de chagrin et de culpabilité comme ça, et les juger ne fait qu'ajouter à leur peine. Il vaut mieux envisager leur nouvelle vie amoureuse comme une tentative de faire disparaître leur tristesse et de retrouver de la joie, plutôt que comme une trahison. Je serai toujours reconnaissante envers Paula, Rob et David d'avoir abordé le sujet. Ils ont pointé du doigt l'éléphant des relations, avant de l'escorter poliment jusqu'à la sortie.

Toutefois, sortir avec quelqu'un n'efface pas le chagrin. Nous, les membres du club auquel personne ne veut appartenir, le savons bien. Nous pouvons pleurer celui qu'on a perdu tout en fréquentant une autre personne. A fortiori si celle-ci a suffisamment confiance en elle pour nous laisser le temps de faire notre deuil, tout en nous aidant à le surmonter. J'ai petit-déjeuné avec un ami trois mois après la mort de son épouse, et lui ai dit qu'il devrait recommencer à sortir avec une femme quand il se sentirait prêt. J'espérais l'encourager, comme la famille de Dave l'avait fait pour moi. Après son premier rendez-vous, il m'a envoyé un e-mail : « C'était bizarre. Et j'étais toujours aussi triste le lendemain. Mais aussi embarrassante que fut cette soirée par moments, j'ai eu l'impression de faire enfin un pas en avant pour reprendre le cours de ma vie. »

J'ai rencontré Tracy Robinson l'été dernier, quand nos enfants ont fréquenté le même camp de vacances. Comme moi, elle était veuve avec deux enfants. Après la mort de Dan, son mari, Tracy a passé des années à se sentir incroyablement seule. Elle s'est raccrochée à ses amis, se rapprochant de certains tandis que d'autres s'éloignaient. Elle ne songeait absolument pas à refaire sa vie. Et puis elle a rencontré Michelle. « Il y a de la bonté en elle, m'a-t-elle dit. Je l'aime d'une façon très différente de celle dont j'aimais Dan. » Tracy et Michelle se sont mariées l'été dernier, cinq ans après la mort de Dan. Il lui manque encore, et Tracy affirme que s'être remariée n'y a rien changé. Mais elle est déterminée à saisir toutes les chances que lui offre la vie, parce que celle-ci peut s'arrêter du jour au lendemain. « J'ai beau détester l'admettre, je suis plus heureuse que je ne l'ai jamais été. Parfois, nous avons besoin de traverser une horrible épreuve pour nous rendre compte que la beauté du monde nous entoure de toute part. »

Lorsqu'une personne amoureuse passe un scanner cérébral, cela révèle un taux grisant d'énergie et d'euphorie. Tomber amoureux nous permet de reprendre confiance, d'avoir une meilleure estime de nous-mêmes et fait évoluer notre personnalité. Souvent, nous adoptons certaines des qualités de notre nouveau partenaire. Être en couple avec quelqu'un de curieux ou de calme peut nous amener à adopter les mêmes comportements.

Fréquenter quelqu'un a remis une pointe d'humour dans ma vie. L'homme dont j'avais parlé à Phil a commencé à m'envoyer des e-mails – d'abord occasionnellement, puis de plus en plus souvent – et il réussissait chaque fois à me faire rire. Il signait « Le Roi de la distraction », et c'est exactement ce qu'il était. Il m'a aidée à me concentrer sur le présent et à revivre des moments de joie.

Si l'amour est le troisième rail du chagrin, le rire est tout aussi problématique. Face à la mort, les traits d'humour semblent inappropriés, quel qu'en soit le sujet. Le pire étant, évidemment, de rire de la mort elle-même. Mais cela m'est arrivé de temps en temps – et cela m'horrifiait aussitôt, comme si on m'avait prise la main dans le sac, voire le bras en entier. La première blague dont je me souviens, c'est celle que j'ai faite quand un de mes ex-petits amis est arrivé chez moi après l'enterrement. Il m'a prise dans ses bras pour me dire combien il était désolé. « Tout ça c'est ta faute, lui ai-je dit. Si tu n'avais pas été gay, on se serait mariés et rien de tout ça ne serait arrivé. » Nous avons ri tous les deux. Et puis j'ai eu le souffle coupé, horrifiée d'avoir fait cette blague.

Quelques semaines plus tard, alors que ma belle-sœur Amy et moi pleurions dans ma chambre, je l'ai regardée et j'ai dit : « Bon, au moins je ne serai plus obligée de regarder tous ces mauvais films. » Nous sommes restées muettes de surprise pendant un instant. Puis nous avons explosé de rire, parce que Dave avait vraiment les pires goûts cinématographiques qui soient – presque aussi mauvais que mes goûts en séries télé. Repenser à ces blagues me fait encore un peu grincer des dents mais, à l'époque, elles ont eu le mérite de grignoter un peu l'obscurité dans laquelle j'étais plongée.

Et je n'étais pas été la seule à faire des traits d'humour. Rob nous a expliqué un jour qu'il ne pardonnerait jamais à son frère de l'avoir laissé seul avec une mère, une épouse et une belle-sœur qui l'appelaient toutes vingt fois par jour. C'était drôle parce que c'était vrai. Et malheureusement pour lui, ça ne m'a absolument pas empêchée de continuer.

Aujourd'hui, je n'ai plus le souffle coupé et je ris assez facilement de Dave, tant qu'il s'agit de blagues que j'aurais pu faire devant lui, de son vivant. Celles qui concernent sa mort, en revanche, sont toujours aussi terribles. Mais elles ont le mérite de détendre l'atmosphère. Un jour, un ami qui savait que Dave voulait que notre fils fréquente une école privée s'est étonné de constater qu'il était scolarisé dans un établissement public. Je lui ai répondu : « Si Dave voulait que nos enfants soient dans le privé, il aurait dû rester dans le coin pour s'en assurer. » Notre ami s'est figé l'espace d'un instant, avant de comprendre que je plaisantais et de se détendre. Nous avons ensuite eu notre première conversation honnête depuis la mort de Dave.

L'humour peut nous rendre plus résilients. Après une opération chirurgicale, les patients qui regardent des comédies consomment 25 % de cachets antidouleur en moins. Les soldats qui font des blagues gèrent mieux leur stress. Les veufs qui rient sans se retenir, six mois après avoir perdu leur conjoint, s'en remettent plus rapidement. Les couples qui rient ensemble ont plus de chances de voir durer leur mariage. Sur le plan physiologique, l'humour ralentit notre rythme cardiaque et relâche nos muscles. D'un point de vue évolutif, l'humour est le signe qu'une situation est sans danger. Le rire désamorce les tensions en allégeant une situation stressante.

L'humour peut également être le garde-fou de la moralité. En tournant en dérision une horrible situation, nous reprenons le pouvoir, ne serait-ce que l'espace d'un instant : les impuissants deviennent les vainqueurs et l'outsider a le dernier mot. Mel Brooks expliquait qu'il se moquait d'Hitler et des nazis parce que « si vous pouvez les tourner en ridicule, alors vous avez une longueur d'avance sur eux ». Des siècles durant, les bouffons du roi ont été les seuls à pouvoir parler sans détour face à l'autorité, et à défier les monarques du monde. De nos jours, aux États-Unis, ce sont les humoristes et leurs talk-shows de deuxième partie de soirée qui tiennent ce rôle.

Les blagues sont monnaie courante aux enterrements, parce que l'humour noir nous aide à triompher du chagrin. Avant d'écrire *En avant toutes* avec moi, Nell Scovel était scénariste de sitcoms. Elle a quatre frères et sœurs et, à l'enterrement de leur mère, elle a commencé son éloge funèbre en brandissant une enveloppe et en annonçant solennellement : « J'ai ici le nom de l'enfant préféré de maman. » Après avoir perdu son mari, l'une des amies de Nell a tenu un journal dans lequel elle s'adressait à lui. « Aujourd'hui, il écoute beaucoup plus attentivement », a-t-elle remarqué. L'époux de la comédienne Janice Messitte est mort subitement, deux semaines après leur mariage. Quand on lui a demandé comment elle l'avait perdu, elle a répondu : « Il n'est pas perdu. Il avait un grand sens de l'orientation. Il est MORT. » L'humour soulage – ne serait-ce que l'espace d'une seconde.

Puisque j'essayais de tourner la page, j'ai invité le « roi de la distraction » à m'accompagner au mariage de ma cousine. C'était agréable d'avoir de nouveau quelqu'un avec qui danser, mais assister à une fête de famille sans Dave m'était encore douloureux. Quand la musique a commencé, j'ai arboré mon plus beau sourire. Une femme est venue me voir et m'a dit : « J'ai entendu dire qu'il y avait quelqu'un dans ta vie !

Je suis ravie de savoir que tu vas mieux ! » Une autre a serré la main de mon cavalier avant de se tourner vers moi en s'exclamant : « Quel plaisir de voir que tu t'es remise de la mort de Dave ! » Je sais qu'elles étaient bien intentionnées et qu'elles ne veulent que mon bonheur, mais non, je ne suis pas « remise » de la mort de Dave. Je ne le serai jamais.

Quand nous nous marions, nous jurons de nous aimer « jusqu'à ce que la mort nous sépare ». Nous avons une vision active de l'amour – nous aimons en étant là pour un ami, en prenant soin d'un enfant, en nous réveillant à côté de quelqu'un – qui implique que l'autre soit *vivant*. Si j'ai appris une chose, c'est que l'on peut continuer d'aimer profondément quelqu'un même après sa mort. Nous ne pouvons peut-être pas le serrer dans nos bras ou lui parler – et nous pouvons fréquenter ou tomber amoureux d'une autre personne –, mais cela ne nous empêche pas de l'aimer aussi fort qu'avant. Le dramaturge Woodruff Anderson le résume parfaitement quand il écrit : « La mort marque la fin d'une vie, pas celle d'une relation. »

L'été dernier, j'ai dîné avec trois couples d'amis dont je suis très proche, mais qui ne se connaissaient mutuellement pas très bien. À un moment, chacun de ces couples a raconté l'histoire de sa rencontre. L'un parlait tandis que l'autre l'interrompait avec humour, on voyait qu'ils avaient tous fait ça toute leur vie. J'ai ressenti une boule dans l'estomac qui n'a eu de cesse de grandir ensuite. *Éléphant, je n'aurais jamais imaginé que tu me manquerais.* J'ai d'abord cru être triste parce que mes amis manquaient cruellement de tact ; cela faisait quinze mois et trois jours que Dave était mort, et pour la plupart des gens ce n'était plus leur principale préoccupation. Le monde avait tourné la page. Je suis rentrée chez moi plus tôt que prévu ce soir-là, en prétextant ne pas me sentir bien.

Mais quand je me suis réveillée le lendemain, j'étais encore plus contrariée – pas à cause de mes amis, qui n'auraient jamais voulu me blesser, mais parce que je m'étais rendu compte que personne ne me demanderait jamais plus comment Dave et moi nous étions connus. Quand les histoires s'étaient succédé, la veille au soir, on avait sauté mon tour. Comme Dave était mort, notre adorable rencontre n'avait plus rien d'adorable. On considère qu'il est cruel de demander aux gens comment ils ont connu leur conjoint décédé, donc personne ne le fait. Mais pour les gens veufs, ne pas poser la question signifie qu'ils n'ont plus le droit d'éprouver la nostalgie des premiers jours de leur histoire d'amour. J'ai appelé Tracy Robinson et nous avons décidé que, désormais, nous demanderions aux membres de notre club comment ils avaient connu leur conjoint, afin de leur donner l'occasion de se remémorer l'excitation de cette première rencontre.

Puisque Adam et moi apprenions à faire preuve de résilience au travail comme à la maison, nous avons réfléchi à une façon d'appliquer ces enseignements à nos relations. Nous voulons tous créer des liens suffisamment solides pour que notre couple survive aux situations éprouvantes et aux épreuves de la vie et en ressorte encore plus fort. Au début d'une relation, tout cela semble assez facile. Les psychologues affirment que, quand les gens tombent amoureux, même les disputes rendent l'autre séduisant. *Ça vous dit quelque chose, la réconciliation sur l'oreiller ?* Puis la lune de miel s'achève et même les petits riens du quotidien peuvent se révéler pénibles. Parfois, un malheur arrive sans prévenir – notre conjoint peut tomber malade, être licencié ou faire une dépression. Parfois, ce malheur découle d'une erreur ou d'une mauvaise décision – notre conjoint peut être infidèle, devenir méchant ou violent. Malgré tous nos efforts, certaines unions ne durent pas, ou du moins ne le devraient pas.

Pour entretenir la résilience au sein d'une relation aimante et durable, nous devons porter une attention toute particulière à nos échanges quotidiens avec l'autre. Une fameuse étude a invité 130 jeunes mariés à passer une journée dans le « laboratoire de l'amour », un endroit qui ressemblait à s'y méprendre à un petit hôtel de charme. Les psychologues ont observé ces couples interagir « dans leur état sauvage » et ont prédit lesquels allaient durer. À 83 %, ils ont su déterminer avec exactitude qui allait divorcer durant les six prochaines années. Une des clés qui assure la pérennité d'un couple réside dans sa capacité à communiquer. La majorité de nos échanges constituent, en réalité, une demande d'attention, d'affection, de soutien ou de rire chez l'autre. Nous lançons une perche chaque fois que nous disons : « Hé, regarde cet oiseau ! » ou : « Est-ce qu'il nous reste du beurre ? » Face à la perche, notre conjoint a deux options : tourner le dos ou s'intéresser. Tourner le dos signifie ignorer la perche ou la balayer d'un revers de la main. *Arrête de me parler d'oiseaux, je regarde la télé.* S'intéresser veut dire s'impliquer. *Oui, je vais aller acheter du beurre. Et des grains de maïs pour faire du pop-corn.* Les jeunes mariés qui sont restés ensemble au cours des six années qui ont suivi s'impliquaient dans 86 % des cas, contre seulement 33 % de ceux qui ont divorcé. La majorité des disputes de ces couples ne concernaient ni l'argent ni le sexe, mais les « invitations manquées à créer un lien ».

Pour Jane Dutton, la collègue d'Adam, une relation résiliente a la capacité de supporter des émotions intenses et de résister aux pressions de la vie. Il ne s'agit pas seulement de l'union de deux personnes résilientes : la résilience devient l'une des caractéristiques de l'union elle-même. En tant que thérapeute, mon amie Harriet Braiker, hélas décédée aujourd'hui, a publié de nombreux ouvrages sur l'amour. Elle affirmait souvent qu'une relation impliquait trois personnes : nous, l'autre et la relation elle-même, qui est une entité à part entière que l'on doit cultiver et protéger.

Partager des loisirs est un moyen d'y parvenir. Passé les débuts, les couples découvrent souvent que la flamme faiblit avec le temps. S'essayer à de nouvelles activités excitantes est une façon de la raviver. Je me souviens d'un mariage à la campagne où Dave et moi avions passé la majeure partie du week-end à jouer au Scrabble. Un ami qui venait de divorcer nous observait et nous a confié que lui et son ex-femme n'avaient jamais vraiment rien fait ensemble – et que son nouvel objectif était de trouver quelqu'un avec qui jouer au Scrabble. Apparemment, le Scrabble était sa conception d'une activité excitante. C'était la mienne aussi.

Pour qu'une relation dure, un couple doit être capable de gérer les conflits. Quand on a demandé à des jeunes mariés de discuter quinze minutes d'un problème récurrent de leur union, ce n'est pas le fait que l'un des deux se mette en colère qui avait eu une incidence sur leur séparation, ou non, six ans plus tard. Le schéma le plus classique annonciateur d'un divorce était le suivant : l'épouse abordait un problème, le mari devenait agressif ou était sur la défensive, provoquant alors chez elle la tristesse, le dégoût ou la résistance. Au sein des couples dont le mariage a duré, les deux conjoints ont fait preuve d'humour et d'affection, plutôt que de laisser la négativité prendre le dessus. Chacun a reconnu sa part de responsabilité et cherché à trouver un compromis. C'était le signe que, même s'ils se disputaient, leur couple allait au fond plutôt bien.

Quand nous nous disputons avec notre conjoint, il est facile de camper sur nos positions. Prendre du recul aide à résoudre le conflit. Lors d'une étude, on a demandé à des couples de raconter leur plus grand point de désaccord, mais de le faire comme s'ils étaient un observateur extérieur. Écrire sur le sujet trois fois, pendant sept minutes, a suffi à les aider à être heureux en ménage pendant l'année qui a suivi.

Évidemment, une relation solide ne résout pas tous les problèmes. Mon amie Jennifer Joffe aime son mari, le sentiment est réciproque, et ils ont deux merveilleux enfants. Jennifer est l'une des personnes les plus gentilles que je connaisse mais, pendant trente-cinq ans, elle n'a jamais réussi à faire preuve de gentillesse envers elle-même. « Je m'aimais si peu, me détestais à un tel point, que je n'avais aucune considération pour mon corps. » Le père de Jennifer est décédé quand elle avait l'âge de ma fille et son profond chagrin lui a valu des décennies de boulimie. « Je me servais de la nourriture comme d'un médicament pour atténuer la douleur d'avoir perdu mon père. Mais en vieillissant, je m'en suis également servi comme d'une armure pour me protéger du reste du monde. »

Il y a quelques années, la fille de Jennifer rentrait de l'école à vélo quand elle a été renversée par une voiture. Elle est sortie de l'hôpital le jour même, mais la catastrophe évitée de peu a poussé Jennifer à envisager les choses d'un autre œil. « Quand ma plus grande peur a failli devenir réalité, je me suis rendu compte que je ne vivais pas vraiment ma vie. » Pendant un temps, elle a réussi à contrôler sa boulimie, avant de replonger au printemps suivant. Puis Dave est mort. Jennifer est aussitôt venue nous réconforter. Et dans un superbe renversement de situation, nous aider l'a aidée elle aussi. « Revivre ces instants m'a donné l'impression d'être un fantôme du passé, m'a-t-elle dit. Je regardais ta fille et je voulais lui dire que sa vie avait changé pour toujours, que c'était vraiment injuste, mais que ce n'était pas sa faute. Ce n'était la faute de personne. C'était la vie, tout simplement. Je voulais qu'elle continue à s'aimer. Et je voulais que ma fille s'aime, elle aussi. Mais comment pouvais-je espérer qu'elle et mon fils le fassent quand leur propre mère en était incapable ? »

Jennifer a enfin décidé de se traiter avec la bonté et l'attention dont elle faisait preuve envers les autres. Ce qui a compté plus que tout, c'est qu'elle a compris « qu'on ne peut pas prendre l'addiction de vitesse. Il faut d'abord guérir, et cela nécessite une forme d'amour que vous seule pouvez vous procurer ». Une fois que Jennifer a appris l'autocompassion et à s'accepter, elle a pu reprendre le contrôle de son addiction. Elle aide désormais d'autres femmes qui se battent contre la boulimie. Elle est un modèle pour moi et nous rappelle à tous que l'amour dont nous avons besoin pour mener une vie épanouie ne peut pas venir uniquement des autres. Il doit venir de nous aussi.

Comme beaucoup de choses dans la vie, trouver l'amour ne dépend pas toujours de nous. Ma collègue Nina Choudhuri s'est longtemps accrochée à son rêve de petite fille, celui de se marier et d'avoir des enfants. Le mariage de ses parents avait beau avoir été arrangé, ils étaient ensuite tombés éperdument amoureux l'un de l'autre. Jusqu'à ce que son père meure alors qu'elle n'avait que trois ans. « J'ai grandi avec une mère qui n'était pas célibataire par choix – c'était son option B à elle. » Sa mère l'a encouragée à chercher la bonne personne et à se marier par amour. Nina s'est donc mise en quête de l'homme idéal. Quand elle était jeune, dès qu'elle se rendait à un rendez-vous galant, elle se demandait aussitôt : « Est-ce que c'est le genre de personne que je pourrais épouser ? »

Elle restait optimiste, mais plus elle rencontrait d'hommes, en ligne comme par le biais d'amis, avec lesquels cela ne fonctionnait pas, plus elle se demandait si le rêve qu'elle et sa mère partageaient finirait par se réaliser.

Quand Nina a approché de la quarantaine, elle a compris que, si elle n'avait aucun contrôle sur le fait de tomber amoureuse, elle pouvait en revanche choisir d'avoir un enfant. Elle s'inquiétait des risques d'une grossesse tardive et a donc envisagé l'adoption. « À quarante-trois ans, j'ai enfin eu cette révélation qui m'a permis d'accepter que ce qui comptait dans la vie, ce n'était pas l'image qu'on renvoyait, mais notre épanouissement personnel. » Elle a décidé d'adopter un bébé toute seule. Quand elle l'a annoncé à son frère, il a sauté de joie et l'a prise dans ses bras. Sa mère était ravie, elle aussi, et lui a dit qu'un enfant était un cadeau du ciel. « Ces marques de soutien n'ont fait que renforcer ma conviction d'en être capable. J'ai tellement de chance d'avoir autant d'amour autour de moi. Qui a le droit de dire qu'une famille c'est un homme, une femme, deux enfants et demi et une petite maison en banlieue ? Dans mon option B, le B veut dire bébé. Et tous les deux, nous allons créer notre option A à nous. »

Nina a dû faire preuve de persévérance. Elle a d'abord été choisie par une mère biologique, mais le bébé est né avec une malformation congénitale du cœur et n'a survécu qu'une semaine. Elle m'a affirmé à l'époque n'avoir eu aucun regret, qu'elle avait « aimé cet enfant pendant sept jours splendides », et que, malgré la violence de cette expérience, cela n'avait fait que confirmer sa décision d'adopter. Puis, la veille de la Saint-Valentin, Nina m'a envoyé un e-mail dont l'objet était : « Je te présente... » Mon cœur s'est emballé quand j'ai vu la photo d'elle tenant un nourrisson dans ses bras, quelques heures à peine après sa naissance. On ne peut pas voir les yeux de Nina parce qu'ils sont rivés sur sa fille. Le corps de l'e-mail ne contenait que quelques mots : « Je l'aime tellement ! Je n'arrive pas à y croire ! »

Être résilient en amour, c'est trouver une force en nous que l'on peut partager avec les autres. Trouver une façon de faire perdurer cet amour, malgré les hauts et les bas. Trouver notre propre façon d'aimer, quand la vie ne se passe pas comme prévu. Trouver la force de s'accrocher à l'amour, à l'espoir d'aimer et de rire de nouveau même quand celui ou celle que vous aimiez vous a été cruellement arraché.

––––––––––––

À l'heure où j'écris ces lignes, presque deux ans ont passé depuis ce jour inimaginable au Mexique. Deux ans que mes enfants ont perdu leur père. Deux ans que j'ai perdu l'amour de ma vie.

Anna Quindlen m'a dit que l'on confondait souvent faire preuve de résilience avec tourner la page. Elle a perdu sa mère il y a plus de quarante ans. « Est-ce que c'est plus facile aujourd'hui qu'à l'époque ? Oui, m'a-t-elle expliqué autour d'un café. Me manque-t-elle au point que c'en est encore douloureux physiquement ? Oui. Est-ce qu'il m'arrive toujours de prendre mon téléphone pour essayer de l'appeler ? Oui. »

Le temps a suivi son cours et, d'une certaine façon, moi aussi. J'ai avancé et progressé – pas dans tous les domaines, mais j'ai progressé. Je suis désormais convaincue que ce que m'avait dit Davis Guggenheim, le premier mois, est vrai : le chagrin, lui aussi, doit suivre son cours. Écrire ce livre, et essayer de donner un sens à tout ce qui s'est passé, n'a pas effacé ma tristesse. Parfois, le chagrin me revient comme une vague. Il envahit mon esprit jusqu'à ce que je ne puisse plus rien ressentir d'autre. Il refait surface à des dates prévisibles, comme le jour de notre anniversaire de mariage, mais aussi à des moments plus anodins, comme lorsque je trouve dans ma boîte aux lettres une publicité adressée au nom de Dave. Parfois, alors que je travaille à la table de ma cuisine, mon cœur s'arrête net, parce que j'ai l'impression, l'espace d'une seconde, de l'entendre ouvrir la porte pour rentrer à la maison.

Mais si le chagrin nous écrase comme une vague, il repart comme la marée. Et nous sommes toujours là, non seulement debout mais plus forts. L'option B nous offre encore des options. Nous pouvons continuer à aimer... et nous pouvons continuer à éprouver de la joie.

Je sais désormais qu'il est possible de se remettre, mais également de grandir. Est-ce que je renoncerais à cette évolution pour que l'on me rende Dave ? *Bien évidemment.* Personne ne choisit de grandir de cette façon. Mais nous y sommes parfois forcés – alors nous grandissons. Comme Allen Rucker l'a écrit au sujet de sa paralysie : « Je ne vais pas vous faire grincer des dents en prétendant que c'est un mal pour un bien. Il n'y a rien de bien dans tout ça, et cela fait vraiment mal. Mais on gagne certaines choses et on en perd d'autres. Et, certains jours, je ne suis pas sûr que ces gains ne soient pas aussi importants, voire plus, que ces inévitables pertes. »

Le drame n'est pas forcément personnel, perméable, ni permanent. La résilience, elle, peut l'être. Nous pouvons la construire et la cultiver toute notre vie. Si Malala peut faire preuve de reconnaissance... si Catherine Hoke peut avoir une seconde chance d'aider les autres à en avoir une eux aussi... si les femmes laissées pour compte peuvent s'unir pour combattre les injustices sociales... si la congrégation de Sœur Emmanuelle peut lutter contre la haine... si Allen Rucker peut garder son sens de l'humour... si Waafa peut fuir vers un pays inconnu et retrouver la joie... si Joe Kasper peut se construire un codestin avec son fils… alors nous pouvons tous trouver une force en nous et la faire grandir avec les autres. Il y a une lumière en chacun de nous que personne ne pourra jamais éteindre.

À l'enterrement de Dave, j'ai expliqué que si quelqu'un m'avait dit, le jour de notre mariage, que nous ne passerions que onze années ensemble, je l'aurais quand même épousé. Onze années à avoir été son épouse et dix à avoir élevé des enfants avec lui, c'est plus de chance et de bonheur que je ne l'aurais jamais imaginé. Je suis reconnaissante pour chaque minute passée avec lui. J'ai terminé mon discours funéraire par ces mots :

Dave, aujourd'hui, je te fais plusieurs promesses.

Je te promets d'élever nos enfants pour qu'ils soient fans des Vikings, même si je n'y connais rien en football américain et que je suis à peu près sûre que cette équipe ne gagne jamais.

Je te promets de les emmener assister à des matchs des Warriors et de bien faire attention à n'applaudir que quand les Warriors marquent.

Je te promets de laisser notre fils jouer au poker en ligne, même si tu l'as autorisé à le faire quand il avait huit ans sans en discuter d'abord avec sa mère, ce que la plupart des pères auraient fait. Que notre fille sache qu'elle pourra le faire à huit ans elle aussi – mais pas une minute plus tôt.

Dave, je te promets d'élever nos enfants pour qu'ils sachent qui tu étais – et tous ceux qui sont là pourront m'aider à le faire en nous parlant de toi. Et Dave, je les élèverai pour qu'ils sachent tout ce que tu espérais que la vie leur apporterait, et que tu les aimais plus que tout au monde.

Dave, je te promets de faire tout mon possible pour mener une vie dont tu serais fier. Une vie où je donne le meilleur de moi-même : être une amie digne de celui que tu as été pour nos amis, suivre ton exemple en essayant de rendre ce monde meilleur, et toujours – je dis bien toujours – chérir ton souvenir et aimer notre famille.

Aujourd'hui, il nous faut dire au revoir à l'amour de ma vie. Mais nous n'enterrerons que son corps. Son esprit, son âme, et son incroyable capacité à donner resteront parmi nous. Je peux les sentir quand les gens me racontent combien il a compté pour eux, je peux les voir dans les yeux de notre famille et de nos amis, et surtout, dans le courage et la résilience de nos enfants. Les choses ne seront plus jamais les mêmes – mais le monde est meilleur depuis que Dave Goldberg y a vécu.

Oui, le monde est meilleur depuis que Dave Goldberg y a vécu. Je suis une meilleure personne grâce à toutes ces années que nous avons passées ensemble et grâce à tout ce qu'il m'a enseigné – dans sa vie comme dans sa mort.

Bâtir la résilience ensemble

Nous vous invitons à aller sur le site optionb.org afin que vous puissiez vous sentir connecté à d'autres personnes qui traversent les mêmes épreuves que vous. Vous pourrez y lire les histoires de ceux qui ont construit leur résilience malgré le deuil, la maladie, les violences et d'autres difficultés – et trouver des informations qui vous aideront, vous et vos proches.

Nous espérons également que vous rejoindrez la communauté d'*Option B* sur notre page Facebook.com/optionbcommunity, pour un soutien et un encouragement constants.

En nous rassemblant et en nous aidant les uns les autres, nous pouvons aller de l'avant et retrouver la joie.

Remerciements

Lorsque vous écrivez un livre sur la résilience, les gens se confient naturellement sur les difficultés que leurs proches ou eux-mêmes ont eu à affronter. Nombre d'entre nous avions déjà travaillé ensemble, mais avec ce projet, nous nous sommes rapprochés. Nous sommes reconnaissants envers toutes les personnes mentionnées ici pour leur expertise et leur contribution ainsi que pour leur sincérité et la confiance qu'elles nous ont accordée.

Nell Scovell a travaillé sur ce livre avec une abnégation héroïque. Pour que tout soit juste, elle a soigneusement réfléchi à chaque phrase, chaque paragraphe, avec un zèle indéfectible. Nell possède des compétences remarquables et l'on retrouve chacune d'entre elles dans ce livre. En tant que journaliste, elle est passée maître dans l'art de forger et polir des histoires. En tant qu'auteure de discours, elle sait parfaitement faire siennes les voix des autres. En tant qu'auteure comique, elle nous a apporté un humour plus que bienvenu dans le texte, mais aussi en dehors. Nous sommes admiratifs de son attention aux détails, son habileté à accéder au cœur de chaque instant, et des sacrifices auxquels elle a consenti pour ce livre, par loyauté et amour. Son apport est visible à chaque page, et nous n'aurions pu écrire sans elle.

La journaliste Stacey Kalish a réalisé plus de quarante entretiens, posant des questions difficiles avec empathie. Les fines analyses de la sociologue de l'université de Stanford Marianne Cooper ont guidé notre réflexion, et sa profonde connaissance des inégalités sociales et économiques nous a donné des renseignements précieux.

Notre éditrice chez Knopf, Robin Desser, a compris le besoin d'équilibrer l'émotion et la recherche et trouvé comment mêler les deux. Son enthousiasme débordant nous a aidés à parvenir à la dernière ligne. Sonny Mehta, directrice éditoriale de Knopf, et Tony Chirico, le P-DG, ont été notre option A et nous leur sommes reconnaissants de leur soutien. Nous remercions également Markus Dohle, P-DG de Penguin Random House, pour avoir défendu notre travail. Nos agents, Jennifer Walsh et Richard Pine, nous ont apporté des conseils exceptionnels et leur amitié à chaque étape du processus d'écriture.

David Dreyer et Eric London sont des virtuoses de la communication et d'excellents conseillers. Leurs voix, celles de la raison, ont été un guide permanent. Liz Bourgeois et Anne Kornblut n'auraient pu être plus généreuses de leur temps, ni plus brillantes dans leurs observations des gens, des tons et des émotions. Lachlan Mackenzie a apporté sa compassion et son talent pour créer des images illustrant les concepts difficiles. Gene Sperling a toujours su anticiper et résoudre les problèmes dont nous n'avions pas même conscience. Merril Markoe a été une lumière dans l'obscurité et nous a fait rire de bon cœur.

En tant que présidente de la Sheryl Sandberg & Dave Goldberg Family Foundation, Rachel Thomas a mené les opérations de soutien aux femmes de leanin.org, afin que partout dans le monde elles puissent poursuivre leurs rêves. Aujourd'hui, elle se concentre aussi sur le lancement d'optionb.org. Elle est la meilleure dans son domaine. Un immense merci à toute l'équipe pour la passion et la créativité qu'ils apportent chaque jour au bureau. Mentions spéciales à Jenna Bott pour son talent en design, Ashley Finch pour son travail et son leadership, Katie Miserany et Sarah Maisel pour avoir aidé les gens à partager leurs histoires, Raena Sadler et Michael Linares pour la création du site web d'*Option B*, Megan Rooney et Brigit Helgen pour savoir toujours trouver les mots justes, Bobbi Thomason pour la traduction de chaque édition, Clarice Cho et surtout Abby Speight pour leur support à la communauté d'*Option B*. Nos chaleureux remerciements à Norman Jean Roy pour avoir usé de son talent afin de capturer dans ses photos l'esprit même de la résilience et à Dyllan McGee et son équipe de McGee Media pour avoir donné, dans leur film, une voix à nos héros.

Nous avons eu la chance de recevoir des conseils et des informations d'amis bien documentés. Carole Geithner qui nous a indiqué comment aider les enfants à faire leur deuil. Maxine Williams qui nous a apporté ses connaissances sur les préjugés et la diversité. Marc Bodnick qui nous a poussés à trouver les bons exemples pour éclairer le concept des trois P. Amy Schefler qui nous a expliqué comment les hôpitaux apprennent de leurs erreurs et les évitent. Andrea Saul qui a usé pour nous de son habileté dans la communication et la politique. Le rabbin Jay Moses, le révérend Scotty McLennan, Cory Muscara, Reza Aslan et Krista Tippett qui nous ont fait part de leurs perspectives religieuses. Anna Quindlen qui nous a incités à parler de l'isolation causée par le deuil. Reb Rebele qui a partagé ses informations sur les nouveaux développements de la recherche sur la résilience. Arianna Huffington qui nous a rappelé que les gens ne lisent pas que pour apprendre mais aussi pour trouver l'espoir. Craig et Kirsten Nevill-Manning qui sont venus nous voir comme à leur habitude et ont posé d'importantes questions sur la tonalité du livre. Scott Tierney qui a insisté sur l'importance de s'impliquer au sein d'une communauté avant d'être touché par l'adversité. Nola Barackmann et Tessa Lyons-Laing qui ont fait sortir les éléphants de ce livre. Lauren Bohn qui a interviewé Wafaa avec son exceptionnel interprète, Mohammed. Dan Levy et Grace Song qui nous ont enseigné la résilience des petites entreprises. Kara Swisher et Mellody Hobson qui nous ont aidés à trouver les bons mots. Ricki Seidman qui est intervenue afin d'améliorer la cohérence et la clarté du texte. Michael Lynton qui nous a encouragés à réfléchir sur comment lier cet ouvrage à nos précédents écrits. Colin Summers qui a fait preuve d'une grande patience en répondant jour après jour à nos questions sur le fond et la forme. Et nous adressons nos vifs remerciements à Allison Grant qui n'a pas seulement partagé avec nous ses connaissances sur la santé mentale mais nous a également apporté son amour et son soutien durant l'écriture de ce livre.

L'équipe de Knopf est immédiatement intervenue avec un enthousiasme qui s'est transformé en exubérance (Paul Bogards, c'est vous que nous regardons). Cet ouvrage a énormément profité du travail consciencieux et passionné de Peter Andersen, Lydia Buechler, Janet Cooke, Anna Dobben, Chris Gillespie, Erinn Hartman, Katherine Hourigan, Andy Hughes, James Kimball, Stephanie Kloss, Jennifer Kurdyla, Nicholas Latimer, Beth Meister, Lisa Montebello, Jennifer Olsen, Austin O'Malley, Cassandra Pappas, Lara Phan, Danielle Plafsky, Anne-lise Spitzer, Anke Steinecke, Danielle Toth et Amelia Zalcman. Ellen Feldman nous a dirigés du début à la fin dans notre travail, du manuscrit à l'impression.

Nous sommes extrêmement reconnaissants à Amy Ryan dont la rigueur n'est surpassée que par la patience qu'elle a démontrée face à nos incessants e-mails sur la virgule d'Oxford[1].

Réaliser le graphisme de la couverture a nécessité amour et travail de la part de toutes les personnes impliquées. Nous remercions Keith Hayes pour sa créativité et la talentueuse équipe de Knopf qui a rendu cette couverture possible : Kelly Blair, Carol Carson, Janet Hansen, Chip Kidd, Peter Mendelsund et Oliver Munday. Nous sommes aussi reconnaissants à John Ball, Holly Houk, Lauren Lamb et Shawn Ritzenthaler de MiresBall pour leur inestimable contribution.

Nous avons eu la chance de recevoir le soutien permanent des équipes de WME et InkWell, notamment Eric Zohn, Eliza Rothstein, Nathaniel Jacks et Alexis Hurley. Un immense merci à Tracy Fisher pour son savoir-faire et son application à faire en sorte que ce livre soit publié mondialement.

De nombreux amis et collègues ont lu des ébauches et nous ont fait part de leur ressenti avec honnêteté. Nous remercions pour leur temps et leurs suggestions : Joy Bauer, Amanda Bennett, Jessica Bennett, David Bradley, Jon Cohen, Joanna Coles, Margaret Ewen, Anna Fieler, Stephanie Flanders, Adam Freed, Susan Gonzales, Don Graham, Nicole Granet, Joel Kaplan, Rousseau Kazi, Mike Lewis, Sara Luchian, Schuyler Milender, Dan Rosenweig, Jim Santucci, Karen Kehela Sherwood, Anna Thompson, Clia Tierney et Caroline Weber. Mention spéciale à Larry Summers pour avoir fait de ce livre le tout premier qu'il a lu sur son téléphone.

Nous nous sommes largement basés sur les résultats de recherches menées par de grands spécialistes des sciences

---

1. La virgule d'Oxford est une virgule placée devant la conjonction de coordination « et » dans une énumération.

humaines et sociales. Leur travail a orienté notre réflexion et joue un rôle central dans le livre – particulièrement pour les trois P (Marty Seligman), le soutien social (Peggy Thoits), l'autocompassion (Kristin Neff et Mark Leary), l'écriture expressive (Jamie Pennebaker et Cindy Chung), la perte d'emploi (Rick Price et Amiram Vinokur), la croissance post-traumatique et son sens (Richard Tedeschi, Lawrence Calhoun et Amy Wrzesniewski), la joie et les émotions (Jennifer Aaker, Mihaly Csikszentmihalyi, Dan Gilbert, Jonathan Haidt, Laura King, Brian Little, Richard Lucas, Sonja Lyubomirsky, C.R. Snyder et Timothy Wilson), la résilience des enfants (Marshall Duke, Carol Dweck, Gregory Elliott Nicole Stephens et David Yeager), la résilience collective (Daniel Aldrich, Dan Gruber, Stevan Hobfoll, Michèle Lamont et Michelle Meyer), l'échec et l'apprentissage au travail (Sue Ashford, Amy Edmondson et Sabine Sonnentag), la perte et le deuil (George Bonanno, Deborah Carr, Darrin Lehman et Camille Wortman) et l'amour et les relations (Arthur et Elaine Aron, Jane Dutton et John et Julie Gottman).

Nous admirons beaucoup tous ceux qui ont partagé leurs histoires dans ce livre et sur optionb.org. La plupart font partie de clubs qu'ils n'auraient pas voulu rejoindre et nous leur sommes reconnaissants de nous avoir apporté leur sagesse. Leur résilience et leur quête de sens et de joie nous inspirent. Ils sont des modèles dont nous pouvons tirer de la force les jours où l'obscurité nous rattrape.

Notes

INTRODUCTION

16. « Personne ne m'a jamais dit » : C. S. Lewis, *Apprendre la mort*, Paris, Éditions du Cerf, 1974.

17. après avoir perdu un parent : Voir, par exemple, Timothy J. Biblarz et Greg Gottainer, "Family Structure and Children's Success: A Comparison of Widowed and Divorced Single-Mother Families," *Journal of Marriage and Family* 62 (2000): 533– 48; Kenneth S. Kendler, Michael C. Neale, Ronald C. Kessler, et al., "Childhood Parental Loss and Adult Psychopathology in Women: A Twin Study Perspective," *Archives of General Psychiatry* 49 (1992): 109–16; Jane D. McLeod, "Childhood Parental Loss and Adult Depression," *Journal of Health and Social Behavior* 32 (1991): 205–20.

18. Qu'au bout de six mois, plus de la moitié des gens : George A. Bonanno, Camille B. Wortman, Darrin R. Lehman, et al., "Resilience to Loss and Chronic Grief: A Prospective Study from Preloss to 18-Months Postloss," *Journal of Personality and Social Psychology* 83 (2002): 1150–64. Pour des preuves complémentaires, voir George A. Bonanno, *De l'autre côté de la tristesse : une vision nouvelle de la vie après la perte*, Québec, Dauphin blanc, 2011.

20. Afin de nous battre pour les changements à venir : Voir Geoff DeVerteuil et Oleg Golub-chikov, "Can Resilience Be Redeemed?," *City: Analysis of Urban Trends, Culture, Theory, Policy, Action* 20 (2016): 143– 51; Markus Keck and Patrick Sakdapolrak, "What Is Social Resilience? Lessons Learned and Ways Forward," *Erdkunde* 67 (2013): 5–19.

1. REPRENDRE SON SOUFFLE

23. « Il faut continuer » : Samuel Beckett, *L'innommable*, Paris, Éditions de Minuit, 1953.

24. notre rétablissement était souvent freiné par ce qu'il appelle les « Trois P » : Voir Steven F. Maier et Martin E. P. Seligman, "Learned Helplessness at Fifty: Insights from Neuroscience," *Psychological Review* 123 (2016): 349–67; Martin E. P. Seligman, *La force de l'optimisme*, Paris, Pocket, 2012.

25. diminue les risques de sombrer dans la dépression : Voir Tracy R. G. Gladstone et Nadine J. Kaslow, "Depression and Attributions in Children and Adolescents: A Meta-Analytic Review," *Journal of Abnormal Child Psychology* 23 (1995): 597– 606.

25. **a aidé de nombreux enseignants** : Angela Lee Duckworth, Patrick D. Quinn, et Martin E. P. Seligman, "Positive Predictors of Teacher Effective-ness," *The Journal of Positive Psychology* 4 (2009): 540–47.

25. **Des nageurs d'équipes universitaires** : Martin E. P. Seligman, Susan Nolen-Hoeksema, Nort Thornton, et Karen Moe Thornton, "Explanatory Style as a Mechanism of Disappointing Athletic Performance," *Psychological Science* 1 (1990): 143–46.

25. **cela a également aidé des assureurs** : Martin E. P. Seligman et Peter Schulman, "Explanatory Style as a Predictor of Productivity and Quitting Among Life Insurance Sales Agents," *Journal of Personality and Social Psychology* 50 (1986): 832–38.

25. **Il est courant que les victimes de viol s'en veuillent** : Matt J. Gray, Jennifer E. Pumphrey, et Thomas W. Lombardo, "The Relationship Between Dispositional Pessimistic Attributional Style Versus Trauma-Specific Attributions and PTSD Symptoms," *Jourrnal of Anxiety Disorders* 17 (2003): 289–303; Ronnie Janoff-Bulman, "Characterological Versus Behavioral Self-Blame: Inquiries into Depression and Rape," *Journal of Personality and Social Psychology* 37 (1979): 1798–809.

27. **la phrase que j'ai le plus souvent répétée** : Les femmes ont plus tendance à s'excuser que les hommes. Voir Karina Schumann and Michael Ross, "Why Women Apologize More than Men: Gender Differences in Thresholds for Perceiving Offensive Behavior," *Psychological Science* 21 (2010): 1649–55; Jarrett T. Lewis, Gilbert R. Parra, and Robert Cohen, "Apologies in Close Relationships: A Review of Theory and Research," *Journal of Family Theory and Review* 7 (2015): 47– 61.

29. **seulement 60 % des employés du secteur privé** : Robert W. Van Giezen, "Paid Leave in Private Industry over the Past 20 Years," U.S. Bureau of Labor Statistics, *Beyond the Numbers* 2 (2013): www.bls.gov/opub/btn/volume-2/paid-leave-in-private-industry-over-the-past-20-years.htm Il est inadmissible que, aux États-Unis, les parents disposent de douze semaines de congés pour une naissance, mais de seulement trois jours en cas de décès d'un enfant ; et que presque 30 % des mères qui travaillent n'aient pas droit à un congé payé : voir http://scholars.unh.edu/cgi/viewcontent.cgi?article=1170&context=carsey Pour une définition du congé payé, voir Kristin Smith et Andrew Schaefer, "Who Cares for the Sick Kids? Parents' Access to Paid Time to Care for a Sick Child," Carsey Institute Issue Brief #51 (2012), consulté le 16 décembre 2016 : http:// scholars.unh.edu/cgi/viewcontent.cgi?article=1170&context=carsey.

29. **leur chagrin peut nuire à leur performance professionnelle** : Jane E. Dutton, Kristina M. Workman, et Ashley E. Hardin, "Compassion at Work," *Annual Review of Organizational Psychology and Organizational Behavior* 1 (2014): 277–304.

29. **les baisses de productivité dues au deuil** : Darlene Gavron Stevens, "The Cost of Grief," *Chicago Tribune*, 20 août 2003: http://articles.chicagotribune.com/2003-08-20/business/0308200089_1_pet-loss-grief-emotions.

30. **cet investissement à long terme au bénéfice de leurs employés rapporte** : James H. Dulebohn, Janice C. Molloy, Shaun M. Pichler, et Brian Murray, "Employee Benefits: Literature Review and Emerging Issues," *Human Resource Management Review* 19 (2009): 86–103. Voir aussi Alex Edmans, "The Link Between Job Satisfaction and Firm Value, with Implications for Corporate Social Responsibility," *Academy of Management Perspectives* 26 (2012): 1–19; James K. Harter, Frank L. Schmidt, et Theodore L. Hayes, "Business-Unit-Level Relationship Between Employee Satisfaction, Employee Engagement,

240

and Business Outcomes: A Meta-Analysis," *Journal of Applied Psychology* 87 (2002): 268–79.

30. Des études de « prévision émotionelle » : Daniel T. Gilbert, Elizabeth C. Pinel, Timothy D. Wilson, et Stephen J. Blumberg, "Immune Neglect: A Source of Durability Bias in Affective Forecasting," *Journal of Personality and Social Psychology* 75 (1998): 617–38.

30. nous avons tendance à nous projeter : Timothy D. Wilson et Daniel T. Gilbert, "Affective Forecasting: Knowing What to Want," *Current Directions in Psychological Science* 14 (2005): 131–34; Daniel T. Gilbert, *Et si le bonheur vous tombait dessus?*, Paris, Robert Lafont, 2007.

31. Des professeurs assistants pensaient que ne pas être titularisés : Gilbert et al., "Immune Neglect."

31. Des étudiants d'université étaient convaincus qu'ils seraient malheureux : Elizabeth W. Dunn, Timothy D. Wilson, et Daniel T. Gilbert, "Location, Location, Location: The Misprediction of Satisfaction in Housing Lotteries," *Personality and Social Psychology Bulletin* 29 (2003): 1421–32.

32. une technique de thérapie cognitive comportementale : consulter le Beck Institute for Cognitive Behavior Therapy: www.beckinstitute.org.

34. « Une partie de chaque misère » : C. S. Lewis, *Apprendre la mort*, Paris, Éditions du Cerf, 1974.

35. « nous lier d'amitié avec nos démons » : Pema Chödrön, *Quand tout s'effondre : Conseils d'une amie pour des temps difficiles,* Paris, Table Ronde, Les chemins de la Sagesse, 1999.

36. une bonne idée d'imaginer combien les choses pourraient être pires : Alex M. Wood, Jeffrey J. Froh, et Adam W. A. Geraghty, "Gratitude and Well-Being: A Review and Theoretical Integration," *Clinical Psychology Review* 30 (2010): 890– 905; Laura J. Kray, Katie A. Liljenquist, Adam D. Galinsky, et al., "From What *Might* Have Been to What *Must* Have Been: Counterfactual Thinking Creates Meaning," *Journal of Personality and Social Psychology* 98 (2010): 106–18; Karl Halvor Teigen, "Luck, Envy, and Gratitude: It Could Have Been Different," *Scandinavian Journal of Psychology* 38 (1997): 313–23; Minkyung Koo, Sara B. Algoe, Timothy D. Wilson, et Daniel T. Gilbert, "It's a Wonderful Life: Mentally Subtracting Positive Events Improves People's Affective States, Contrary to Their Affective Forecasts," *Journal of Personality and Social Psychology* 95 (2008): 1217–24.

37. Des psychologues ont demandé à un groupe de personnes de faire chaque semaine la liste de cinq choses : Robert A. Emmons et Michael E. McCullough, "Counting Blessings Versus Burdens: An Experimental Investigation of Gratitude and Subjective Well-Being in Daily Life," *Journal of Personality and Social Psychology* 84 (2003): 377–89.

37. Les gens qui ont intégré le marché du travail : Emily C. Bianchi, "The Bright Side of Bad Times: The Affective Advantages of Entering the Workforce in a Recession," *Administrative Science Quarterly* 58 (2013): 587– 623.

37. En France, une personne sur cinq : "At-Risk-of Poverty or Social Exclusion Rate, 2014 and 2015," Eurostat, 10 avril 2017: http://ec.europa.eu/eurostat/statistics-explained/index.php/People_at_risk_of_poverty_or_social_exclusion.

38. 60 % des Américains : "Americans' Financial Security: Perception and Reality," The Pew Charitable Trust consulté le 14 décembre 2016 : www.pewtrusts.org/en/research-and-analysis/issue-briefs/2015/02/americans-financial-security-perceptions-and-reality.

38. La mort d'un époux ou d'une épouse a souvent des conséquences financières : Mariko Lin Chang, *Shortchanged: Why Women Have Less Wealth and What Can Be Done About It* (New York: Oxford University Press, 2010).

38. souvent sans argent pour subvenir aux besoins les plus élémentaires : Alicia H. Munnell et Nadia S. Karamcheva, "Why Are Widows So Poor?," Center for Retirement Research de l'université de Boston Brief IB#7-9, consulté le 14 décembre 2016 : http://crr.bc.edu/briefs/why-are-widows-so-poor/.

38. Parmi les 258 millions : "World Widow's Report," The Loomba Foundation, 11 mars 2017 : http://theloombafoundation.org/home.

2. CHASSER L'ÉLÉPHANT DE LA PIÈCE

45. « cet ami qui ne pose pas de questions » : Tim Urban, "10 Types of Odd Friendships You're Probably Part Of," *Wait but Why*, Décembre 2014: http://waitbutwhy.com/2014/12/10-types-odd-friendships-youre-probably-part.html. Pour comprendre pourquoi l'on apprécie mieux les gens qui posent des questions, voir Karen Huang, Mike Yeomans, Alison Wood Brooks, et al., "It Doesn't Hurt to Ask: Question-Asking Encourages Self-Disclosure and Increases Liking," *Journal of Personality and Social Psychology* (en cours d'impression).

47. « Nos enfants meurent une seconde fois » : Mitch Carmody, cité dans Linton Weeks, "Now We Are Alone: Living On Without Our Sons," *All Things Considered*, NPR, 3 septembre 2010 : www.npr.org/templates/story/story.php?storyId=128977776.

48. « syndrome de la maman » : Sidney Rosen et Abraham Tesser, "On Reluctance to Communicate Undesirable Information: The MUM Effect," *Sociometry* 33 (1970): 253–63.

48. Des médecins qui évitent de dire : Joshua D. Margolis et Andrew Molinsky, "Navigating the Bind of Necessary Evils: Psychological Engagement and the Production of Interpersonally Sensitive Behavior," *Academy of Management Journal* 51 (2008): 847–72; Jayson L. Dibble, "Breaking Bad News in the Provider-Recipient Context: Understanding the Hesitation to Share Bad News from the Sender's Perspective," in *Medical Communication in Clinical Contexts*, ed. Benjamin Bates et Rukhsana Ahmed (Dubuque, IA: Ken-dall Hunt Publishing, 2012). Voir aussi Walter F. Baile, Robert Buckman, Renato Lenzi, et al., "SPIKES—A Six-Step Protocol for Delivering Bad News: Application to the Patient with Cancer," *The Oncologist* 5 (2000): 302–11.

48. ont préféré subir des électrochocs : Timothy D. Wilson, David A. Reinhard, Erin C. Westgate, et al., "Just Think: The Challenges of the Disengaged Mind," *Science* 345 (2014): 75–77.

48. Les psychologues les appellent, de façon littérale, des « ouvreurs » : Lynn C. Miller, John H. Berg, et Richard L. Archer, "Openers: Individuals Who Elicit Intimate Self-Disclosure," *Journal of Personality and Social Psychology* 44 (1983): 1234–44.

49. Les gens qui ont traversé une épreuve montrent en général : Daniel Lim et David DeSteno, "Suffering and Compassion: The Links Among Adverse Life Experiences, Empathy, Compassion, and Prosocial Behavior," *Emotion*

16 (2016): 175– 82. Notons que, après avoir surmonté un évènement pénible, les gens se montrent parfois moins compréhensifs envers ceux qui n'arrivent pas à le faire : Rachel L. Ruttan, Mary- Hunter McDonnell, et Loran F. Nordgren, "Having 'Been There' Doesn't Mean I Care: When Prior Experience Reduces Compassion for Emotional Distress," *Journal of Personality and Social Psychology* 108 (2015): 610– 22.

49.   « entre ceux qui identifient chez l'autre » : Anna Quindlen, "Public and Private: Life After Death," *The New York Times,* May 4, 1994: www.nytimes.com/1994/05/04/opinion/public-private-life-after-death.html.

49.   Les vétérans de guerre, les victimes de viol et les parents : Darrin R. Lehman, John H. Ellard, et Camille B. Wortman, "Social Support for the Bereaved: Recipients' and Providers' Perspectives on What Is Helpful," *Journal of Consulting and Clinical Psychology* 54 (1986): 438–46.

51.   En Chine et au Japon, l'état émotionnel idéal : Jeanne L. Tsai, "Ideal Affect: Cultural Causes and Behavioral Consequences," *Perspectives on Psychological Science* 2 (2007): 242–59.

51.   « La culture américaine exige » : David Caruso, cité dans Julie Beck, "How to Get Better at Expressing Emotions," *The Atlantic,* 18 novembre 2015: www.theatlantic.com/health/archive/2015/11/how-to-get-better-at-expressing-emotions/416493/.

51.   « un murmure pour le monde » : Quindlen, "Public and Private."

53.   j'ai décidé de partager sur Facebook ce que je ressentais : Sheryl Sandberg, publication Facebook du 3 juin 2015: www.facebook.com/sheryl/posts/10155617891025177:0.

54.   évoquer un drame personnel : Pour plus de détails, consulter le chapitre 4 de James W. Pennebaker et Joshua M. Smyth, *Opening Up by Writing It Down: How Expressive Writing Improves Health and Eases Emotional Pain* (New York: Guilford, 2016).

57.   ce qu'impliquait de faire son coming out au sein d'une famille d'immigrés : Anthony C. Ocampo, "The Gay Second Generation: Sexual Identity and the Family Relations of Filipino and Latino Gay Men," *Journal of Ethnic and Migra-tion Studies* 40 (2014): 155–73; Anthony C. Ocampo, "Making Masculinity: Negotiations of Gender Presentation Among Latino Gay Men," *Latino Studies* 10 (2012): 448–72.

58.   « C'était la solitude et l'isolement que j'ai ressentis » : Emily McDowell, citée dans Kristin Hohendal, "A Cancer Survivor Designs the Cards She Wishes She'd Received from Friends and Family," *The Eye,* May 6, 2015: www.slate.com/blogs/the_eye/2015/05/06/empathy_cards_by_emily_mcdowell_are_greeting_cards_designed_for_cancer_patients.html.

58.   Emily a créé des « cartes d'empathie » : http://emilymcdowell.com/. Voir également Kelsey Crowe and Emily McDowell, *There Is No Good Card for This: What to Say and Do When Life Is Scary, Awful, and Unfair to People You Love* (New York: HarperOne, 2017).

59.   « Quand on est confronté à un évènement tragique » : Tim Lawrence, "8 Simple Words to Say When Someone You Love Is Grieving," *Upworthy,* 17 décembre 2015: www.upworthy.com/8-simple-words-to-say-when-when-someone-you -love-is-grieving.

62. **Au cours d'une étude sur le stress** : David C. Glass et Jerome Singer, "Behavioral Consequences of Adaptation to Controllable and Uncontrollable Noise," *Journal of Experimental Social Psychology* 7 (1971): 244– 57; David C. Glass et Jerome E. Singer, "Experimental Studies of Uncontrollable and Unpredictable Noise," *Representative Research in Social Psychology* 4 (1973): 165–83.

63. **Quand les gens souffrent, ils ont besoin d'un bouton** : Brian R. Little, *Me, Myself, and Us: The Science of Personality and the Art of Well-Being* (New York: Public Affairs, 2014).

63. **Il existe deux sortes de réponses émotionnelles** : C. Daniel Batson, Jim Fultz, et Patricia A. Schoenrade, "Distress and Empathy: Two Qualitatively Distinct Vicarious Emotions with Different Motivational Consequences," *Journal of Personality* 55 (1987): 19–39.

63. **« Tandis que certains de mes amis venaient me voir tous les jours »** : Allen Rucker, *The Best Seat in the House: How I Woke Up One Tuesday and Was Paralyzed for Life* (New York: HarperCollins, 2007).

67. **Lors d'une expérience, on a demandé aux participants** : Loran F. Nordgren, Mary-Hunter McDonnell, and George Loewenstein, "What Constitutes Torture? Psychological Impediments to an Objective Evaluation of Enhanced Inter-rogation Tactics," *Psychological Science* 22 (2011): 689–94.

68. **la règle de platine** : Ce terme a été attribué à de nombreuses sources. L'une de ses meilleures définitions nous vient de Karl Popper. "La règle d'or est un bon principe, que l'on peut sans doute encore améliorer en traitant les autres, quand c'est possible, comme *ils* aimeraient être traités." Karl Popper, *La société ouverte et ses ennemis, tome 2*, Paris, Seuil, 1979.

68. **« Bien qu'il soit bien intentionné, ce geste »** : Bruce Feiler, "How to Be a Friend in Deed," *The New York Times*, 6 février 2015 : www.nytimes. com/2015 /02/08/style/how-to-be-a-friend-in-deed.html.

69. **« Dans la vie, il y a des choses que nous ne pouvons pas réparer »** : Megan Devine, Refuge in Grief: Emotionally Intelligent Grief Support, consulté le 14 décembre 2016 : www.refugeingrief.com/.

69. **Des psychologues ont volontairement créé des situations de stress pour des adolescentes** : Jessica P. Lougheed, Peter Koval, et Tom Hollenstein, "Sharing the Burden: The Interpersonal Regulation of Emotional Arousal in Mother-Daughter Dyads," *Emotion* 16 (2016): 83–93.

70. **« la théorie du cercle »** : Susan Silk et Barry Goldman, "How Not to Say the Wrong Thing," *Los Angeles Times*, 7 avril 2013 : http://articles.latimes. com/2013/apr/07/opinion/la-oe-0407-silk-ring-theory-20130407.

73. **les 5 fameuses étapes du deuil** : Elisabeth Kübler-Ross, *Les derniers instants de la vie*, Genève, Labor et Fides, 1989.

73. **que cela ne se déroule pas forcément comme on l'entend** : Holly G. Prigerson et Paul K. Maciejewski, "Grief and Acceptance as Opposite Sides of the Same Coin: Setting a Research Agenda to Study Peaceful Acceptance of Loss," *The British Journal of Psychiatry* 193 (2008): 435–37. Voir aussi Margaret Stroebe et Henk Schut, "The Dual Process Model of Coping with Bereavement: Rationale and Description," *Death Studies* 23 (1999): 197–224. Comme nous l'a expliqué l'assistante sociale Carole Geithner, ce modèle fixe "minimise également l'individualité et la diversité des façons dont chacun pleure un être cher. Il y a différents styles de deuils et différentes façons de s'en

remettre. Les modèles fixes peuvent poser problème quand ils deviennent normatifs. Des modèles plus récents prennent en compte cette individualité. On peut comprendre le succès de ces modèles clés en mains, parce qu'ils nous rassurent, nous confirment qu'il y aura bien une fin, un plan de route, une certaine prédictibilité. Mais ils ont un défaut: ils ne sont pas représentatif de la réalité du chagrin. Leur réconfort est illusoire. Le deuil de chacun est différent.''

74. **Au fur et à mesure que les gens vieillissent, ils se concentrent** : Laura L. Carstensen, Derek M. Isaaco-witz, et Susan T. Charles, ''Taking Time Seriously: A Theory of Socio-emotional Selectivity,'' *American Psychologist* 54 (1999): 165– 81.

74. **de relations amicales, qui deviennent plus importantes** : Cheryl L. Carmichael, Harry T. Reis, et Paul R. Duberstein, ''In Your 20s It's Quantity, in Your 30s It's Quality: The Prognostic Value of Social Activity Across 30 Years of Adulthood,'' *Psychology and Aging* 30 (2015): 95–105.

75. **« Des pas sur le sable »** : poème allégorique publiés dans de nombreuses versions différentes. Par exemple: http://www.footprints-inthe-sand.com/index.php?page=Main.php.

4. AUTOCOMPASSION ET CONFIANCE EN SOI

77. **presque un Américain sur quatre avait un passé criminel** : Matthew Fried-man, ''Just Facts: As Many Americans Have Criminal Records as College Diplomas,'' Brennan Center for Justice, 17 novembre 2015 : www.brennancenter.org/blog/just-facts-many-americans-have-criminal -records-college-diplomas; Thomas P. Bonczar and Allen J. Beck, ''Lifetime Likelihood of Going to State or Federal Prison,'' Bureau of Justice Statistics, special report NCJ 160092, 6 mars 1997 : www.nij.gov/topics/corrections/reentry/Pages/employment.aspx.

78. **leur casier judiciaire rend difficile l'obtention d'un emploi** : Seulement 40 % des employeurs engageraient « absolument » ou « probablement » un candidat avec un casier judiciaire. Au cours d'une expérience où l'on s'est servi de CV identiques, les candidats avec un passé criminel avaient deux fois moins de chance d'être rappelés. Voir John Schmitt and Kris Warner, ''Ex-Offenders and the Labor Market,'' *The Journal of Labor and Society* 14 (2011): 87–109; Steven Raphael, *The New Scarlet Letter? Negotiating the U.S. Labor Market with a Criminal Record* (Kalamazoo, MI: Upjohn Institute Press, 2014).

78. **un prix pour son action de service public par le gouverneur du Texas** : www.legis.state.tx.us/tlodocs/81R/billtext/html/HR00175I.htm et www.kbtx.com/home /headlines/7695432.html?site=full. En plus de nos entretiens avec Catherine Hoke, les informations et citations proviennent de : Kris Frieswick, ''Ex-Cons Relaunching Lives as Entrepreneurs,'' *Inc.*, 29 mai 2012: www.inc.com/magazine/201206/kris-frieswick/catherine-rohr-defy-ventures-story-of-redemption.html; Leonardo Blair, ''Christian Venture Capitalist Defies Sex Scandal with God's Calling,'' *The Christian Post*, 31 octobre, 2015: www.christianpost.com/news/christian-venture -capitalist-defies-sex-scandal-with-gods-calling-148873/; Ryan Young, ''CCU's Moglia Teaching 'Life After Football,' '' *Myrtle Beach Online*, 22 août 2015: www.myrtlebeachonline.com/sports/college/sun-belt/coastal-carolina-

university / article31924596.html; Jessica Weisberg, "Shooting Straight," *The New Yorker*, 10 février 2014: www.newyorker.com / magazine / 2014 / 02 / 10 / shooting-straight.

79. **décrit ainsi l'autocompassion** : Kristin D. Neff, "The Development and Validation of a Scale to Measure Self-Compassion," *Self and Identity* 2 (2003): 223–50. Voir aussi Kristin Neff, *S'aimer*, Paris, Belfond, 2012.

80. **la résilience des personnes qui traversent un divorce** : David A. Sbarra, Hillary L. Smith, et Matthias R. Mehl, "When Leaving Your Ex, Love Yourself: Observational Ratings of Self-Compassion Predict the Course of Emotional Recovery Following Marital Separation," *Psychological Science* 23 (2012): 261–69.

80. **Parmi les soldats qui rentraient d'Afghanistan et d'Irak** : Regina Hiraoka, Eric C. Meyer, Nathan A. Kimbrel, et al., "Self-Compassion as a Prospective Predictor of PTSD Symptom Severity Among Trauma-Exposed U.S. Iraq and Afghanistan War Veterans," *Journal of Traumatic Stress* 28 (2015): 127–33.

80. **L'autocompassion augmente le sentiment de bonheur** : Kristin D. Neff, "Self-Compassion, Self-Esteem, and Well-Being," *Social and Personality Psychology Compass* 5 (2011): 1–12; Angus Macbeth et Andrew Gumley, "Exploring Compassion: A Meta-Analysis of the Association Between Self-Compassion and Psychopathology," *Clinical Psychology Review* 32 (2012): 545–52; Nicholas T. Van Dam, Sean C. Sheppard, John P. Forsyth, and Mitch Earleywine, "Self-Compassion Is a Better Predictor than Mind-fulness of Symptom Severity and Quality of Life in Mixed Anxiety and Depression," *Journal of Anxiety Disorders* 25 (2011): 123–30; Michelle E. Neely, Diane L. Schallert, Sarojanni S. Mohammed, et al., "Self-Kindness When Facing Stress: The Role of Self-Compassion, Goal Regulation, and Support in College Students' Well-Being," *Motivation and Emotion* 33 (2009): 88– 97.

80. **Hommes et femmes peuvent bénéficier** : Lisa M. Yarnell, Rose E. Stafford, Kristin D. Neff, et al., "Meta-Analysis of Gender Differences in Self-Compassion," *Self and Identity* 14 (2015): 499–520; Levi R. Baker et James K. McNulty, "Self-Compassion and Relationship Maintenance: The Moderating Roles of Conscientiousness and Gender," *Journal of Personality and Social Psychology* 100 (2011): 853–73. Il est important de noter que l'autocompassion n'aide pas forcément les relations – elle peut même y nuire – si les gens ne sont pas, en parallèle, décidés à apprendre de leurs erreurs.

80. **« peut être un antidote à la cruauté »** : Mark Leary, "Don't Beat Yourself Up," *Aeon*, 20 juin 2016 : https:// aeon.co / essays / learning-to-be-kind-to-yourself-has-remarkable-benefits. Voir aussi Meredith L. Terry et Mark Leary, "Self-Compassion, Self-Regulation, and Health," *Self and Identity* 10 (2011): 352–62.

80. **Plutôt que de se dire « si seulement je n'étais pas »** : Paula M. Niedenthal, June Price Tangney, and Igor Gavanski, " 'If Only I Weren't' Versus 'If Only I Hadn't': Distinguishing Shame and Guilt in Counterfactual Thinking," *Journal of Personality and Social Psychology* 67 (1994): 585–95.

81. **Rejeter la faute sur nos actions plutôt que sur nous-mêmes** : Ronnie Janoff-Bulman, "Characterological Versus Behavioral Self-Blame: Inquiries into Depression and Rape," *Journal of Personality and Social Psychology* 37 (1979): 1798–809.

81. **« un cadeau qui n'en finit jamais »** : Erma Bombeck, *Motherhood: The Second Oldest Profession* (New York: McGraw-Hill, 1983).

81. **elle nous pousse à constamment nous améliorer** : June Price Tangney et

Ronda L. Dearing, *Shame and Guilt* (New York: Guilford, 2002).

81. **Les étudiants qui se sentent honteux** : Ronda L. Dearing, Jeffrey Stuewig, et June Price Tangney, "On the Importance of Distinguishing Shame from Guilt: Relations to Problematic Alcohol and Drug Use," *Addictive Behaviors* 30 (2005): 1392–404.

81. **Les prisonniers qui se sentent humiliés** : Daniela Hosser, Michael Windzio, et Werner Greve, "Guilt and Shame as Predictors of Recidivism: A Longitudinal Study with Young Prisoners," *Criminal Justice and Behavior* 35 (2008): 138–52. Voir aussi June P. Tangney, Jeffrey Stuewig, and Andres G. Martinez, "Two Faces of Shame: The Roles of Shame and Guilt in Predicting Recidivism," *Psychological Science* 25 (2014): 799–805.

81. **Les élèves de primaire et les collégiens** : June Price Tangney, Patricia E. Wagner, Deborah Hill-Barlow, et al., "Relation of Shame and Guilt to Constructive Versus Destructive Responses to Anger Across the Life-span," *Journal of Personality and Social Psychology* 70 (1996): 797–809.

81. **« nous avons tous été brisés par quelque chose »** : Bryan Stevenson, *Et la justice égale pour tous : … un avocat dans l'enfer des prisons américaines,* Paris, Éditions Olivier Triau, 2017.

82. **Écrire peut être un outil très efficace** : Mark R. Leary, Eleanor B. Tate, Claire E. Adams, et al., "Self-Compassion and Reactions to Unpleasant Self-Relevant Events: The Implications of Treating Oneself Kindly," *Journal of Personality and Social Psychology* 92 (2007): 887–904.

82. **Mettre des mots sur les sentiments** : Voir James W. Pennebaker et Joshua M. Smyth, *Opening Up by Writing It Down: How Expressive Writing Improves Health and Eases Emotional Pain* (New York: Guilford, 2016); Joanne Frattaroli, "Experimental Disclosure and Its Moderators: A Meta-Analysis," *Psychological Bulletin* 132 (2006): 823–65; Joshua M. Smyth, "Written Emotional Expression: Effect Sizes, Outcome Types, and Moderating Variables," *Journal of Consulting and Clinical Psychology* 66 (1998): 174–84. Pour comprendre comment les choses empirent avant d'aller mieux, voir Antonio Pascual-Leone, Nikita Yeryomenko, Orrin-Porter Morrison, et al., "Does Feeling Bad Lead to Feeling Good? Arousal Patterns During Expressive Writing," *Review of General Psychology* 20 (2016): 336–47. Ces recherches nous apprennent également que: écrire fonctionne mieux quand nous le faisons en privé, pour nous-mêmes, en décrivant les faits et nos sentiments; que les hommes bénéficient plus de l'écriture que les femmes, puisqu'ils ont plus tendance à garder leurs émotions enfouies; mais que ceux pour qui l'exercice est le plus efficace sont ceux qui ont des problèmes de santé ou ont été victimes d'un traumatisme. Mais la conclusion la plus importante, c'est qu'il y a une grande différence entre trier ses pensées et ses sentiments à propos d'une expérience bouleversante et les ressasser – essayer de leur donner un sens aide, s'y accrocher, non. "Nombreux sont ceux qui estiment qu'ils pensent, rêvent, ou discutent trop d'un évènement traumatique de leur passé. Ils estiment également que les autres ne veulent pas en entendre parler, nous a expliqué le psychologue Darrin Lehman. Ce sont ces gens qui pourraient bénéficier de l'écriture. Ce n'est pas la panacée, c'est gratuit et les effets sont modestes. Si cela ne les aide pas, les gens devraient arrêter d'écrire et chercher une autre forme de traitement."

83. **Nommer nos émotions négatives** : Matthew D. Lieberman, Naomi I. Eisenberger, Molly J. Crockett, et al., "Putting Feelings into Words,"

Psychological Science 18 (2007): 421–28; Lisa Feldman Barrett, "Are You in Despair? That's Good," *The New York Times*, 3 juin 2016 : www.nytimes. com/2016/06/05/opinion/sunday/are-you-in-despair-thats-good.html.

84. ceux qui avaient décrit leur peur : Katharina Kircanski, Matthew D. Lieberman, et Michelle G. Craske, "Feelings into Words: Contributions of Language to Exposure Therapy," *Psychological Science* 23 (2012): 1086–91.

84. peut se retourner contre vous : Outre *Opening Up by Writing It Down* de Pennebaker et Smyth, consulter également: Timothy D. Wilson, *Redirect: The Surprising New Science of Psychological Change* (New York: Little, Brown, 2011); Jonathan I. Bisson, Peter L. Jenkins, Julie Alexander, et Carol Bannister, "Randomised Controlled Trial of Psychological Debriefing for Victims of Acute Burn Trauma," *The British Journal of Psychiatry* 171 (1997): 78– 81; Benedict Carey, "Sept. 11 Revealed Psychology's Limits, Review Finds," *The New York Times,* 28 juillet 2011 : www.nytimes.com/2011/07/29/health/ research/29psych.html.

84. Après une épreuve difficile, il semble que l'écriture : Karolijne van der Houwen, Henk Schut, Jan van den Bout, et al., "The Efficacy of a Brief Internet-Based Self-Help Intervention for the Bereaved," *Behaviour Research and Therapy* 48 (2010): 359–67.

84. s'enregistrer à l'aide d'un magnétophone: James W. Pennebaker et Janel D. Seagal, "Forming a Story: The Health Benefits of Narrative," *Journal of Clinical Psychology* 55 (1999): 1243–54.

85. La confiance en soi est l'une des clés : Alexander D. Stajkovic, "Development of a Core Confidence–Higher Order Construct," *Journal of Applied Psychology* 91 (2006): 1208–24; Timothy A. Judge et Joyce E. Bono, "Relationship of Core Self-Evaluation Traits—Self-Esteem, Generalized Self-Efficacy, Locus of Control, and Emotional Stability—with Job Satisfaction and Job Performance: A Meta-Analysis," *Journal of Applied Psychology* 86 (2001): 80– 92.

86. le syndrome de l'imposteur : Mark R. Leary, Katharine M. Patton, Amy E. Orlando, et Wendy Wagoner Funk, "The Impostor Phenomenon: Self-Perceptions, Reflected Appraisals, and Interpersonal Strategies," *Journal of Personality* 68 (2000): 725–56.

86. j'ai donné une conférence TED : Sheryl Sandberg, "Why We Have Too Few Women Leaders," TED Women, décembre 2010 : www.ted.com/talks/ sheryl_sandberg_why_we_have_too_few_women_leaders.

86. la capacité de ce traumatisme à nous faire douter : Edna B. Foa et Elizabeth A. Meadows, "Psychosocial Treatments for Posttraumatic Stress Disorder: A Critical Review," *Annual Review of Psychology* 48 (1997): 449–80. Voir aussi Patricia A. Resick and Monica K. Schnike, "Cognitive Processing Therapy for Sexual Assault Victims," *Journal of Consulting and Clinical Psychology* 60 (1992): 748–56.

89. comprendre la vie qu'en regardant vers le passé : Søren Kierkegaard, *Papers and Journals: A Selection* (New York: Penguin, 1996); Daniel W. Conway and K. E. Gover, *Søren Kierkegaard*, vol. 1 (New York: Taylor & Francis, 2002).

89. « petites victoires » : Karl E. Weick, "Small Wins: Redefining the Scale of Social Problems," *American Psychologist* 39 (1984): 40–49; Teresa Amabile et Steven Kramer, *The Progress Principle: Using Small Wins to Ignite Joy, Engagement, and Creativity at Work* (Boston: Harvard Business Review Press, 2011).

89. les participants ont dû écrire trois choses qui s'étaient bien passées : Martin

E. P. Seligman, Tracy A. Steen, Nansook Park, et Christopher Peterson, "Positive Psychology Progress: Empirical Validation of Interventions," *American Psychologist* 60 (2005): 410–21.

89. **Dans une étude encore plus récente** : Joyce E. Bono, Theresa M. Glomb, Winny Shen, et al., "Building Positive Resources: Effects of Positive Events and Positive Reflection on Work Stress and Health," *Academy of Management Journal* 56 (2013): 1601 27.

90. **compter ce que nous avons la chance d'avoir ne favorise pas nécessairement la confiance en soi** : Adam M. Grant et Jane E. Dutton, "Beneficiary or Benefactor: Are People More Prosocial When They Reflect on Receiving or Giving?," *Psychological Science* 23 (2012): 1033–39. Quand des collecteurs de fonds universitaires ont tenu un journal, pendant quelques jours, dans lequel ils détaillaient comment ils étaient venus en aide à leurs collègues, leur effort horaire a augmenté de 29 % dans les deux semaines qui ont suivi.

92. **les personnes ayant survécu à un cancer avaient moins de chances d'être rappelées** : Larry R. Martinez, Craig D. White, Jenessa R. Shapiro, et Michelle R. Hebl, "Selection BIAS: Stereotypes and Discrimination Related to Having a History of Cancer," *Journal of Applied Psychology* 101 (2016): 122–28.

92. **près de 24 millions** : Eurostat, "February 2015: Euro Area Unemployment Rate at 11.3," 11 mars 2017: http://ec.europa.eu/eurostat/documents/2995521/6764147/3-31032015-AP-EN.pdf/6e77d229-9c87-4671-9a52-b6450099597a.

93. **Non seulement la perte d'un salaire** : Richard H. Price, Jin Nam Choi, et Amiram D. Vinokur, "Links in the Chain of Adversity Following Job Loss: How Financial Strain and Loss of Personal Control Lead to Depression, Impaired Functioning, and Poor Health," *Journal of Occupational Health Psychology* 7 (2002): 302– 12.

93. **peut engendrer un sentiment de perte de contrôle** : Eileen Y. Chou, Bidhan L. Parmar, et Adam D. Galinsky, "Economic Insecurity Increases Physical Pain," *Psychological Science* 27 (2016): 443–54.

93. **Le stress peut s'immiscer dans les relations personnelles** : Amiram D. Vinokur, Richard H. Price, et Robert D. Caplan, "Hard Times and Hurtful Part-ners: How Financial Strain Affects Depression and Relationship Satisfaction of Unemployed Persons and Their Spouses," *Journal of Personality and Social Psychology* 71 (1996): 166–79.

93. **Afin d'aider ceux qui souffrent** : Amiram D. Vinokur, Michelle van Ryn, Edward M. Gramlich, et Richard H. Price, "Long-Term Follow-Up and Benefit-Cost Analysis of the Jobs Program: A Preventive Intervention for the Unemployed," *Journal of Applied Psychoogy* 76 (1991): 213– 19; "The Jobs Project for the Unemployed: Update," Michigan Prevention Research Center, consulté le 15 décembre 2016: www.isr.umich.edu/src/seh/mprc/jobsupdt.html.

93. **Des programmes comme celui-ci peuvent changer les choses** : Songqi Liu, Jason L. Huang, et Mo Wang, "Effectiveness of Job Search Interventions: A Meta-Analytic Review," *Psychological Bulletin* 140 (2014): 1009–41.

94. **le nombre de mères célibataires** : Sarah Jane Glynn, "Breadwinning Moth-ers, Then and Now," Center for American Progress, 20 juin 2014 : www.americanprogress.org/issues/labor/report/2014/06/20/92355/breadwinning-mothers-then-and-now/.

94. **Dans le monde, 15 %** : OECD, "Families are Changing," in *Doing Better for Families,* consulté le 11 mars 2017 : www.keepeek.com/Digital-Asset-Management/oecd/social-issues-migration-health/doing-better-for-families/families-are-changing_9789264098732-3-en#page1.

94. **En France, plus de 20 %** : Kai Ruggeri et Chloe E. Bird, "Single parents and employment in Europe: Short Statistical Report No. 3" (Santa Monica, CA: RAND Corporation, 2014), consulté le 11 avril 2017 : https://www.rand.org/pubs/research_reports/RR362.html.

95. **placer un enfant de quatre ans à la crèche** : Child Care Aware of America, "Parents and the High Cost of Child Care: 2015 Report": http://usa.childcareaware.org/wp-content/uploads/2 016/05/Parents-and-the-High-Cost-of-Child-Care-2015-FINAL.pdf.

95. **les mères célibataires sont plus pauvres** : Institute for Women's Policy Research, "Status of Women in the States," 8 avril 2015 : http://statusofwomendata.org/press-releases/in-every-u-s-state-women-including-millennials-are-more-likely-than-men-to-live-in-poverty-despite-gains-in-higher-education; Yekaterina Chzhen et Jonathan Bradshaw, "Lone Parents Poverty and Policy in the European Union," *Journal of European Social Policy* 22 (2012): 487-506; United Nations Department of Economic and Social Affairs, "The World's Women 2015: Trends and Statistics," consulté le 11 mars 2017 : https://unstats.un.org/unsd/gender/downloads/WorldsWomen2015_report.pdf.

95. **deux fois plus** : United States Census Bureau, "Historical Poverty Tables: People and Families—1959 to 2015," consulté le 19 décembre 2016: www.census.gov/data/tables/time-series/demo /income-poverty/historical-poverty-people.html.

95. **près d'un tiers des mères célibataires** : United States Department of Agriculture, "Key Statistics & Graphics," consulté le 16 décembre 2016 : www.ers.usda.gov/topics/food-nutrition-assistance/food-security-in-the-us/key-statistics-graphics.aspx.

95. **la campagne Stand Up For Kids** : Après avoir décidé de distribuer des paniers alimentaires aux familles, l'école a remarqué, année après année, une baisse de l'absentéisme de 32 % chez les élèves, et la fréquentation de l'infirmerie a diminué de 72 %. Présentation de Sonya Arriola, présidente des Sacred Heart Nativity Schools, consultée le 9 décembre 2016.

96. **En France, les femmes** : International Labour Organization, "Maternity and Paternity at Work: Law and Practice Across the World" (Geneva: International Labour Organization, 2014), accessed on March 11, 2017: www.ilo.org/wcmsp5/groups/public/---dgreports/---dcomm/---publ/documents/publication/wcms_242615.pdf.

96. **offrir un soutien durant une épreuve personnelle** : Adam M. Grant, Jane E. Dutton, et Brent D. Rosso, "Giving Commitment: Employee Support Programs and the Prosocial Sensemaking Process," *Academy of Management Journal* 51 (2008): 898–918.

5. REBONDIR ET ALLER DE L'AVANT

101. **« Au milieu de l'hiver »** : Albert Camus, L'été, Paris, Gallimard, collection blanche, 1954.

101. **« En quelques minutes »** : Joseph E. Kasper, "Co-Destiny: A Conceptual Goal for Parental Bereavement and the Call for a 'Positive Turn' in the Scientific Study of the Parental Bereavement Process," unpublished master's thesis, University of Pennsylvania, 2013.

102. « Quand nous ne sommes plus en mesure de changer » : Viktor Frankl, *Man's Search for Meaning* (New York: Pocket Books, 1959).

102. de *croissance* post-traumatique : Richard G. Tedeschi et Lawrence G. Calhoun, *Helping Bereaved Parents: A Clinician's Guide* (New York: Routledge, 2003).

102. Les psychologues ont donc continué : Voir Richard G. Tedeschi et Lawrence G. Calhoun, "Posttraumatic Growth: Conceptual Foundations and Empirical Evidence," *Psychological Inquiry* 15 (2004): 1–18; Vicki S. Helgeson, Kerry A. Reynolds, et Patricia L. Tomich, "A Meta-Analytic Review of Benefit Finding and Growth," *Journal of Consulting and Clinical Psychology* 74 (2006): 797– 816; Gabriele Prati et Luca Pietran-toni, "Optimism, Social Support, and Coping Strategies as Factors Con-tributing to Posttraumatic Growth: A Meta-Analysis," *Journal of Loss and Trauma* 14 (2009): 364–88.

102. des victimes d'agressions ou d'abus sexuels : Patricia Frazier, Ty Tashiro, Margit Berman, et al., "Correlates of Levels and Patterns of Positive Life Changes Following Sexual Assault," *Journal of Consulting and Clinical Psychology* 72 (2004): 19–30; Amanda R. Cobb, Richard G. Tedeschi, Lawrence G. Calhoun, et Arnie Cann, "Correlates of Posttraumatic Growth in Survivors of Intimate Partner Violence," *Journal of Traumatic Stress* 19 (2006): 895–903.

102. des réfugiés et des prisonniers de guerre : Steve Powell, Rita Rosner, Will Butollo, et al., "Posttraumatic Growth After War: A Study with Former Refugees and Displaced People in Sarajevo," *Journal of Clinical Psychology* 59 (2003): 71–83; Zahava Solomon et Rachel Dekel, "Posttraumatic Stress Disorder and Posttraumatic Growth Among Israeli Ex-POWs," *Journal of Traumatic Stress* 20 (2007): 303– 12.

102. des rescapés d'accidents, de catastrophes naturelles : Tanja Zoellner, Sirko Rabe, Anke Karl, et Andreas Maercker, "Posttraumatic Growth in Accident Survivors: Openness and Optimism as Predictors of Its Constructive or Illusory Sides," *Journal of Clinical Psychology* 64 (2008): 245 63; Cheryl H. Cryder, Ryan P. Kilmer, Richard G. Tedeschi, et Lawrence G. Calhoun, "An Exploratory Study of Posttraumatic Growth in Children Following a Natural Disaster," *American Journal of Orthopsychiatry* 76 (2006): 65–69.

102. de graves blessures et maladies : Sanghee Chun et Youngkhill Lee, "The Experience of Posttraumatic Growth for People with Spinal Cord Injury," *Qualitative Health Research* 18 (2008): 877–90; Alexandra Sawyer, Susan Ayers, et Andy P. Field, "Posttraumatic Growth and Adjustment Among Individuals with Cancer or HIV / AIDS: A Meta- Analysis," *Clinical Psychology Review* 30 (2010): 436– 47.

103. plus de la moitié des personnes : Richard G. Tedeschi et Lawrence G. Calhoun, "The Posttraumatic Growth Inventory: Measuring the Positive Legacy of Trauma," *Journal of Traumatic Stress* 9 (1996): 455–71.

103. moins de 15 % d'entre elles développent un syndrome de stress post-traumatique : National Center for PTSD, U.S. Department of Veterans Affairs, "How Common Is PTSD?," calculé selon les statistiques du rapport, consulté le 14 décembre 2016 : www.ptsd.va.gov/public/PTSD-overview/basics/how-common-is -ptsd.asp.

104. « ce qui ne me tue pas me rend plus fort » : Friederich Nietzche, *Le crépuscule des idoles*, traduit par Henri Albert, Paris, Flammarion, GF, 1993.

104. « Je suis plus vulnérable » : Lawrence G. Calhoun and Richard G. Tedeschi, *Handbook of Poosttraumatic Growth: Research and Practice* (New York: Routledge, 2014).

108. Après la perte d'un être cher, le vide émotionnel qu'impliquent les anniversaires : Camille B. Wortman, "Posttraumatic Growth: Progress and Problems," *Psychological Inquiry* 15 (2004): 81– 90.

109. on a demandé aux participants d'écrire et de remettre : Martin E. P. Seligman, Tracy A. Steen, Nansook Park, et Christopher Peterson, "Positive Psychology Progress: Empirical Validation of Interventions," *American Psychologist* 60 (2005): 410–21. Voir aussi Fabian Gander, René T. Proyer, Willibald Ruch, et Tobias Wyss, "Strength-Based Positive Interventions: Further Evidence for Their Potential in Enhancing Well-Being and Alleviating Depression," *Journal of Happiness Studies* 14 (2013): 1241–59.

110. Beaucoup de victimes de crimes sexuels : Patricia Frazier, Amy Con-lon, et Theresa Glaser, "Positive and Negative Life Changes Follow-ing Sexual Assault," *Journal of Consulting and Clinical Psychology* 69 (2001): 1048–55; J. Curtis McMillen, Susan Zuravin, and Gregory Rideout, "Perceived Benefit from Childhood Sexual Abuse," *Journal of Consulting and Clinical Psychology* 63 (1995): 1037– 43.

110. Après avoir perdu un enfant : Darrin R. Lehman, Camille B. Wortman, et Allan F. Williams, "Long-Term Effects of Losing a Spouse or Child in a Motor Vehicle Crash," *Journal of Personality and Social Psychology* 52 (1987): 218–31.

111. les soldats qui ont subi de lourdes pertes : Glen H. Elder Jr. et Elizabeth Colerick Clipp, "Wartime Losses and Social Bonding: Influence Across 40 Years in Men's Lives," *Psychiatry* 51 (1988): 177–98; Glen H. Elder Jr. and Elizabeth Colerick Clipp, "Combat Experience and Emotional Health: Impairment and Resilience in Later Life," *Journal of Personality* 57 (1989): 311– 41.

111. De nombreuses rescapées du cancer du sein : Matthew J. Cordova, Lauren L. C. Cunningham, Charles R. Carlson, et Michael A. Andrykowski, "Post-traumatic Growth Following Breast Cancer: A Controlled Comparison Study," *Health Psychology* 20 (2001): 176–85; Sharon Manne, Jamie Ostroff, Gary Winkel, et al., "Posttraumatic Growth After Breast Cancer: Patient, Partner, and Couple Perspectives," *Psychosomatic Medicine* 66 (2004): 442– 54; Tzipi Weiss, "Posttraumatic Growth in Women with Breast Cancer and Their Husbands: An Intersubjective Validation Study," *Journal of Psychosocial Orthopsychiatry* 20 (2002): 65– 80; Keitth M. Bellizzi et Thomas O. Blank, "Predicting Posttraumatic Growth in Breast Cancer Survivors," *Health Psychology* 25 (2006): 47–56.

113. « D'une certaine façon, la souffrance cesse » : Frankl, *Man's Search for Meaning*. Une expérience traumatique peut renforcer notre fois : Annick Shaw, Stephen Joseph, et P. Alex Linley, "Religion, Spirituality, and Posttraumatic Growth: A Systematic Review," *Mental Health, Religion and Culture* 8 (2005): 1–11.

113. j'ai lu la lettre ouverte : Vernon Turner, "Letter to My Younger Self," *The Players' Tribune*, 3 mai 2016 : www.theplayerstribune.com / vernon-turner-nfl-letter-to-my-younger-self/.

115. la famille et la religion sont ce qui apporte : Paul T. P. Wong, *The Human Quest for Meaning: Theories, Research, and Applications* (New York: Routledge, 2013); Jochen I. Menges, Danielle V. Tussing, Andreas Wihler, et Adam Grant, "When Job Performance Is All Relative: How Family Motivation Energizes Effort and Compensates for Intrinsic Motivation," *Academy of Management Journal* (in press): http://amj.aom.org/content/early/2016/02/25/amj.2014.0898.short.

115. **Mais le travail peut également le faire** : Brent D. Rosso, Kathryn H. Dekas, et Amy Wrzesniewski, "On the Meaning of Work: A Theoretical Integration and Review," *Research in Organizational Behavior* 30 (2010): 91–127; Adam M. Grant, "The Significance of Task Significance: Job Performance Effects, Relational Mechanisms, and Boundary Conditions," *Journal of Applied Psychology* 93 (2008): 108–24; Adam M. Grant, "Relational Job Design and the Motivation to Make a Prosocial Difference," *Academy of Management Review* 32 (2007): 393–417; Adam M. Grant, "Leading with Meaning: Beneficiary Contact, Prosocial Impact, and the Performance Effects of Transformational Leadership," *Academy of Management Journal* 55 (2012): 458–76; Yitzhak Fried et Gerald R. Ferriss, "The Validity of the Job Characteristics Model: A Review and Meta-Analysis," *Personnel Psychology* 40 (1987): 287–322; PayScale, "The Most and Least Meaningful Jobs," consulté le 14 décembre 2016: www.pay scale.com/data-packages/most-and-least-meaningful-jobs/.

115. **un emploi qui a du sens fait souvent barrage à l'épuisement** : Adam M. Grant et Sabine Sonnentag, "Doing Good Buffers Against Feeling Bad: Prosocial Impact Compensates for Negative Task and Self-Evaluations," *Organizational Behavior and Human Decision Processes* 111 (2010): 13–22; Adam M. Grant *et* Elizabeth M. Campbell, "Doing Good, Doing Harm, Being Well and Burning Out: The Interactions of Perceived Prosocial and Antisocial Impact in Service Work," *Journal of Occupational and Organizational Psychology* 80 (2007): 665–91. Voir aussi Thomas W. Britt, James M. Dickinson, DeWayne Moore, et al., "Correlates and Consequences of Morale Versus Depression Under Stressful Conditions," *Journal of Occupational Health Psychology* 12 (2007): 34–47; Stephen E. Humphrey, Jennifer D. Nahrgang, et Frederick P. Morgeson, "Integrating Motivational, Social, and Contextual Work Design Features: A Meta-Analytic Summary and Theoretical Extension of the Work Design Literature," *Journal of Applied Psychology* 92 (2007): 1332–56.

115. **Les jours où ils pensaient** : Sabine Sonnentag et Adam M. Grant, "Doing Good at Work Feels Good at Home, but Not Right Away: When and Why Perceived Prosocial Impact Predicts Positive Affect," *Personnel Psychology* 65 (2012): 495–530.

118. **Les candidatures pour Teach for America** : Abby Goodnough, "More Applicants Answer the Call for Teaching Jobs," *The New York Times,* 11 février 2002 : www.nytimes.com/learning/students/pop/20020212snaptuesday.html.

118. **Avant les attentats** : Amy Wrzesniewski, "It's Not Just a Job: Shifting Meanings of Work in the Wake of 9/11," *Journal of Management Inquiry* 11 (2002): 230–34.

118. **Les gens ont également plus de chances de chercher un sens** : J. Curtis McMillen, Elizabeth M. Smith, et Rachel H. Fisher, "Perceived Benefit and Mental Health After Three Types of Disaster," *Journal of Consulting and Clinical Psychology* 65 (1997): 733–39.

118. **Avec une telle conscience de leur mortalité** : Philip J. Cozzolino, Angela Dawn Staples, Lawrence S. Meyers, et Jamie Samboceti, "Greed, Death, and Values: From Terror Management to Transcendence Management Theory," *Personality and Social Psychology Bulletin* 30 (2004): 278–92; Adam M. Grant and Kimberly Wade-Benzoni, "The Hot and Cool of Death Awareness at Work: Mortality Cues, Aging, and Self-Protective and Prosocial Motivations," *Academy of Management Review* 34 (2009): 600–22.

118. **S'occuper de proches malades** : Robin K. Yabroff, "Financial Hard-ship Associated with Cancer in the United States: Findings from a Population-Based Sample of Adult Cancer Survivors," *Journal of Clinical Oncology* 34 (2016): 259–67; Echo L. Warner, Anne C. Kirchhoff, Gina E. Nam, et Mark Fluchel, "Financial Burden of Pediatric Cancer Patients and Their Families," *Journal of Oncology Practice* 11 (2015): 12–18.

118. **Près de trois millions d'Américains prennent soin** : National Alliance for Cancer Caregiving, "Cancer Caregiving in the U.S.: An Intense, Episodic, and Challenging Care Experience," Juin 2016, consulté le 18 décembre 2016: www.caregiving.org/wp-content/uploads/2016/06/CancerCaregivingReport_FINAL_June-17-2016.pdf; Alison Snyder, "How Cancer in the Family Reverberates Through the Workplace," *The Washington Post*, 11 décembre 2016: www.washingtonpost.com/national/health-science/how-cancer-in-the-family-reverberates-through-the-work place/2016/12/09/08311ea4-bb24-11e6-94ac-3d324840106c_story.html.

118. **La maladie est le facteur** : David U. Himmelstein, Deborah Thorne, Elizabeth Warren, et Steffie Woolhandler, "Medical Bankruptcy in the United States, 2007: Results of a National Study," *The American Journal of Medicine* 122 (2009): 741–46.

118. **les personnes atteintes d'un cancer ont deux fois et demie plus de risques** : Scott Ramsey, David Blough, Anne Kirchhoff, et al., "Washington State Cancer Patients Found to Be at Greater Risk for Bankruptcy than People Without a Cancer Diag-nosis," *Health Affairs* 32 (2013): 1143–52. Voir aussi Robin Yabroff, Emily C. Dowling, Gery P. Guy, et al., "Financial Hardship Associated with Cancer in the United States: Findings from a Population-Based Sample of Adult Cancer Survivors," *Journal of Clinical Oncology* 34 (2015): 259– 67.

118. **46 % des Américains ne sont pas en mesure** : Board of Governors of the Federal Reserve System, "Report on the Economic Well- Being of U.S. House-holds in 2015," Mai 2016, consulté le 14 décembre 2016: www.federal reserve.gov/2015-report-economic-well-being-us-households-201605.pdf.

118. **Le drame fait bien plus que détruire** : Sally Maitlis, "Who Am I Now? Sensemaking and Identity in Posttraumatic Growth," in *Exploring Positive Identities and Organizations: Building a Theoretical and Research Foundation,* ed. Laura Morgan Roberts and Jane E. Dutton (New York: Psychology Press, 2009).

119. **Notre identité potentielle** : Hazel Markus et Paula Nurius, "Possible Selves," *American Psychologist* 41 (1986): 954– 69; Elizabeth A. Penland, William G. Masten, Paul Zelhart, et al., "Possible Selves, Depression and Coping Skills in University Students," *Personality and Individual Differences* 29 (2000): 963– 69; Daphna Oyserman et Hazel Rose Markus, "Possible Selves and Delinquency," *Journal of Personality and Social Psychology* 59 (1990): 112– 25; Chris Feudtner, "Hope and the Prospects of Healing at the End of Life," *The Journal of Alternative and Complementary Medicine* 11 (2005): S-23–S-30.

119. **« Quand une des portes du bonheur se referme »** : Helen Keller, *We Bereaved* (New York: Leslie Fulenwider Inc., 1929), consulté le 29 décembre 2016 : https://archive.org/stream/webereaved00hele#page/22/mode/2up.

120. **que tant de personnes ayant survécu à un traumatisme finissent par aider** : Trenton A. Williams et Dean A. Shepherd, "Victim Entrepreneurs Doing Well by Doing Good: Venture Creation and Well-Being in the

Aftermath of a Resource Shock," *Journal of Business Venturing* 31 (2016): 365–120. "Chaque nouveau commencement vient" : Attribué à Sénèque.

121. **"I do believe I have been changed"**: Stephen Schwartz, *Wicked*, original Broadway cast recording (Decca Broadway, 2003).

6. RETROUVER LA JOIE

126. **Quand les gens perdent un être cher** : Margaret Shandor Miles et Alice Sterner Demi, "A Comparison of Guilt in Bereaved Parents Whose Children Died by Suicide, Accident, or Chronic Disease," OMEGA: Journal of Death and Dying 24 (1992): 203-15.

126. **Quand une entreprise renvoie des employés** : Joel Brockner, Jeff Greenberg, Audrey Brockner, et al., "Layoffs, Equity Theory, and Work Performance: Further evidence of the Impact of Survivor Guilt," *Management Journal* 29 (1986): 373– 84; Barbara Kiviat, "After Layoffs, There's Survivor Guilt," *Time*, February 1, 2009: http://content.time.com/time/business/article/0,8599,1874592,00. html.

126. **Une existence dédiée uniquement à la recherche du plaisir sans quête de sens** : Roy F. Baumeister, Kathleen D. Vohs, Jennifer L. Aaker, et Emily N. Garbinsky, "Some Key Differences Between a Happy Life and a Meaningful Life," *The Journal of Positive Psychology* 8 (2013): 505–16

127. **Quand nous nous concentrons sur les autres, nous trouvons** : Adam M. Grant, Elizabeth M. Camp-bell, Grace Chen, et al., "Impact and the Art of Motivation Maintenance: The Effects of Contact with Beneficiaries on Persistence Behavior," *Organizational Behavior and Human Decision Processes* 103 (2007): 53–67; Adam M. Grant, "Does Intrinsic Motivation Fuel the Prosocial Fire? Motivational Synergy in Predicting Persistence, Performance, and Productivity," *Journal of Applied Psychology* 93 (2008): 48– 58; Nicola Bellé, "Experimental Evidence on the Relationship Between Public Service Motivation and Job Performance," *Public Administration Review* 73 (2013): 143– 53.

129. **« La joie est l'acte de rébellion par excellence »** : Bono, cité dans Brian Boyd, "Bono: The Voice of Innocence and Experience," *The Irish Times*, 18 septembre 2015 : www.irishtimes.com/culture/music/bono-the-voice-of-innocence-and-experience-1.2355501; citation originale : "un acte de rébellion", modifiée avec l'autorisation de l'auteur.

130. **Mais le bonheur est dû à la fréquence** : Ed Diener, Ed Sandvik, et William Pavot, "Happiness Is the Frequency, Not the Intensity, of Positive Versus Negative Affect," in *Subjective Well-Being: An Interdisciplinary Perspective*, ed. Fritz Strack, Michael Argyle, et Norbert Schwartz (New York: Pergamon, 1991).

130. **une étude australienne sur le veuvage qui a duré douze ans** : Frank J. Infurna et Suniya S. Luthar, "The Multidimensional Nature of Resilience to Spousal Loss," *Journal of Personality and Social Psychology* (en cours d'impression): http://psycnet.apa.org/psycinfo/2016-33916-001/.

131. **« La façon dont nous passons nos journées »** : Annie Dillard, *En vivant, en écrivant*, Paris, Christian Bourgeois, 1996.

131. **« le bonheur, c'est la joie qu'on éprouve »** : Tim Urban, "How to Pick Your Life Partner—Part 2," *Wait but Why*, Février 2014 : http://waitbutwhy.com /2014/02/pick-life-partner-part-2.html.

132. **nous sommes programmés pour nous concentrer davantage sur le négatif** : Paul Rozin et Edward B. Royzman, "Negativity Bias, Negativity

Dominance, and Contagion," *Personal-ity and Social Psychology Review* 5 (2001): 296–320; Roy F. Baumeister, Ellen Bratslavsky, Catrin Finkenauer, et Kathleen D. Vohs, "Bad Is Stronger than Good," *Review of General Psychology* 5 (2001): 323–70.

132. **Mais de nos jours, nous accordons la même attention** : Anita DeLongis, James C. Coyne, Gayle Dakof, et al., "Relationship of Daily Hassles, Uplifts, and Major Life Events to Health Status," *Health Psychology* 1 (1982): 119–36; Vivian Kraaij, Ella Arensman, and Philip Spinhoven, "Negative Life Events and Depression in Elderly Persons: A Meta-Analysis," *The Journals of Gerontology Series B* 57 (2002): 87–94.

133. **Si nommer ses émotions négatives** : Michele M. Tugade, Barbara L. Fredrickson, and Lisa Feldman Barrett, "Psychological Resilience and Positive Emotional Granularity: Examining the Benefits of Positive Emotions on Coping and Health," *Journal of Personality* 72 (2004): 1161– 90.

133. **Écrire les moments de joie** : Chad M. Burton et Laura A. King, "The Health Benefits of Writing About Intensely Positive Experiences,"*Journal of Research in Personality* 38 (2004): 150–63; Joyce E. Bono, Theresa M. Glomb, Winny Shen, et al., "Building Positive Resources: Effects of Positive Events and Positive Reflection on Work Stress and Health,"*Academy of Management Journal* 56 (2013): 1601–27.

133. **Le plus petit détail de notre quotidien** : Anthony D. Ong, C. S. Berge-man, Toni L. Bisconti, et Kimberly A. Wallace, "Psychological Resilience, Positive Emotions, and Successful Adaptation to Stress in Later Life," *Journal of Personality and Social Psychology* 91 (2006): 730–49.

133. **Avec l'âge, nous définissons moins le bonheur** : Cassie Mogilner, Sepandar D. Kamvar, et Jennifer Aaker, "The Shifting Meaning of Happiness," *Social Psychological and Personality Science* 2 (2011): 395– 402.

133. **« La sérénité, c'est la joie au repos »** : Révérend Veronica Goines, citée in Anne Lamott, *Plan B: Further Thoughts on Faith* (New York: Riverhead, 2006); Robert Lee Hill, *The Color of Sabbath: Proclamations and Prayers for New Beginnings* (Pasadena: Hope Publishing House, 2007).

133. **parler de moments joyeux avec quelqu'un** : Shelly L. Gable, Harry T. Reis, Emilly A. Impett, et Evan R. Asher, "What Do You Do When Things Go Right? The Intrapersonal and Interpersonal Benefits of Sharing Positive Events," *Journal of Personality and Social Psychology* 87 (2004): 228–45.

133. **« la joie demande de la discipline »** : Shannon Sedgwick Davis, "Joy Is a Discipline," *To My Boys,* 18 mai 2014: www.2myboys.com/joy-discipline.

134. **une « difficulté surmontable avec effort »** : Nicholas Hobbs, "The Psychologist as Administrator," *Journal of Clinical Psychology* 25 (1959): 237–40; John Habel, "Precipitating Myself into Just Manageable Difficulties: Constructing an Intellectual Biography of Nicholas Hobbs," in *Inside Stories: Qualitative Research Reflections,* ed. Kathleen B. deMarrais (Mahwah, NJ: Erlbaum, 1998).

134. **flow** : Mihaly Csikszentmihalyi, *Finding Flow: The Psychology of Engagement with Everyday Life* (New York: Basic Books, 1998); Ryan W. Quinn, "Flow in Knowledge Work: High Performance Experience in the Design of National Security Technology," *Administrative Science Quarterly* 50 (2005): 610–41.

135. **« si Bruce Wayne avait assisté au meurtre de ses parents »** : cité in Jason Zinoman, "Patton Oswalt: 'I'll Never Be at 100 Percent Again,' " *The New York Times,* 26 octobre 2016 : www.nytimes.com/2016/10/30/arts/patton-oswalt-ill-never-be-at-100-percent-again.html?_r=0; citation modifiée avec l'autorisation de l'auteur.

135. **Les effets de l'exercice sur notre santé physique** : Mayo Clinic Staff, "Exercise: 7 Benefits of Regular Physical Activity," Mayo Clinic, 13 octobre 2016 : www. mayoclinic.org/healthy-lifestyle/fitness/in-depth/exercise/art-20048389.

135. **De nombreux médecins et thérapeutes considèrent l'exercice comme** : Georgia Stahopoulou, Mark B. Powers, Angela C. Berry, et al., "Exercise Interventions for Mental Health: A Quantitative and Qualitative Review," *Clinical Psychology* 13 (2006): 179–93.

135. **Chez les adultes de plus de cinquante ans** : James A. Blumenthal, Michael A. Babyak, Kathleen A. Moore, et al., "Effects of Exercise Training on Older Patients with Major Depression," *Archives of Internal Medicine* 159 (1999): 2349– 56.

135. **Il n'y a jamais eu autant de réfugiés** : HCR, l'agence des Nations-Unies pour les réfugiés, "Figures at a Glance," consulté le 18 décembre 2016 : www. unhcr.org/en-us/figures-at-a-glance.html; Scott Arbeiter, "America's Duty to Take in Refugees," *The New York Times*, 23 septembre 2016: www.nytimes. com/2016/09/24/opinion/americas-duty-to-take-in-refugees.html.

7. ÉLEVER DES ENFANTS RÉSILIENTS

139. **Timothy Chambers, un peintre américain reconnu** : www.iguanaacademy. com/timothy-chambers/.

140. **Kim est tombée sur la vidéo d'une conférence sur la résilience que donnait Adam** : Adam Grant, "The Surprising Habits of Original Thinkers," TED, Avril 2016 : www.ted.com/talks/adam_grant_the_surprising_habits_of_ original_thinkers.

144. **ce taux est d'un sur douze** : UNICEF Innocenti Research Centre (2012), "Measuring Child Poverty: New League Tables of Child Poverty in the World's Rich Countries," Innocenti Report Card 10, UNICEF Innocenti Research Centre, Florence, consulté le 11 avril 2017: https://www.unicef-irc.org/publications/pdf/rc10_eng.pdf.

144. **un sur cinq** : Feargal McGuinness, "House of Commons Briefing Paper: Poverty in the UK: Statistics," accessed on March 11, 2017: http://researchbriefings.parliament.uk/ResearchBriefing/Summary/ SN07096#fullreport.

144. **43 % des enfants qui vivent avec leur mère seule** : Bernadette D. Proctor, Jessica L. Semega, et Melissa A. Kollar, "Income and Poverty in the United States: 2015," United States Census Bureau, Septembre 2016 : www.census. gov/content/dam/Census/library/publications/2 016/demo/p60-256.pdf.

144. **Plus de deux millions et demi d'enfants américains** : Katie Reilly, "Sesame Street Reaches Out to 2.7 Million American Children with an Incarcerated Parent," Pew Research Center, 21 juin 2013 : www.pewresearch.org/ fact-tank/2013/06/21/sesame-street-reaches-out-to-2-7-million-american-children-with-an-incarcerated-parent.

144. **Ces ravages et privations extrêmes** : Katie A. McLaughlin et Margaret A. Sheridan, "Beyond Cumulative Risk: A Dimensional Approach to Childhood Adversity," *Current Directions in Psychological Science* 25 (2016): 239–45.

144. **Une éducation de qualité dès la maternelle:** Gregory Camilli, Sadako Vargas, Sharon Ryan, et William Steven Barnett, "Meta-Analysis of the Effects of Early Education Interventions on Cognitive and Social Development," *Teachers College Record* 122 (2010): 579– 620.

144. Le Nurse-Family Partnership : www.nursefamilypartnership.org/.

144. En suivant à domicile des familles issues de milieux défavorisés : Nicholas Kristof et Sheryl WuDunn, "The Way to Beat Poverty," *The New York Times*, 12 septembre 2014: www.nytimes.com/2014/09/14/opinion/sunday/nicholas-kristof -the-way-to-beat-poverty.html.

145. chaque dollar investi dans ces visites : Lynn A. Karoly, M. Rebecca Kilburn, et Jill S. Cannon, "Early Childhood Interventions: Proven Results, Future Promise," RAND Labor and Population 2005: www.rand.org/content/dam/rand/pubs/monographs/2005/RAND_MG34.pdf.

145. La résilience procure le bonheur : Ann S. Masten, "Ordinary Magic: Resilience Processes in Development," *American Psychologist* 56 (2001): 227–38; Carolyn M. Youssef and Fred Luthans, "Positive Organizational Behavior in the Workplace: The Impact of Hope, Optimism, and Resilience," *Journal of Management* 33 (2007): 774– 800; Salvatore R. Maddi, *Hardiness: Turning Stressful Circumstances into Resilient Growth* (New York: Springer Science & Business Media, 2012).

145. c'est le travail d'une vie : Brian R. Little, Katariina Salmela-Aro, et Susan D. Phillips, eds., *Personal Project Pursuit: Goals, Action, and Human Flourishing* (Mahwah, NJ: Erlbaum, 2006).

145. « des adultes compétents, épanouis et investis » : Emmy E. Werner, "High-Risk Children in Young Adulthood: A Longitudinal Study from Birth to 32 Years," *American Journal of Orthopsychiatry* 59 (1989): 72– 81.

146. Il en va de même pour les enfants : Mary Karapetian Alvord et Judy Johnson Grados, "Enhancing Resilience in Children: A Proactive Approach," *Professional Psychology: Research in Practice* 36 (2005): 238–45.

146. Change Your Shoes: Kathy Andersen a lancé ce programme avant de le transformer en Lean In Circle. Pour plus d'information: https//leanincircles.org/chapter/change-your-shoes.

147. les enfants traversaient plus facilement une épreuve : Carol S. Dweck, *Changer d'état d'esprit: Une nouvelle psychologie de la réussite*, Bruxelles, Éditions Mardaga, 2010.

147. en ayant une « mentalité de croissance » plutôt qu'une mentalité figée : Claudia M. Mueller et Carol S. Dweck, "Praise for Intelligence Can Undermine Children's Motivation and Performance," *Journal of Personality and Social Psychology* 75 (1998): 33–52.

148. à des élèves sur le point d'abandonner le lycée : David Paunesku, Gregory M. Walton, Carissa Romero, et al., "Mind-set Interventions Are a Scalable Treatment for Academic Underachievement," *Psychological Science* 26 (2015): 784–93.

148. En donnant ce même exercice à des étudiants de première année : David S. Yeager, Gregory M. Walton, Shannon T. Brady, et al., "Teaching a Lay Theory Before College Narrows Achievement Gaps at Scale," *Proceedings of the National Academy of Sciences* 113 (2016): 12111–13.

149. De nos jours, la nécessité d'aider les enfants : Kyla Haimovitz et Carol S. Dweck, "What Predicts Children's Fixed and Growth Mind-Sets? Not Their Parents' Views of Intelligence but Their Parents' Views of Failure," *Psychological Science* 27 (2016): 859–69.

149. « normaliser l'effort » : Julie Lythcott-Haims, *How to Raise an Adult: Break Free of the Overparenting Trap and Prepare Your Kid for Success* (New York: Holt, 2015).

149. « Les maths, ce n'est pas ton fort » : Carol Dweck, "Carol Dweck Revisits the

Growth Mindset," *Education Week,* 22 septembre 2015 : www.edweek.org/ew/articles/2015/09/23/carol-dweck-revisits-the-growth-mindset.html.

149. **savoir qu'ils comptent** : Morris Rosenberg et B. Claire McCullough, "Mattering: Inferred Significance and Mental Health Among Adolescents," *Research in Community and Mental Health* 2 (1981): 163–82; Login S. George et Crystal L. Park, "Meaning in Life as Comprehension, Purpose, and Matter-ing: Toward Integration and New Research Questions," *Review of General Psychology* 20 (2016): 205– 20.

149. **ceux qui étaient convaincus d'être importants pour les autres avaient moins de risques** : Gregory C. Elliott, Melissa F. Colangelo, et Richard J. Gelles, "Mattering and Suicide Ideation: Establishing and Elaborating a Relationship," *Social Psychology Quarterly* 68 (2005): 223–38.

150. **Les jeunes LGBTQ** : Laura Kann, Emily O'Malley Olsen, Tim McManus, et al., "Sexual Identity, Sex of Sexual Contacts, and Health-Risk Behaviors Among Students in Grades 9–12," Centers for Disease Control and Prevention, *Morbidity and Mortality Weekly Report,* 10 juin 2011 : www.cdc.gov/mmwr/pdf/ss/ss60e0606.pdf.

151. **« Klassen Time »** : Jessica Alexander, "Teaching Kids Empathy: In Danish Schools, It's… Well, It's a Piecce of Cake," *Salon,* 9 août 2016 : www.salon.com/2016/08/09/teaching-kids-empathy-in-danish-schools-its-well-its-a-piece-of-cake; Jessica Joelle Alexander et Iben Dissing Sandahl, *Comment élever les enfants les plus heureux du monde : les recettes du bonheur danois,* Paris, JC Lattès, 2017.

152. **leur permet de développer de l'empathie** : Martin L. Hoffman, *Empathie et développement moral : les émotions morales et la justice,* Grenoble, Presses universitaires de Grenoble, 2001).

152. **un programme de résilience appelé Girls First** : http://corstone.org/girls-first-bihar-india/.

152. **elle est intervenue pour qu'un garçon arrête** : Kate Leventhal, "Ritu's Story: A New Advocate for Peace and Women's Rights," CorStone, 19 novembre 2015: http://corstone.org/ritus-story-peace-rights/.

154. **quand on affirmait à des enseignants que certains de leurs élèves de groupes stigmatisés** : Lee Jussim et Kent D. Harber, "Teacher Expectations and Self-Fulfilling Prophecies: Knowns and Unknowns, Resolved and Unresolved Controversies,"*Personality and Social Psychology Review* 9 (2005): 131–55; Robert Rosenthal et Lenore Jacobson, "Teachers' Expectancies: Determinants of Pupils' IQ Gains," *Psychological Reports* 19 (1966): 115–18; Monica J. Harris and Robert Rosenthal, "Mediation of Interpersonal Expectancy Effects: 31 Meta-Analyses," *Psychological Bulletin* 97 (1985): 363– 86.

155. **Être convaincu que l'on peut apprendre de ses échecs** : David S. Yeager et Carol S. Dweck, "Mindsets That Promote Resilience: When Students Believe That Personal Characteristics Can Be Developed," *Educational Psychologist* 47 (2012): 302–14.

155. **Croire que l'on est important** : Adam M. Grant et Francesca Gino, "A Little Thanks Goes a Long Way: Explaining Why Gratitude Expressions Motivate Prosocial Behavior," *Journal of Personality and Social Psychology* 98 (2010): 946– 55.

155. **Plus de 1,8 million d'enfants américains** : Social Security Administration, "Benefits Paid by Type of Beneficiary," consulté le 14 décembre 2016: www.ssa.gov/oact/progdata/icp.html.

155. Une enquête nationale montre que près des trois quarts d'entre eux : "Life with Grief Research," *Comfort Zone News*, consulté le 14 décembre 2016: www.comfortzone camp.org/news/childhood-bereavement-study-results.

158. la plasticité cérébrale des enfants est plus importante : Joan Stiles, "Neural Plasticity and Cognitive Development," *Developmental Neuropsychology* 18 (2000): 237–72. Voir aussi Dante Ciccheti, "Resilience Under Conditions of Extreme Stress: A Multilevel Perspective," *World Psychiatry* 9 (2010): 145–54.

158. Leur « espace émotionnel » est plus restreint : Kenneth J. Doka et Joyce D. Davidson, eds., *Living with Grief: Who We Are, How We Grieve* (New York: Routledge, 1998).

158. La fatigue nous affaiblit : Christopher M. Barnes, Cristiano L. Guarana, Shazia Nauman, et Dejun Tony King, "Too Tired to Inspire or Be Inspired: Sleep Deprivation and Charismatic Leadership," *Journal of Applied Psychology* 101 (2016): 1191– 99; Brett Litwtiller, Lori Anderson Snyder, William D. Taylor, et Logan M. Steele, "The Relationship Between Sleep and Work: A Meta-Analysis," *Journal of Applied Psychology* (en cours d'impression): http://psycnet.apa.org/psycinfo/2016-57450-001/.

159. Girls Leadership: https://girlsleadership.org/.

162. Quand les enfants grandissent avec l'histoire de leur famille précisément en tête : Robyn Fivush, Jennifer Bohanek, Rachel Robertson, et Marshall Duke, "Family Narratives and the Development of Children's Emotional Well-Being," in *Family Stories and the Life Course: Across Time and Generations*, ed. Michael W. Pratt and Barbara H. Fiese (Mahwah, NJ: Erlbaum, 2004); Bruce Feiler, "The Stories That Bind Us," *The New York Times*, 15 mars 2013: www.nytimes.com/2013/03/17/fashion/the-family-stories-that-bind-us-this-life.html.

162. Donner l'occasion à chacun des membres de la famille : Jennifer G. Bohanek, Kelly A. Marin, Robyn Fivush, et Marshall P. Duke, "Family Narrative Interaction and Children's Sense of Self," *Family Process* 45 (2006): 39–54.

163. La nostalgie est donc, littéralement : Constantine Sedikides, Tim Wildschut, Jamie Arndt, et Clay Routledge, "Nostalgia: Past, Present, and Future," *Current Directions in Psychological Science* 17 (2008): 304–7.

164. un programme de l'université de l'Arizona : Rachel A. Haine, Tim S. Ayers, Irwin N. Sandler, et Sharlene A. Wolchik, "Evidence-Based Practices for Parentally Bereaved Children and Their Families," *Professional Psychology: Research and Practice* 39 (2008): 113–21. Voir aussi Margaret Stroebe *et* Henk Schut, "Family Matters in Bereavement: Toward an Integrative Intra-Interpersonal Coping Model," *Perspectives on Psychological Science* 10 (2015): 873–79. Informations complémentaires sur le programme disponibles sur: https://reachinstitute.asu.edu/programs/family-bereavement.

164. le bonheur n'est pas juste une expérience, c'est également un souvenir : Daniel Kahneman, *Système 1/ Système 2: Les deux vitesses de la pensée*, Paris, Flammarion, coll. essais, 2012.

164. Désormais, je filme : Kristin Diehl, Gal Zauberman, and Alixandra Barasch, "How Taking Photos Increases Enjoyment of Experiences," *Journal of Personality and Social Psychology* 111 (2016): 119–40.

167. « Nous sommes pris dans un incontournable réseau » : Martin Luther King Jr., "Letter from a Birmingham Jail," 16 avril 1963: citée de: www.theatlantic.com/politics/archive/2013/04/martin-luther-kings-letter-from -birmingham-jail/274668/.

167. En 1972, un avion allant : Spencer Harrison, "The Role of Hope in Organizing: The Case of the 1972 Andes Flight Disaster" (article en cours d'écriture, 2016); Piers Paul Read, *Les survivants*, Paris, Grasset et Fasquelle, 1993; Nando Parrado, *Miracle dans les Andes: 72 jours dans les montagnes et ma longue marche pour rentrer*, Paris, Le livre de poche, 2008; Roberto Canessa and Pablo Vierci, *I Had to Survive: How a Plane Crash in the Andes Inspired My Calling to Save Lives* (New York: Atria Books, 2016); Michael Useem, *The Go Point: How to Get Off the Fence by Knowing What to Do and When to Do It* (New York: Three Rivers Press, 2006); Pablo Vierci, *La Sociedad de la Nieve: Por Primera Vez Los 16 Sobrevivientes de los Andes Cuentan la Historia Completa* (Argentina: Editorial Sudamericana, 2008).

169. des « communautés de personnes généraient de nouvelles possibilités » : James D. Ludema, Tim-othy B. Wilmot, et Suresh Srivastava, "Organizational Hope: Reaffirming the Constructive Task of Social and Organizational Inquiry," *Human Relations* 50 (1997): 1015–52.

169. Croire en de nouvelles opportunités permet aux gens : C. R. Snyder, "Conceptualizing, Measuring, and Nurturing Hope," *Journal of Counseling and Development* 73 (1995): 355–60; C. R. Snyder, *Handbook of Hope* (San Diego: Academic Press, 2000).

169. « l'espoir fondateur » : David B. Feldman et Lee Daniel Kravetz, *Supersurvivors: The Surprising Link Between Suffering and Success* (New York: Harper Wave, 2014).

170. quand trente-trois mineurs chiliens se sont retrouvés bloqués : "Chile Miners Get Support from 'Alive' Crash Survivors," BBC News, 4 septembre 2010: www.bbc.com/news/world-latin-america-11190456; "'Alive' Survivors Reach Out to Trapped Chilean Miners," *Weekend Edition Sunday*, NPR, 5 septembre 2010 : www.npr.org/templates/story/story.php?storyId=129662796; "A Survivor's Message to Miners," YouTube, consulté le 15 décembre 2016 : www.youtube.com/watch?v=kLHhTLbjtkY.

172. « Experience Camp » : www.experience.camp.

173. Depuis, il a témoigné : "Testimony of Former SHU Inmate Steven Czifra at the Joint Legislative Hearing on Solitary Confinement in California," 9 octobre 2013, consulté le 23 décembre 2016 : www.whatthefolly.com/2013/10/22/transcript-testimony-of-former-shu-inmate-steven-czifra-at-the-joint-legislative-hearing-on-solitary-confinement-in-california-oct-9-2013/; "Steven Czifra Speaks on Solitary Confinement in North Berkeley," YouTube, 6 novembre 2013, consulté le 23 décembre 2016 : www.youtube.com/watch?v=aodLBlt1i00.

174. Underground Scholars Initiative: Larissa MacFarquhar, "Building a Prison-to-School Pipeline," *The New Yorker*, 12 décembre 2016 : www.newyorker.com/magazine/2016/12/12/the-ex-con-scholars-of-berkeley; Jessie Lau, "Incarceration to Convocation," *The Daily Californian*, 10 mai 2015 : www.dailycal.org/2015/05/10/incarceration-to-convocation/.

174. La Posse Foundation: www.possefoundation.org.

175. **une histoire commune peut également être une source de résilience** : Michèle Lamont, Graziella Moraes Silva, Jessica S. Welburn, et al., *Getting Respect: Responding to Stigma and Discrimination in the United States, Brazil, and Israel* (Princeton: Princeton University Press, 2016).

175. **Quand on a soulevé cette question du genre** : Michael Johns, Toni Schmader, et Andy Martens, "Knowing Is Half the Battle: Teaching Stereotype Threat as a Means of Improving Women's Math Performance," *Psycho-logical Science* 16 (2005): 175–79.

176. **des étudiants noirs ont obtenu de moins bons résultats** : Claude M. Steele et Joshua Aronson, "Stereotype Threat and the Intellectual Test Performance of African Americans," *Journal of Personality and Social Psychology* 69 (1995): 797– 811. For a review, see Hannah-Hanh D. Nguyen and Ann Marie Ryan, "Does Stereotype Threat Affect Test Performance of Minorities and Women? A Meta-Analysis of Experimental Evidence," *Journal of Applied Psychology* 93 (2008): 1314–34.

176. **la « menace du stéréotype »** : Claude M. Steele, "A Threat in the Air: How Stereo-types Shape Intellectual Identity and Performance," *American Psychologist* 52 (1997): 613–29; Jenessa R. Shapiro et Steven L. Neuberg, "From Stereotype Threat to Stereotype Threats: Implications of a Multi-Threat Framework for Causes, Moderators, Mediators, Consequences, and Interventions," *Personality and Social Psychology Review* 11 (2007): 107–30.

176. **« La rumeur sur le campus »** : Tina Rosenberg, "Beyond SATs, Finding Success in Numbers," *The New York Times*, 15 février 2012: http://opinionator.blogs.nytimes.com/2012/02/15/beyond-sats-finding-success-in-numbers/?scp=1&sq=fixes%20stereotype%20threat&st=cse.

176. **l'aide de leurs pairs peut avoir un énorme impact** : Dan S. Chiaburu and David A. Harrison, "Do Peers Make the Place? Conceptual Synthesis and Meta-Analysis of Coworker Effects on Perceptions, Attitudes, OCBs, and Performance," *Journal of Applied Psychology* 93 (2008): 1082–103; Chockalingam Viswesvaran, Juan I. Sanchez, and Jeffrey Fisher, "The Role of Social Support in the Process of Work Stress: A Meta-Analysis," *Journal of Vocational Behavior* 54 (1999): 314–34.

177. **En aidant les gens à traverser une période difficile** : Geoff DeVerteuil et Oleg Golubchikov, "Can Resilience Be Redeemed?" *City: Analysis of Urban Trends, Culture, Theory, Policy, Action* 20 (2016): 143–51; Markus Keck et Patrick Sakdapolrak, "What Is Social Resilience? Lessons Learned and Ways Forward," *Erdkunde* 67 (2013): 5– 19.

178. **« Vendredi soir vous avez volé la vie d'un être d'exception »** : Antoine Leiris, *Vous n'aurez pas ma haine*, Paris, Fayard, 2016.

178. **« l'élévation morale », qui découle d'un sentiment** : Jonathan Haidt, "Elevation and the Positive Psychology of Morality," in *Flourishing: Positive Psychology and the Life Well-Lived*, ed. Corey L. M. Keyes et Jonathan Haidt (Washington, DC: American Psychological Association, 2003); Rico Pohling and Rhett Diessner, "Moral Elevation and Moral Beauty: A Review of the Empirical Literature," *Review of General Psychology* 20 (2016): 412–25; Sara B. Algoe et Jonathan Haidt, "Witnessing Excellence in Action: The 'Other-Praising' Emotions of Elevation, Gratitude, and Admiration," *The Journal of Positive Psychology* 4 (2009): 105–27; Simone Schnall, Jean Roper, et Daniel M. T. Fessler, "Elevation Leads to Altruistic Behavior," *Psycho-logical Science* 21 (2010): 315–20.

178. « les meilleurs anges de notre nature » : premier discours d'inauguration d'Abraham Lincoln, 4 mars 1861, consulté le 15 décembre 2016: http:// avalon.law.yale.edu/19th_century/lincoln1.asp.

178. elle nous pousse à nous concentrer : Dan Freeman, Karl Aquino, et Brent McFer-ran, "Overcoming Beneficiary Race as an Impediment to Charitable Donations: Social Dominance Orientation, the Experience of Moral Elevation, and Donation Behavior," *Personality and Social Psychology Bul-etin* 35 (2009): 72– 84; Karl Aquino, Brent McFerran, et Marjorie Laven, "Moral Identity and the Experience of Moral Elevation in Response to Acts of Uncommon Goodness," *Journal of Personality and Social Psychology* 100 (2011): 703– 18; Jane E. Dutton, Monica C. Worline, Peter J. Frost, et Jacoba Lilius, "Explaining Compassion Organizing," *Administrative Science Quarterly* 51 (2006): 59–96.

179. « Ne laissez jamais quelqu'un vous rabaisser » : Martin Luther King Jr., cité in Clayborne Carson et Peter Holloran, eds., *A Knock at Midnight: Inspiration from the Great Sermons of Reverend Martin Luther King, Jr.* (New York: Grand Central, 2000).

179. l'église méthodiste africaine Emanuel de Charleston : Elahe Izadi, "The Powerful Words of Forgiveness Delivered to Dylann Roof by Victims' Relatives," *The Washington Post,* 19 juin 2015 : www.washingtonpost.com/ news/post-nation/wp/2015/06/19/hate-wont-win-the-powerful-words-delivered-to-dylann-roof-by-victims-relatives; John Eligon et Richard Fausset, "Defiant Show of Unity in Charleston Church That Lost 9 to Racist Violence," *The New York Times,* 21 juin 2015 : www.nytimes.com/2 015/0 6/2 2/us/ame-church-in-charleston-reopens-as-congregation-mourns-shooting-victims.html; Alexis Simmons, "Families Impacted by Gun Violence Unite at Mother Emanuel Calling for Gun Reform," *KCTV News,* 24 avril 2016 : www. kctv5.com/story/31804155/families-impacted-by-gun-violence-unite-at-mother-emanuel-calling-for-gun-reform; Michael S. Schmidt, "Background Check Flaw Let Dylann Roof Buy Gun, F.B.I. Says," *The New York Times,* July 10, 2015: www.nytimes.com/2015/07/11/us/background-check-flaw-let-dylann-roof-buy-gun-fbi-says.html.

179. et s'est joint à l'assemblée pour chanter le cantique : "President Obama Sings 'Amazing Grace,'" YouTube, consulté le 13 janvier 2017 : www. youtube.com/watch?v=IN05jVNBs64.

180. « Ce qui nous unit est plus fort » : Richard Fausset et John Eligon, "Charleston Church Reopens in Moving Service as Congregation Mourns," *The Charlotte Observer,* 21 juin 2015 : www.charlotteobserver.com/news/ local/article25113397.html.

180. le Charleston Area Justice Ministry : http://thedartcenter.org/.

181. En 2010, il y a eu près de quatre cents : Dean A. Shepherd et Trenton A. Williams, "Local Venturing as Compassion Organizing in the Aftermath of a Natural Disaster: The Role of Localness and Community in Reducing Suffering," *Journal of Management Studies* 51 (2014): 952– 94.

182. Les communautés résilientes ont des liens forts : voir Daniel P. Aldrich et Michelle A. Meyer, "Social Capital and Community Resilience," *American Behavioral Scientist* 59 (2015): 254–69; Stevan E. Hobfoll, Patricia Watson, Carl C. Bell, et al., "Five Essential Elements of Immediate and Mid-Term Mass Trauma Intervention: Empirical Evidence," *Psychiatry* 70 (2007): 283– 315. Les communautés qui ont plus de ressources financières sont souvent plus résilientes elles aussi. En 1992, après le passage de l'ouragan Andrew

sur la Floride, les gens avaient plus de risques de développer un syndrome de stress post-traumatique s'ils avaient perdu leur maison et n'avaient pas moyen de financer sa reconstruction. Gail Ironson, Christina Wynings, Neil Schneiderman, et al., "Posttraumatic Stress Symptoms, Intrusive Thoughts, Loss, and Immune Function After Hurricane Andrew," *Psychosomatic Medicine* 59 (1997): 128–41. Des psychologues ont également affirmé que: "les efforts de l'état du Mississippi pour obliger les compagnies d'assurances à payer pour les dommages, en vertu de la loi de l'état, équivalent à une politique cruciale en matière de santé mentale": Hobfoll et al., "Five Essential Elements of Immediate and Mid-Term Mass Trauma Intervention."

183. **Après le génocide rwandais de 1994** : J. P. De Jong, Wilma F. Scholte, Maarten Koeter, et Augustinus A. M. Hart, "The Prevalence of Mental Health Problems in Rwandan and Burundese Refugee Camps," *Acta Psychiatrica Scandinavica* 102 (2000): 171–77.

183. **Les camps dans lesquels les réfugiés faisaient le plus preuve de résilience** : Joop de Jong, ed., *Trauma, War, and Violence: Public Mental Health in Socio-Cultural Context* (New York: Springer, 2002).

183. **« des restes de femmes »** : Brooke Larmer, "The Price of Marriage in China," *The New York Times*, 9 mars 2013 : www.nytimes.com/2013/03/10/business/in-a-changing-china-new-matchmaking-markets.html; A.A., " 'Leftover' and Proud," *The Economist*, 1 août 2014 : www.economist.com/blogs / analects/2014/08/womens-voices.

183. **« rien si elle n'est pas mariée »** : Clarissa Sebag-Montefiore, "Romance with Chinese Characteristics," *The New York Times*, 21 août 2012 : http://latitude. blogs.nytimes.com/2012/08/21/romance-with-chinese-characteristics/?_r=0.

183. **Plus de 80 000 femmes** : Jenni Risku, "Reward Actors Who Promote Diversity: Lean In China's Virginia Tan," *e27*, 19 septembre 2016: https:// e27.co/reward-actors-who-promote-diversity-lean-in-chinas-virginia-tan-20160916/.

9. ÉCHOUER ET APPRENDRE AU TRAVAIL

188. **prédire la réussite d'un voyage spatial** : Peter M. Madsen et Vinit Desai, "Failing to Learn? The Effects of Failure and Success on Organizational Learning in the Global Orbital Launch Vehicle Industry," *Academy of Management Journal* 53 (2010): 451–76.

189. **Tout comme n'importe quel individu** : Trenton A. Williams, Daniel A. Gruber, Kathleen M. Sutcliffe, et al., "Organizational Response to Adversity: Fusing Crisis Management and Resilience Research Streams," *Academy of Management Annals* (en cours d'impression).

189. **comme ces entreprises qui n'ont pas mis la clé sous la porte** : Edie Lutnick, *An Unbroken Bond: The Untold Story of How the 658 Cantor Fitzgerald Families Faced the Tragedy of 9/11 and Beyond* (New York: Emergence Press, 2011).

190. **on a accroché ce tableau** : "We Asked People to Tell Us Their Biggest Regrets—But What They All Had in Common Was Heartbreak-ig," *A Plus*, 22 janvier 2016: http://aplus.com/a/mclean-slate-blackboard-experiment.

191. **nous regrettons les occasions manquées** : Thomas Gilovich et Victoria Husted Medvec, "The Experience of Regret: What, When, and Why," *Psychological Review* 102 (1995): 379–95.

193. des conférences sur la morbidité et la mortalité : Patrice François, Frédéric Prate, Gwenaëlle Vidal-Trecan, et al., "Characteristics of Morbidity and Mortality Conferences Associated with the Implementation of Patient Safety Improvement Initiatives, An Observational Study," *BMC Health Services Research* 16 (2015),http://bmchealthservres.biomedcentral.com/articles/10.1186/s12916-016-1279-8; Juliet Higginson, Rhiannon Walters, et Naomi Fulop, "Mortality and Morbidity Meetings: An Untapped Resource for Improving the Governance of Patient Safety?" *BMJ Quality and Safety* 21 (2012): 1–10.

193. Quand ils se sentent en confiance pour évoquer leurs erreurs : Amy C. Edmondson, "Learning from Mistakes Is Easier Said Than Done: Group and Organizational Influences on the Detection and Correction of Human Error," *The Journal of Applied Behavioral Science* 32 (1996): 5–28.

193. plus honnêtes dans leurs CV : Melanie Stefan, "A CV of Failures," *Nature* 468 (2010): 467; Johannes Haushofer CV, consulté le 15 décembre 2016: www.princeton.edu/~joha.

194. Kind Design: Jack Deming, "Native Son Suffers Loss from Western Mountain Flooding," *The Deerfield Valley News,* 2013: www.dvalnews.com/view/full_story_obits/23695561/article-Native-son-suffers-loss-from-western-mountain-flooding.

194. Les employés qui savent tirer les leçons de leurs échecs : Cathy van Dyck, Michael Frese, Markus Baer, et Sabine Sonnentag, "Organizational Error Management Culture and Its Impact on Performance: A Two-Study Replication," *Journal of Applied Psychology* 90 (2005): 1228–40.

195. si aller à la pêche aux compliments pouvait nuire : Susan J. Ashford, Ruth Blatt, et Don VandeWalle, "Reflections on the Looking Glass: A Review of Research on Feedback-Seeking Behavior in Organizations," *Journal of Management* 29 (2003): 773–99. De nombreuses personnes hésitent à demander un retour, parce qu'elles pensent que ce genre d'information ne fera que mettre leurs faiblesses au grand jour. Leurs craintes sont infondées: demander un retour conduit souvent à une meilleure évaluation de nos supérieurs, subordonnés et pairs.

195. Adam est devenu le professeur le mieux noté de Wharton : https://mba-inside.wharton.upenn.edu/class-of-1984-awardees/ and: https://mba-inside.wharton.upenn.edu/excellence-in-teaching-class-of-1984-awards.

197. « Les chanteurs et les athlètes de haut niveau ont tous des coachs » : Atul Gawande, "The Coach in the Operating Room," *The New Yorker,* 3 octobre 2011: www.newyorker.com/magazine/2011/10/03/personal-best.

197. « Nous prenons la mesure de ce que nous sommes » : Gregg Popovich, cité *in* J. A. Adande, "Spurs' Fortitude Fueled Title Run," ESPN, 19 novembre 2014: www.espn.com/nba/story/_/id/11901128/spurs-2014-title-run-started-game-7-2013-finals.

197. « Nous discutons toujours plus de la personne » : Theo Epstein, cité *in* Bill Pennington, "Cubs' Theo Epstein Is Making Lightning Strike Twice," *The New York Times,* 29 septembre 2016 : www.nytimes.com/2016/10/02/sports/baseball/theo-epstein-chicago-cubs-boston-red-sox-world-series.html.

198. « Après chaque mauvaise note » : Douglas Stone et Sheila Heen, *Thanks for the Feedback: The Science and Art of Receiving Feedback Well* (New York: Viking, 2014).

199. une simple phrase pouvait aider les gens à accepter : David S. Yeager, Valerie Purdie-Vaughns, Julio Garcia, et al., "Breaking the Cycle of Mistrust: Wise Interventions to Provide Critical Feedback Across the Racial Divide," *Journal of Experimental Psychology: General* 143 (2014): 804–24.

10. AIMER ET RIRE DE NOUVEAU

210. Se marier n'a augmenté leur bonheur que de façon mineure : Richard E. Lucas, Andrew E. Clark, Yannis Georgellis, et Ed Diener, "Reexamining Adaptation and the Set Point Model of Happiness: Reactions to Changes in Marital Status," *Journal of Personality and Social Psychology* 84 (2003): 527–39. À l'inverse, les couples qui ont fini par divorcer voyait déjà leur bonheur diminuer à l'approche du mariage et celui-ci est remonté après leur divorce.

210. les gens qui choisissent d'être célibataires : Richard E. Lucas et Portia S. Dyrenforth, "The Myth of Marital Bliss?" *Psychological Inquiry* 16 (2005): 111–15; Maike Luhmann, Wilhelm Hofmann, Michael Eid, et Richard E. Lucas, "Subjective Well-Being and Adaptation to Life Events: A Meta-Analysis," *Journal of Personality and Social Psychology* 102 (2012): 592–615.

210. « Les célibataires sont stéréotypés » : Bella DePaulo, *Singled Out: How Singles Are Stereotyped, Stigmatized, and Ignored, and Still Live Happily Ever After* (New York: St. Martin's Press, 2006).

211. « Accusez-moi de tous les maux si cela vous fait plaisir » : Aaron Ben-Zeév, "Love After Death: The Widows' Romantic Predicaments," The Center for Behavioral Health, 12 avril 2012: www.njpsychologist.com/blog/love-after-death-the-widows-romantic-predicaments/.

212. les hommes ont plus de chances de ressortir avec quelqu'un : Deborah Carr, "The Desire to Date and Remarry Among Older Widows and Widowers," *Journal of Marriage and Family* 66 (2004): 1051–68; Danielle S. Schneider, Paul A. Sledge, Stephen R. Schuchter, et Sidney Zisook, "Dating and Remarriage over the First Two Years of Widowhood," *Annals of Clinical Psychiatry* 8 (1996): 51–57; Karin Wolff et Camille B. Wortman, "Psychological Consequences of Spousal Loss Among Older Adults," in *Spousal Bereavement in Late Life*, ed. Deborah S. Carr, Randolph M. Nesse, and Camille B. Wort-man (New York: Springer, 2005).

212. Dans beaucoup de pays européens : Kevin Kinsella and Victoria Averil Velkoff, "An Aging World: 2001," U.S. Census Bureau, Series P95/01-1 (Washington, D.C.: Government Printing Office, 2001).

213. Dans certaines régions de l'Inde : Nilanjana Bhowmick, "If You're an Indian Widow, Your Children Could Kick You Out and Take Everything," *Time*, 7 octobre 2013: http://world.time.com/2013/10/07/if-youre-an-indian-widow-your-children-could-kick-you-out-and-take-everything/.

213. Dans certains villages du Nigeria : Osai Ojigho, "Scrape Her Head and Lay Her Bare: Widowhood Practices and Culture," *Gender Across Borders*, 28 octobre 2011: www.genderacrossborders.com/2011/10/28/scrape-her-head-and-lay-her-bare-widowhood-practices-and-culture/.

213. témoins de discriminations envers les veuves : Haider Rizvi, "RIGHTS: Mistreatment of Widows a Poorly Kept Secret," IPS, 23 juin 2008: www.ipsnews.net/2008/06/rights-mistreatment-of-widows-a-poorly-kept-secret/.

213. **Dans de nombreux pays, les femmes ne peuvent hériter** : Mary Kimani, "Women Struggle to Secure Land Rights," *Africa Renewal,* avril 2008: www.un.org/africarenewal/magazine/april-2008/women-struggle-secure-land-rights; UN Women, "Empowering Widows: An Overview of Policies and Programs in India, Nepal and Sri Lanka," consulté le 15 décembre 2016: www2.unwomen.org/~/media/field%20office%20eseasia/docs/publications/2015/09/final_empowering% 20widows_report% 202014. pdf?v=1&d=20150908T104700.

214. **le blog de l'écrivain Abel Keogh** : www.abelkeogh.com/blog.

216. **Lorsqu'une personne amoureuse passe un scanner cérébal** : Voir Arthur Aron, Helen Fisher, Debra J. Mashek, et al., "Reward, Motivation, and Emotion Systems Associated with Early-Stage Intense Romantic Love," *Journal of Neurophysiology* 94 (2005): 327–37; Helen Fisher, Arthur Aron, et Lucy L. Brown, "Romantic Love: An fMRI Study of a Neural Mechanism for Mate Choice," *The Journal of Comparative Neurology* 493 (2005): 58–62.

216. **Tomber amoureux** : Arthur Aron, Meg Paris, et Elaine N. Aron, "Falling in Love: Prospective Studies of Self-Concept Change," *Journal of Personality and Social Psychology* 69 (1995): 1102–12; Elaine N. Aron et Arthur Aron, "Love and the Expansion of the Self: The State of the Model," *Personal Relationships* 3 (1996): 45–58.

218. **les patients qui regardent des comédies** : James Rotton et Mark Shats, "Effects of State Humor, Expectancies, and Choice on Postsurgical Mood and Self-Medication: A Field Experiment," *Journal of Applied Social Psychology* 26 (1996): 1775–94. Cela s'est vérifié quand les patients avaient été informés des bénéfices de l'humour sur leur santé et avaient pu choisir leur film.

218. **Les soldats qui font des blagues** : Smadar Bizi, Giora Keinan, et Benjamin Beit-Hallahmi, "Humor and Coping with Stress: A Test Under Real-Life Conditions," *Personality and Individual Differences* 9 (1988): 951–56.

218. **Les veufs qui rient sans se retenir** : Dacher Keltner et George A. Bonanno, "A Study of Laughter and Dissociation: Distinct Correlates of Laughter and Smiling During Bereavement," *Journal of Personality and Social Psychology* 73 (1997): 687–702.

218. **Les couples qui rient ensemble** : John Mordechai Gottman et Robert Wayne Levenson, "The Timing of Divorce: Predicting When a Couple Will Divorce over a 14-Year Period," *Journal of Marriage and Family* 62 (2000): 737–45.

218. **l'humour ralentit notre rythme cardiaque** : Michelle Gayle Newman et Arthur A. Stone, "Does Humor Moderate the Effects of Experimentally-Induced Stress?" *Annals of Behavioral Medicine* 18 (1996): 101–9.

219. **« si vous pouvez les tourner en ridicule »** : Mel Brooks, cité *in* Forrest Wickman, "Watch the New Documentary About Mel Brooks," *Slate,* 28 mai 2013: www.slate.com/blogs/browbeat/2013/05/28/_mel_brooks_make_a_noise_the_pbs_american_masters_documentary_is_now_available.html.

219. **Les blagues sont monnaie courante aux enterrements** : Blake E. Ashforth et Glen E. Kreiner, " 'How Can You Do It?' Dirty Work and the Challenge of Constructing a Positive Identity," *Academy of Management Review* 24 (1999): 413–34.

219. **« Il n'est pas perdu »** : "Tragicomedia with Comic Janice Messitte on Being a Newly Wedded Widow," Art for Your Sake, 20 mars 2014: http://artforyoursake.com/tragicomedia-with-comic-janice-messitte-on-being-a-newly-wedded-widow/.

220. « La mort marque la fin d'une vie » : Robert Woodruff Anderson, *I Never Sang for My Father* (New York: Random House, 1968).
221. quand les gens tombent amoureux : Anita L. Vangelisti et Daniel Perlman, eds., *The Cambridge Handbook of Personal Relationships* (New York: Cambridge University Press, 2006).
222. a invité 130 jeunes mariés : John M. Gottman, James Coan, Sybil Carrere, et Catherine Swanson, "Predicting Marital Happiness and Stability from Newlywed Interactions," *Journal of Marriage and Family* 60 (1998): 5–22; John Gottman, *Les couples heureux ont leurs secrets: Les sept lois de la réussite*, Paris, Pocket, 2006.
222. une relation résiliente : Jane E. Dutton et Emily Heaphy, "The Power of High-Quality Connections," in *Positive Organizational Scholarship: Foundations of a New Discipline*, ed. Kim S. Cameron, Jane E. Dutton, et Robert E. Quinn (San Francisco: Berrett-Koehler, 2003).
223. que la flamme faiblit avec le temps : Arthur Aron, Christina C. Norman, Elaine N. Aron, et al., "Couples' Shared Participation in Novel and Arousing Activities and Experienced Relationship Quality," *Journal of Personality and Social Psychology* 78 (2000): 273–84.
223. Au sein des couples dont le mariage a duré : John M. Gottman, Janice Driver, et Amber Tabares, "Repair During Marital Conflict in Newlyweds: How Couples Move from Attack-Defend to Collaboration," *Journal of Family Psychotherapy* 26 (2015): 85– 108.
224. Écrire sur le sujet trois fois, pendant sept minutes : Eli J. Finkel, Erica B. Slotter, Laura B. Luchies, et al., "A Brief Intervention to Promote Conflict Reappraisal Preserves Marital Quality over Time," *Psychological Science* 24 (2013): 1595–601.
228. « Je ne vais pas vous faire grincer des dents » : Allen Rucker, *The Best Seat in the House: How I Woke Up One Tuesday and Was Paralyzed for Life* (New York: Harper-Collins, 2007).

Table des matières

Copyright des illustrations

43. « Non, c'est l'éléphant à l'appareil » : J. B. Handelsman, The New Yorker Collection/The Cartoon Bank

58. Les « cartes d'empathie », utilisées avec la permission d'Emily McDowell Studio

60. « Je suis là, au milieu de la pièce, et tout le monde fait semblant de ne pas me voir. » : Leo Cullum, The New Yorker Collection/The Cartoon Bank

139. *Joshua & Cayla* de Timothy Chambers

190. Le tableau des regrets : « *We asked people to tell us their biggest regrets– but what they all had in common was heartbreaking* », *A Plus*, 22 janvier 2016 : http://aplus.com/a/clean-slate-blackboard-experiment

Mise en Pages

PRESS·PROD

MARQUIS

Québec, Canada

Dépôt légal : mai 2017

ISBN : 978-2-7499-3277-4
LAF : 2390
Imprimé au Canada